流域水资源保护与可持续利用

王有强　司毅铭　张道军　著

黄河水利出版社

内 容 提 要

本书以流域水资源为研究对象，论述了流域水资源保护与可持续利用的基本理论和方法。其主要内容包括流域及流域生态环境、流域水资源保护工作体系、数字技术与流域水资源保护、流域水资源可持续利用、流域水资源可持续利用的支撑体系、水利工程建设环境监理。可供公共管理、水利水资源、环境工程等专业的科研、生产建设和管理人员参阅，也可作为有关高等院校师生的参考书。

图书在版编目(CIP)数据

流域水资源保护与可持续利用/王有强，司毅铭，张道军著．郑州：黄河水利出版社，2005.4

ISBN 7-80621-900-5

Ⅰ.流… Ⅱ.①王… ②司… ③张… Ⅲ.①流域-水资源-资源保护 ②流域-水资源-资源利用 Ⅳ.TV213.4

中国版本图书馆 CIP 数据核字(2005)第 013721 号

出 版 社：黄河水利出版社

地址：河南省郑州市金水路 11 号　　邮政编码：450003

发行单位：黄河水利出版社

发行部电话及传真：0371-66022620

E-mail：yrcp@public.zz.ha.cn

承印单位：黄河水利委员会印刷厂

开本：787mm×1 092mm　1/16

印张：11.75

字数：224 千字　　印数：1—1 500

版次：2005 年 4 月第 1 版　　印次：2005 年 4 月第 1 次印刷

书号：ISBN 7-80621-900-5/TV·399　　定价：25.00 元

前　言

新中国成立以来,党和国家领导人民对大江、大河、大湖进行了大规模的治理与开发,并取得了举世瞩目的巨大成就。随着我国经济和社会的快速发展,水资源需求日益增加,水资源供需矛盾加剧,中国正在面临水资源短缺和污染的危机。中国共产党十五届五中全会把水资源问题提到突出位置,同粮食、油气资源一起作为国家的重要战略资源,予以高度重视。

水资源的形成、流动和转化均以流域为单元,这一自然属性决定了流域是政府进行以水资源为核心的水事活动管理的重要单元。在新中国的历史发展进程中,政府先后成立了七大流域机构,承担着七大江河的流域管理职责,在流域规划、防洪减灾、水资源开发利用与管理、调处水事纠纷和科学研究等方面,都发挥了重要的不可替代的作用。50多年的实践表明,我国流域水资源管理的基本情况是好的,成绩是显著的。从发展的总趋势看,我国流域水资源管理的发展方向和途径渐趋清晰,流域水资源管理正在逐步加强。随着我国社会主义市场经济体制的逐步建立,以及21世纪人口、资源、环境问题的日益突出,对流域水资源管理工作的要求会越来越高,流域尺度的水资源保护与可持续利用工作将越来越复杂。

流域管理是指政府对重要江河、湖泊以流域尺度为单元,以水资源可持续利用为核心的水事活动实行的统一管理,包括对水资源的开发、利用、治理、配置、节约、保护以及水土保持等活动的管理。通过对流域水资源的统一管理,改善流域水环境,为流域内国民经济和社会发展提供有效的水资源保障。在新时期,流域管理的核心工作有两个,即流域水资源优化配置和流域水资源可持续利用,这两个核心工作是做好流域水资源管理工作的根本目标和任务。通过实现流域水资源优化配置,满足经济社会发展对水资源的需求;通过实现水资源的可持续利用来支撑经济社会的可持续发展,这是流域水资源管理的长远目标,也是本书重点研究的问题。

本书具有如下特点:

(1)将研究对象限定为流域尺度的水资源保护与可持续利用,提出实现流域水资源可持续利用的基本理论体系。

(2)反映近年来流域水资源保护与可持续利用实践和理论研究工作的新成果,包括数字技术在流域水资源保护工作中的应用、建设项目特别是河流上水工程建设项目环境监理与流域水资源可持续利用等。

本书写作过程中得到了黄河水利出版社李辉、岳德军的大力支持,在此作者深表谢意。本书内容中引用了一些公开出版著作的部分内容,在此向这些文献的作者表示谢意。

由于作者水平有限,疏漏之处在所难免,敬请读者批评指正。

王有强

2004年10月于清华园

目　录

第一章　流域及流域生态环境

第一节　流域及流域管理

一、流域

(一)流域的定义及属性

依据一定的分类标准,地球表面可划分为若干个区域(Region)。按考察对象不同,一般可将区域划分成自然区域、行政区域和经济区域3种类型。流域(River Basin)是一种典型的自然区域,在地域上有明确的边界范围。

流域是以河流为中心、被分水岭所包围的区域。从社会经济发展的角度看,流域又是组织和管理社会经济、进行以水资源开发为中心的综合开发的重要形式。

江河的作用远远超过把水汇入大海。江河流下来的不仅仅是水,与其同等重要的还挟带有沉积物、溶解了的矿物质以及富含营养的动植物碎屑,这里边有死的也有活的。不断更改的河床和河岸,以及位于其下的地下水,均是江河的有机组成部分,甚至就连草原、森林、沼泽以及漫滩的滞水均可视为江河的一部分。

作为区域的一种,流域除具有一般的区域属性外,还具有如下的特殊性:

(1)整体性和关联性。流域是整体性极强、关联度很高的区域,流域内各种自然要素之间联系极为密切,上中下游、干支流各地区间相互制约、相互影响。上游过度开垦土地,乱砍滥伐,破坏植被,造成水土流失,不仅使当地农、林、牧业和生态环境遭到破坏,还会使河道淤积抬高,致使洪水泛滥,威胁中下游地区人民生命财产的安全和经济建设。同样,在水资源缺乏的干旱、半干旱流域,如果上中游筑坝修库、过量取水,就会危及下游的灌溉甚至工业、城镇用水,影响下游生产的发展和生活的需要。

(2)区段性和差异性。流域特别是大流域,往往地域跨度大,构成巨大横向纬度带或纵向经度带。流域上中下游和干支流在自然条件、自然资源、地理位置、经济技术基础等方面均有较大不同,表现出流域的区段性和差异性。

(3)层次性和网络性。从系统论的角度考察流域,不难发现,流域由多级干支流组成,是一个多层次的网络系统。一个流域可以划分成更小的流域,直到最小的支流或小溪为止。由此形成小流域生态经济系统,各支流生态经济系统,上游、中游、下游生态经济系统,全流域生态经济系统等。

(4)开放性和耗散性。流域与其外界环境互动,是一种开放型的耗散结构系统,内部子系统间协同配合,形成一个“活”的、有生命力的、越来越高级的和越来越兴旺发达的耗散型结构系统。

(二)流域与人类的关系

人类历史上最重要的事件多发生在河流的两岸。在埃塞俄比亚阿瓦什河(Awash River)发现了我们最早的人类祖先的化石残骸。在近东的9 000~10 000年前的考古学遗址中,发现了人类从狩猎和采集到定居务农的历史性转折的证据,而这里恰恰是大山之间狭窄的河谷。大约在公元前3000年,在尼罗河、底格里斯河-幼发拉底河、黄河和印度河四大流域,出现了人类最初的文明。又过了很久,人类历史上的另一次转折发生在英国北部的河流两岸,那便是最初的工业化工厂。

江河以及其所维系的各种动植物,为狩猎和采集社会提供了饮用水和洗涤用水,还有食物、药物、染料、纤维和木材。农耕社会也同样受益,因为人们需要用水灌溉作物。到了畜牧社会,牧民逐水草而居,在广袤的平原和蜿蜒的山区进行放牧。在干旱和洪涝季节,江河两岸的多年生植物提供了维系生命的食物和饲料。城镇利用(或滥用)江河来排泄所产生的废物。历史学家芒福德(Lewis Munford)写到“随着人口的流动,各种制度和发明以及货物均沿着大江大河的天然公路而四处蔓延”。

在许多民族的神话传说和宗教信仰中,都把江河看成是生命和生育的维系者。在世界许多地方,江河被比作“母亲”,如伏尔加河是“大地的母亲”,黄河是中华民族的“母亲河”。江河也常常与神明联系在一起,尤其是女性的神。在古埃及,尼罗河的洪水被视为女神伊希斯(Isis,生育与繁殖的女神)的泪水;爱尔兰的博伊恩河(River Boyne),在凯尔特部族中将其奉为一个女神。

印度的河流也许比任何其他民族的河流更具神话、史诗、民间传说和宗教象征的色彩了。环保主义者帕拉尼皮耶(Vijay Paranipye)讲述了一段神圣的文字:“在萨拉斯瓦蒂河(Saraswati)沐浴三次,便能涤荡所有的罪恶;在亚穆纳河(Yamuna)要沐浴七次才行,在恒河只需一次,但是仅仅看一眼纳尔马达河便足以解脱一个人所有的罪恶!”另一段古老的文字把纳尔马达河描述为“欢乐的使者”、“风度翩翩”、“仪态万方”和“散发着幸福的气息”。

有关河流维系的生命,爱尔兰的鲑鱼也许最具神话意义。“知识的鲑鱼”(Salmon of Knowledge)的传说是这样的:鲑鱼在博伊恩河发源地不远的一个池塘里游来游去。任何尝到鲑鱼味的人便会了解到世上的一切,包括过去、现在和未来。太平洋西北部的土著美洲人认为,鲑鱼要比所有生灵都重要,它们顺河游下来是为了人类的利益而死去的,死后它们在大洋底下的一所大房子中复活,在那里它们以人的形状跳舞欢歌。有些部族以仪式欢迎季节的第一条鲑鱼，把它视为来访的酋长。

河流维系着生命，也带来死亡。在平原定居，使人们一方面享受着富饶的冲积土壤所带来的好处，另一方面又把他们的作物和村庄暴露在灾难性洪水的危险之下。《吉加美士(Gilgamesh)》史诗是现在最古老的史诗传说，它向人们讲述了由上帝策动的一场大洪水如何责罚美索不达米亚的罪恶。有关大洪水的神话与传说在世界许多文化中都存在，从《圣经·旧约》的犹太人到异教的北欧人以及美洲的土著人。

在世界各地修建水坝为江河流域带来了深刻的变化。没有任何东西能像水坝那样完全改变江河。一座水库便是一条江河的对立面——江河的实质是要水流动，水库的实质是要水静止。一条天然的河流是动态的，永远变化着——侵蚀着它的河床，淤积着它的淤泥，寻找一条新河道，冲溃它的堤岸，逐渐干涸。一座水坝永远是静止的，它企图把江河纳入控制之下，调节其洪水的季节性模式以及减低流速。一座水坝拦住了沉积物和营养物，改变了河流的温度和化学成分，而且还搅乱了侵蚀和沉积的地质过程，正是通过这些地质过程，河流才塑造了周围的陆地。

(三)中国的河流和湖泊

1.河流

中国是世界上江河众多的国家之一，有流域面积大于100km^2 的河流5万多条，流域面积在1 000km^2 以上的河流1 500多条，绝大多数河流分布在我国东部和南部，西北地区因干旱少雨，河流稀少，并有范围较大的无流区。外流入海的河流流域总面积约占全国国土总面积的2/3，其余为内陆河流域。

中国河流多数由降雨直接补给。完全由降雨直接补给的河流有珠江、东南沿海诸河、淮河、长江中下游、怒江和澜沧江的中下游、台湾和海南诸河等。由冬季积雪及春夏秋雨水混合补给的河流有黑龙江(中国部分)、松花江、黄河、海河、辽河、长江上游通天河、怒江和澜沧江上游以及甘肃河西及新疆的部分河流。另外，在甘肃河西及新疆、青藏高原上还有一部分河流，除受降雪及降雨补给外，还受冰川融水的补给。

中国河流中最重要的有常称的七大江河，即松花江、辽河、海河、黄河、淮河、长江和珠江。按河流长度排列，长江干流长度为6 300余公里，为国内最长的河流，在世界大河中仅次于非洲的尼罗河(6 648km)和南美的亚马孙河(近6 500km)而居世界第3位；黄河干流长度5 464km，为国内第二长河，在世界河流中又次于北美的密西西比河(6 020km)而居世界第5位。如按流域面积计，则长江为国内第一大河，但在世界大河中却名列第12位；黄河按流域面积大小在国内为第3位，但在世界大河的排位中为第23位；黑龙江在中国境内部分为第2位。按多年平均径流量计，在国内长江仍为第1位，珠江为第2位，黄河为第5位；在世界大河中长江居第3位，珠江为第15位，黄河则为第24位。

随着地势的西高东低,我国外流大河多自西向东流入太平洋。流入太平洋的河流有长江、黄河、黑龙江、辽河、珠江、海河、淮河、钱塘江、澜沧江等。怒江和雅鲁藏布江则向南流入印度洋。额尔齐斯河则向西流入俄罗斯境内后向北流入北冰洋。内陆河则可分为新疆、青海、河西、羌塘和内蒙古各内陆河区域,在内陆河区域内还有无流区大约 160 万 km^2。

我国河流提供了最主要的淡水水源,也提供了丰富的水能资源和航运条件。有的河流流经国境线,如额尔古纳河、黑龙江干流、乌苏里江流经中俄边境,图们江和鸭绿江流经中朝边境;有些河流下游流入邻国,如黑龙江、额尔齐斯河、伊犁河、绥芬河流入俄罗斯,元江、李仙江、盘龙江流入越南,澜沧江流入老挝,怒江流入缅甸,雅鲁藏布江流入印度;有的河流上游在国外,如克鲁伦河自蒙古境内流入我国的呼伦湖。这些河流的开发都涉及我国与邻国的关系。

在河流流域内,由干流、支流、人工水道、水库、湖泊、沼泽、地下暗河等组成的彼此连通的系统称为水系。在我国,水系常为流域下的系统,并通常以干流或一级支流的河名作为水系的命名,例如长江流域的汉江水系、嘉陵江水系等;有时以河流注入的湖泊或海洋命名水系,如洞庭湖水系、鄱阳湖水系、渤海水系等。

秦岭和淮河以北河流冬季有冰情发生,多数北方河流还有封河现象。淮河以南至长江以北,冬季河流有冰花,但基本不封河。长江以南河流则基本无冰情。在中国最早出现河流冰情的是黑龙江支流,冰情始于 10 月上中旬。辽河、海河、陕北和甘肃河西走廊等地始于 11 月上中旬,黄河中下游一带始于 12 月上旬,淮河、川南到长江以北地区冰情始于 1 月下旬。河流冰情终止期,在淮河长江间为 2 月上旬,黄河中下游为 3 月上旬,辽河及海河北系为 3 月下旬;而大、小兴安岭山区直到 5 月上旬冰情才结束。

2. 湖泊

我国有水面面积在 1km^2 以上的湖泊约 2 300 个(不包括时令湖),其中面积在 1 000km^2以上的大湖有 12 个。湖泊总水面面积约 72 000km^2,总储水量约 7 088 亿 m^3,其中淡水储量约占 32%。青藏高原湖区的湖泊总面积占全国一半以上,多数为内陆咸水湖泊,较大的有青海湖、鄂陵湖、扎陵湖、纳木错、奇林错、班公错和羊卓雍错等,其中青海湖水面面积 4 635km^2、最大水深达 28.7m,为我国第一大湖。羌塘高原上的喀顺错是我国境内高程最高的湖泊,水面高程达 5 556m。东部平原湖区多分布于长江和淮河中下游、黄河和海河下游,多为外流型淡水湖,这些湖泊面积约占全国湖泊面积的 30%,中国著名的五大淡水湖鄱阳湖、洞庭湖、太湖、洪泽湖和巢湖均在这个区内。蒙新高原湖区多为内陆咸水湖,这个区内的湖泊面积约占全国湖泊面积的 13%,较大湖泊有呼伦湖、博斯腾湖等。位于吐鲁番盆地的艾丁湖,水面高程为

154m，是我国境内海拔最低的湖。东北平原及山地湖泊面积约占全国的3%，多为外流淡水湖泊，著名的有兴凯湖、镜泊湖、五大连池、天池等，其中兴凯湖为中苏界湖、天池为中朝界湖。云贵高原湖区湖泊面积约占全国湖泊面积的1.5%，滇池、洱海、抚仙湖、泸沽湖、草海均在此，其中滇池、洱海以风景秀丽而闻名遐迩。

（四）中国的长江流域和黄河流域

1.长江流域

长江干流全长6 300余公里，发源于青藏高原，奔入东海。水域辽阔，总面积达180万km^2，流经我国半壁河山。多年平均入海水量近10 000亿m^3。流域内总人口、耕地各约占全国的35%，工农业总产值占全国的40%～50%，历来是中华民族繁衍聚会的沃土良疆。但由于流域面积广袤，跨越多个不同季候区，降雨时空分布变化很大，洪、涝、旱等灾害在各地区时有发生，有时灾情分布广、面积大、历时长，受灾程度很严重。长江流域是我国经济比较发达的地区，也是今后重点发展的地区。

流域降水水汽主要由西南季风和东南季风带入流域，年输入流域水汽总量达67 800亿m^3。流域多年平均降水深超过1 000mm，地域分布很不均匀，大致江南大于江北、中下游大于上游。由于径流来源于降雨，年际和年内分配不均匀。流域水资源总量为9 616亿m^3，占全国水资源总量的36%，其中地表水资源9 513亿m^3、浅层地下水资源2 463亿m^3、重复水量2 360亿m^3。每平方公里水资源量54万m^3，为全国平均值的1.9倍；人均占有水量2 760m^3，略高于全国平均值；平均每公顷耕地占有水量39 300m^3，为全国平均值的1.45倍。

2.黄河流域

黄河是中华民族的摇篮，经济开发历史悠久，文化源远流长，曾经长期是我国政治、经济和文化的中心。黄河又是一条多灾害河流，历史上曾给中国人民带来深重灾难。

黄河是我国的第二大河，发源于青藏高原巴颜喀拉山北麓海拔4 500m的约古宗列盆地，流经青海、四川、甘肃、宁夏、内蒙古、陕西、山西、河南、山东等九省（区），在山东垦利县注入渤海。干流河道全长5 464km，流域面积79.5万km^2。与其他江河不同的是，黄河流域上中游地区面积占流域总面积的97%。流域西部地区属青藏高原，海拔在3 000m以上；中部地区绝大部分属黄土高原，海拔在1 000～2 000m之间；东部属黄淮海平原，河道高悬于两岸地面之上，洪水威胁十分严重。

黄河有着不同于其他江河的显著特点：

(1)水少沙多，水沙异源。黄河多年平均天然径流量580亿m^3，流域面积占全国国土面积的8.3%，而年径流量只占全国的2%。流域内人均水量527m^3，为全国人均水量的22%；平均每公顷耕地占有水量4 410m^3，仅为全国均值的16%。再加上流域外的供水需求，人均占有水资源量更少。多年平均输沙量 16 亿 t，多年平均含沙量 35kg/m^3，均为世界大江、大河之最。56％的水量来自兰州以上，90％的沙量来自河口镇至三门峡区间。

(2)河道形态独特。黄河下游河道为著名的“地上悬河”，是海河流域与淮河流域的分水岭，现行河床一般高出背河地面 4～6m、高出新乡市 20m、高出开封市 13m。河道上宽下窄，最宽达 24km，最窄处仅 275m，排洪能力上大下小。河势游荡多变，主流摆动频繁。河道内滩区为行洪区，居住人口 179 万，防洪任务十分艰巨。

(3)水土流失严重。黄河流经世界上水土流失面积最广、侵蚀强度最大的黄土高原。水土流失面积 45.4 万 km^2，占黄土高原总面积 64 万 km^2 的 71％。侵蚀模数大于 5 000t/(km^2·a)的强度水蚀面积 14.65 万 km^2，占全国同类面积的 38.3％；侵蚀模数大于 8 000t/(km^2·a)的极强度水蚀面积 8.5 万 km^2，占全国同类面积的 64％；侵蚀模数大于 15 000t/(km^2·a)的剧烈水蚀面积 3.67 万 km^2，占全国同类面积的 89％。

(4)洪水灾害频繁。据记载，从先秦时期到民国年间的 2 540 多年中，黄河共决溢 1 590 多次，改道 26 次，平均“三年两决口，百年一改道”，决溢范围北至天津、南达江淮，纵横 25 万 km^2。每次决口，水沙俱下，淤塞河渠，良田沙化，生态环境长期难以恢复。

(五)外国的重要河流流域

1. 田纳西河流域

田纳西河是美国第一大河密西西比河东岸支流俄亥俄河的一条流程最长、水量最大的支流。它发源于阿巴拉契亚山西坡、弗吉尼亚州和北卡罗来纳州的西部，在肯塔基州汇入俄亥俄河，全长 1 600km，流域面积 10.5 万 km^2。流域大部分位于田纳西州境内，属暖(温)湿气候，降水量丰富，一般年均降水量在 1 300mm 左右，加之地形起伏、河床比降大，因而水电资源十分丰富。此外，该地区还拥有丰富的煤炭、磷矿、锌矿等矿产资源。在美国历史上，田纳西河流域开发较早，18 世纪下半叶就有较为发达的农业，流域内盛产棉花、马铃薯和蔬菜，并有大片牧场，当时河流两岸到处是茂盛的原始森林，田纳西河水量也较平稳，是一个山清水秀、土地肥沃的地区。但是 19 世纪后期以来，由于过度开垦、肆意砍伐森林、掠夺式开采矿物资源等，引起了严重的水土流失，洪水泛滥，田园荒芜，人口外流。这里虽有丰富的水电资源，但得不到开发利用，因而电力严重缺乏，甚至连农村的照明用电都难以满足，严重制约着流域的经济发展。由于河水落差大，急流多，依靠天然河道，内河航运能力不大，严重影响流域内外的经济联系。过去美国国会虽曾多次研究对策，力图改变田纳西河流域落后的经济面貌，但始终未能奏效。1929 年，美国爆发了全国性的经济危机，生产停滞，各业萧条。人口稠密、自然灾害频繁的田纳西河流域的情况更加严重。到 1933

年,全区的人均收入仅168美元,只及美国全国平均水平的45%,是当时美国最贫困的地区之一。

为了摆脱大萧条的困境,1933年3月,新上任的总统罗斯福决定实施新政计划以减轻危机造成的损失。其中,最具雄心壮志的决定就是成立田纳西河流域管理局(Tennessee Valley Authority,简称TVA),对田纳西河流域进行治理和开发。罗斯福总统要求建立田纳西河流域及有关地区自然资源的保护、开发和合理利用。因此,他建议国会立法建立田纳西河流域管理局——被授予政府权力而又具有私营企业灵活性和创新精神的公司,它必须负责全面规划田纳西河流域及有关地区自然资源的保护、开发和合理利用。

TVA成立后,由总统直接领导,拥有规划、开发、利用和保护流域内各种资源的权力。美国国会要求TVA用筑坝来"驯服这条河流",通过防洪、疏通航道、发电、控制侵蚀、绿化,促进和鼓励使用化肥等发展经济,使田纳西河流域的人民走出困境。按照这种指导思想,TVA对全流域进行了统一规划,制定了合理的流域开发建设程序。在开发治理中,把握住了流域发展最关键的环节——水坝建设,从而规范了流域水资源管理,解决了洪水控制、航运、水坝开发和工业、农业、旅游业、城镇发展等问题,为摆脱贫困、实现流域经济振兴奠定了基础。

2.西欧的莱茵河

莱茵河是欧洲一条国际河流,发源于瑞士境内的阿尔卑斯山,向北与美茵河汇合后,穿过莱茵山地,进入北德平原,下游经荷兰入北海。全长1 320km,流域面积25.5万km^2,其中流域绝大部分地区位居德国和荷兰境内。总体来看,莱茵河流域自然资源尤其是矿产资源并不丰富,种类也不够齐全。除原西德煤炭、磷矿资源储量较大外,其他地区如荷兰、瑞士矿产资源十分贫乏。莱茵河流域之所以能够成为人口稠密、工商发达、城市密集、开发度极高的地区,原因虽然是多方面的,但充分发挥河流水资源的优势,特别是依靠发达的航运事业发展对外贸易,无疑是重要原因之一。为了弥补流域资源缺乏、品种不全的缺陷,进口海外资源,扩展国际市场,发展本流域经济,荷兰、原西德等流域各国非常重视发展航运事业,修建了众多的人工运河,从而形成干支流直达、河海港口相连、运网纵横交错的航道网,水运十分便利,既加强了本流域与区外和国际市场的联系,又把流域内部经济中心同消费地联系了起来。

在荷兰经济发展中,航运和对外贸易占有十分重要的地位,外贸周转额相当于国民收入的近80%。莱茵河畔的鹿特丹,是西欧也是世界上吞吐量最大的港口。每年有几亿吨石油、煤、矿砂、金属和木材等在这里转运,被称为"欧洲的门户"。荷兰主要工业部门的发展也是在发达的航运基础上依靠进口原料发展起来的,如石油加工、石油化工、硫酸、化肥的生产,规模都比较大,并在鹿特丹以西海岸到多尔德雷赫特,形成了一条50km长的沿河石油化工走廊。原西德的经济发展与莱茵河水资源的开发利用更是息息相关。在原西德境内，莱茵河长约700km，水量稳定，利于航行，又多支流，便于联系广大腹地，因而是原西德经济意义最大的一条河流。在本国煤炭资源的基础上，发挥航运发达的优势进口铁矿砂及其他矿产资源，发展钢铁工业和机械工业，从而大大促进了原西德的经济发展。被称为“德国及欧洲心脏”的鲁尔工业区，其形成和发展一是得益于丰富的煤炭资源，二是依靠了发达的水运。如果说，德国的经济振兴鲁尔是基础，那么鲁尔的经济起飞水运则是“翅膀”。现在鲁尔工业区已拥有大小港口74座，其中莱茵河畔的杜伊斯堡是世界第一内河大港，也是原西德最大的钢铁工业中心，从它北面的汉博恩到南面的莱茵豪森的莱茵河岸线，炼铁高炉就建在码头边，驳船上的铁矿砂可以直接卸在高炉旁。除鲁尔工业区以外，在莱茵河另一支流美茵河流域，还有以法兰克福、威斯巴登和美因兹等城市为中心形成的莱茵－美茵工业区。在莱茵河及其支流内卡河流域，有著名的“连体双港”——路德维希港和曼海姆港，以及著名的文化教育城(以海德堡为中心组成的另一工业区)，这个工业区又同斯图加特工业区毗连。上述几大工业区与荷兰境内工业区相衔接，使莱茵河流域中下游形成一条“链状密集产业带”。

莱茵河流域的水电资源主要集中在瑞士境内。瑞士是世界上水能资源开发利用程度最高的国家，其水力发电量占总发电量的80%左右，利用廉价水电还发展了炼铝工业和化学工业。

应当指出的是，莱茵河流域以河流(尤其是航运)为中心的流域综合开发虽然达到了相当高的水平，但也带来了严重的污染问题，特别是河流水质污染已成为沿河居民最忧虑的问题。1976年，莱茵河被确认为是世界上污染最严重的河流之一，大部分河段都受到了中等以上程度的污染。更为严重的是，沿河工厂污染物质大量泄漏事件时有发生。巨大的经济效益和沉重的环境代价仍将是今后莱茵河流域开发与整治面临的棘手问题。近年来，随着治理步伐的加快，莱茵河的生态环境正在向好的方向发展。

3.伏尔加河流域

伏尔加河位于原苏联东欧平原，是欧洲第一大河，全长3 530km，流域面积136万km^2。流域内拥有丰富的石油、天然气、钾盐、磷、木材和矿物建材、鱼类等自然资源，流域人口约占当时全苏联的1/4，交通运输方便，工农业生产发达，为原苏联重要的工业、农业生产基地之一。伏尔加河水资源的综合利用和河道的全面治理，是在原苏联大规模经济建设时期，同宏伟的电气化计划联系在一起的。特别是20世纪30年代，伏尔加河综合开发方案得到确定和落实，其开发的总方针是以水能利用为主，兼顾航运、灌溉、供水、养鱼和防洪等其他目标。通过建设一系列大、中型水利枢纽

(水库、水闸和水电站)和疏浚河道、开凿运河,实现全河渠化。整个开发方案实施大体分为三个阶段:

(1)第二次世界大战前时期。为了解决莫斯科地区的供电、供水和通航问题,1937年,首先在伏尔加河干流上游建设伊万柯夫水电站,同时开凿了长128km的莫斯科运河;以后又建成了乌格里奇和雷宾斯克水电站。这些工程改善了莫斯科地区的供电和供水状况,使莫斯科成为原苏联及欧洲地区内河运输的重要港口。

(2)20世纪50年代。该时期是伏尔加河水系梯级开发和综合治理的高潮期。在1951年建成长101km沟通两大水系的伏尔加河—顿河运河后,又先后在1954~1958年间分别建成卡马、高尔基、古比雪夫、伏尔加格勒4座水电站。这4座水电站装机容量585.4万kW,年平均发电量253万kWh,占整个水系现有电站发电量的62%。

(3)20世纪60年代以后。在卡马河上建成了沃特金斯克水电站(1961年)和下卡马水电站(1979年),使沃特金斯克至下卡马河段成为深水航道。在伏尔加河上建成了契波克萨尔水电站,1964年又建成伏尔加—波罗的海运河。

经过几十年的努力,基本上完成了对伏尔加河水系的开发与治理,并取得了巨大的综合利用效益。首先,水电梯级开发为流域经济发展提供了丰富的廉价电力。从1937~1980年,先后在伏尔加—卡马河水系建成11座梯级电站(伏尔加河8座,卡马河3座),总装机容量达1 213.2万kW,占当时全苏联水电发电总量的1/4。丰富而廉价的电力供应促进了本流域及其邻近地区自然资源的开发及经济的发展。其次,发达的航道运输网络加强了区际间的经济联系。在伏尔加河开发利用的同时,原苏联先后建成莫斯科运河、白河—波罗的海运河、伏尔加河—顿河运河、伏尔加—波罗的海水道等工程,从而形成了一个以伏尔加河为主干、莫斯科为中心的,沟通波罗的海、白海、里海、亚速海和黑海的“五海通航”的深水航道网,把众多的河、湖、港和城市都融为一体。既加强了区际的经济联系,又缩短了航程。最后,伏尔加河水系的综合开发还扩大了农田灌溉面积,保证了沿岸城市及工业用水,从而大大促进了流域工农业生产的发展。

伏尔加河流域的综合开发也存在一些问题。比如,有些水库修建时未考虑鱼类洄游产卵而相应配套建设过鱼设备,未进行库底污染物的清除,这些都影响了渔业的可持续发展;另外,河流污染问题尚未解决。尽管20世纪70年代以来,在治理伏尔加河水污染方面取得了一些进展,但对支流和污染源的治理不得力,因而流域污染问题还很严重。

4. 亚马孙河流域

亚马孙河全长近6 500km,流域面积580万km^2,其中干流和流域的大部分位居巴西境内。这里不仅农业资源丰富多样,森林资源得天独厚,而且有世界储量最大的品位铝土矿和铁矿,还有锡、铀、钻石、黄金矿及褐煤。水能资源也极为丰富,储量在5 000万kW以上。亚马孙河流域虽是巴西最早开发的地区,但由于流域的资源优势和有利条件未被充分认识和有效利用,所以一直是巴西最不发达的地区,这里人烟稀少,交通闭塞,资金技术力量不足,市场狭小,商品生产不发达,粮食也不能自给。第二次世界大战后,巴西开展新工业化运动,使工业得到了突飞猛进的发展,20世纪60年代工业产值超过农业,70年代国民经济总产值跃居世界第10位,年增长率在10%以上,成为战后世界经济发展最快的国家之一。但在经济高速发展的同时,巴西东南部和东部经济发达区与亚马孙河流域经济落后区存在的地域差距也在急剧扩大。为扭转这种不平衡局面,巴西政府采取了加速开发亚马孙河流域的措施。当然,对亚马孙河流域的开发,不仅出自国家经济的目的,还考虑到了加强国家安全的需要,以及为解决巴西东北部干旱区因长期旱灾而造成的贫困和农业劳动力过剩问题。

亚马孙河流域的开发始于20世纪40年代中期,只是70年代才加快步伐,成为国家经济开发的重点地区。为了加速开发进程,巴西政府1966年成立了亚马孙地区开发管理局,负责流域的规划和开发管理工作。1970年,巴西政府又制定了《全国一体化》的规划,决定采取优惠政策吸引国内外投资,实行联合开发。在流域开发的具体实施上,主要从流域规划中的能源交通起步,兴建了800万kW的大型水电站与总长1.3万km的公路网,并在不少地区开展了水陆联运,从而为流域综合开发创造了有利条件。在此基础上,发展铁、铝土和其他有色金属的开采以及规模宏大的冶炼和加工制造业。在农牧业发展方面,为了增加粮食产量,发展养牛业,组织了较大规模的移民开荒和开辟牧场活动,从而增加了农牧产品产量,在一定程度上也巩固了边陲。总体来看,亚马孙河流域经过20多年的开发建设,初步改变了贫穷落后的面貌。

在肯定亚马孙河流域开发成效的同时,还应看到开发中的问题与不足。由于开发主要是为发展耕作业和牧业,毁林开荒,砍伐大片森林,造成水土流失,洪水泛滥,带来了严重的生态问题,因而农业开发弊多利少,得不偿失,并没有获得预想的效果。

5.澳大利亚的墨累-达令河流域(Murray-Darling Basin)

墨累-达令河流域是澳大利亚最大的流域,也是世界上最大的流域之一。流域地跨昆士兰、新南威尔士、维多利亚和南澳大利亚四州,面积为105.8万km^2,约占澳大利亚国土总面积的1/7。该流域是澳大利亚农牧业产品最主要产地。

二、流域管理

流域管理是指对重要江河、湖泊以流域为单元,以水资源为核心的水事活动实行的统一管理,包括对水资源的开发、利用、治理、配置、节约、保护以及水土保持等活动的管理。通过对水资源的统一管理，加强江河、湖泊安全容泄洪涝的能力，改善流域水环境，为流域内国民经济和社会发展提供有效的水资源保障。

(一)中国现行流域管理机构的设置及其职能

1.基本情况

中央直属的流域管理机构目前有两类：第一类，水利部所属的流域水行政管理机构，为水利部的派出机构，代表水利部行使所在流域的水行政主管职能；第二类，国家环境保护总局和水利部共同管理的流域水资源保护机构，管理范围与上述水利部直属流域机构相同。第二类流域机构比第一类的流域机构在行政级别上低一级，且又都设在第一类的流域机构中，作为第一类流域机构的一个事业单位。

黄河、长江水利委员会等7个流域水行政管理机构的职能是：按照统一管理和分级管理的原则，统一管理本流域的水资源和河道；负责流域的综合治理；开发管理具有控制性的重要水工程；搞好规划、管理、协调、监督、服务，促进江河治理和水资源综合开发、利用和保护。

黄河流域水资源保护局等7个局的职能主要是：对所在流域的水资源保护工作实施统一监督管理，防治水污染，协调省际水污染纠纷等。

除了以上两类流域管理机构外，还有一些中央有关部门的跨省际的有关水的管理机构，如直属于交通部的长江航务管理局，管理长江干线的航道及航务；属于原中国电力总公司的若干个跨地区的电力集团公司，职责之一是归口管理所辖范围内的水电建设规划和方针政策。

2.流域机构举例

黄河水利委员会。根据国务院批准的《水利部职能配置、内设机构和人员编制规定》(国办发[1998]87号)和中央机构编制委员会办公室《关于印发〈水利部派出的流域机构的主要职责、机构设置和人员编制调整方案〉的通知》(中央编办发[2002]39号)精神，以及国家有关法律、法规，黄河水利委员会是水利部在黄河流域和新疆、青海、甘肃、内蒙古内陆河区域内(以下简称流域内)的派出机构，代表水利部行使所在流域内的水行政主管职责，为具有行政职能的事业单位。

黄河水利委员会的主要职责：

(1)负责《中华人民共和国水法》等有关法律、法规的实施和监督检查，拟定流域性的水利政策法规；负责职权范围内的水行政执法、水政监察、水行政复议工作，查处水事违法行为；负责省际水事纠纷的调处工作。

(2)组织编制流域综合规划及有关的专业或专项规划并负责监督实施；组织开展具有流域控制性的水利项目、跨省(自治区、直辖市)重要水利项目等中央水利项目的前期工作；按照授权，对地方大中型水利项目的前期工作进行技术审查；编制和下达流域内中央水利项目的年度投资计划。

(3)统一管理流域水资源(包括地表水和地下水)。负责组织流域水资源调查评价;组织拟订流域内省际水量分配方案和年度调度计划以及旱情紧急情况下的水量调度预案,实施水量统一调度。组织或指导流域内有关重大建设项目的水资源论证工作;在授权范围内组织实施取水许可制度;指导流域内地方节约用水工作;组织或协调流域主要河流、河段的水文工作,指导流域内地方水文工作;发布流域水资源公报。

(4)根据国务院确定的部门职责分工,负责流域水资源保护工作,组织水功能区的划分和向饮用水水源保护区等水域排污的控制;审定水域纳污能力,提出限制排污总量的意见;负责省(自治区、直辖市)界水体、重要水域和直管江河湖库及跨流域调水的水量和水质监测工作。

(5)组织制订或参与制订流域防御洪水方案并负责监督实施;按照规定和授权对重要的水利工程实施防汛抗旱调度;指导、协调、监督流域防汛抗旱工作;指导、监督流域内蓄滞洪区的管理和运用补偿工作;组织或指导流域内有关重大建设项目的防洪论证工作;负责流域防汛指挥部办公室的有关工作。

(6)指导流域内河流、湖泊及河口、海岸滩涂的治理和开发;负责授权范围内的河段、河道、堤防、岸线及重要水工程的管理、保护和河道管理范围内建设项目的审查许可;指导流域内水利设施的安全监管。按照规定或授权负责具有流域控制性的水利项目、跨省(自治区、直辖市)重要水利项目等中央水利项目的建设与管理,组建项目法人;负责对中央投资的水利工程的建设和除险加固进行检查监督,监管水利建筑市场。

(7)组织实施流域水土保持生态建设重点区水土流失的预防、监督与治理;组织流域水土保持动态监测;指导流域内地方水土保持生态建设工作。

(8)按照规定或授权负责具有流域控制性的水利工程、跨省(自治区、直辖市)水利工程等中央水利工程的国有资产的运营或监督管理;拟订直管工程的水价、电价以及其他有关收费项目的立项、调整方案;负责流域内中央水利项目资金的使用、稽查、检查和监督。

(9)承办水利部交办的其他事项。

(二)国外流域管理

1.美国田纳西河流域管理体制

1933年,美国国会通过了《田纳西河流域管理法》。该管理法对田纳西河流域水资源的综合开发、治理和区域经济发展起了决定性作用。依据这一法律,成立了联邦政府的特殊机构——田纳西河流域管理局(简称为TVA)。TVA 70多年的发展历史足以证实，无论什么时期，不论干任何工作，法律就是 TVA 的行动指南。《TVA 法》（《田纳西流域管理法》的简称）是 TVA 对整个流域资源进行综合管理、带动区域经济发展的根本保证 。

《TVA 法》所赋予 TVA 的使命是：代表联邦政府管理流域内全部自然资源，妥善解决人类在资源的开发中所遇到的各种问题，从而达到最大限度地治理水灾、改善航运、提供电力、保护环境、促进区域经济发展、提高人民的生活水平。为了实现这一目标，此法在政策上对 TVA 也大力支持，如 TVA 可独立行使对流域内土地征用及出让权、河流开发权、电力的生产和销售权、电价制定权、债券发行权及债务偿还、财务管理及售电收入的分配等权力。这些强有力的政策，使 TVA 在法律明确的范围内能充分履行其职责和义务。从总体上看，《TVA 法》比较全面，但很不具体，它只是一个纲领性文件。从全面意义上理解，该法律明确了 TVA 的地位、责任、权利和义务，是具有权威性的；从不具体角度看，该法律的真实目的是为了促进区域经济发展，提高人民的生活水平，使 TVA 在具体操作上有更多的主动性和灵活性。美国人称 TVA 是一项"伟大的试验"，试验的目的是：能否将一个既具有政府职能又具有私人企业的主动性和灵活性的法人实体有机结合。实践证明，TVA 严格遵循法律所明确的权力和责任，将政府的职能和权力与服务于社会、发展区域经济妥善结合，灵活主动地开展工作，以其辉煌的业绩，证明"TVA 试验"是成功的。

《TVA 法》的活力是 TVA 生存发展的强大动力。《TVA 法》颁布于 1933 年，根据当时的社会发展情况，制定的工作目标是：控制洪水，改善航运条件，最大限度地开发水电资源。TVA 根据法律精神，积极主动地开展工作，于 1944 年完成了干流的全部航道整治，1945 年完成了流域内的水电开发任务，在较好地完成《TVA 法》提出的工作目标的同时，TVA 在经济方面也取得辉煌的成就。TVA 人在成绩面前，认真总结经验，提出了新的更高要求和奋斗目标。为了适应新的社会经济发展，人们提出应该对《TVA 法》进行修改，于是 1939 年进行了第一次修正。修正案中明确规定：TVA 有权以美国政府名义行使土地征用权，以征用或购买方式占用不动产，在法律许可的情况下，有权将其所有或管辖的不动产予以转让或出租；有权在田纳西流河域范围内修建火电站、核电站、输变电设施、通航工程，并建立区域电网。20 世纪 50 年代初期，《TVA 法》又进行了第二次修正，使 TVA 的权利及服务领域又进一步扩大。

虽然法律在不断地修正，但 TVA 的宗旨始终是不变的，以推动区域社会的经济发展为工作总目标，积极主动地为全社会提供优质服务始终是 TVA 人的座右铭。随着人类社会的不断发展，民众的需求和欲望也在不断变化，所以《TVA 法》也需要不断地修改和完善，这就是该法律的活力所在。TVA 能够灵活地把握机遇，充分利用法律所赋予的权力，不断地扩大自己的服务领域，使之发展成为全美最大的电力生产商之一。

TVA涉及到的服务领域较多,但主要经营产品是电力,电力收入占全部收入的90%以上,他们的经营方针是“以电养水”,用企业经营产生的经济效益换回政府职能服务的社会效益。

1)责、权、利的高度统一

《TVA法》不仅明确了TVA的主要职责,而且还明确了TVA在流域内可行使水资源的开发权、所有权及管理权。在明确其流域管理权的同时,给予独立的人事权,流域内河流的开发、治理权,土地征用和购买、转让、出租等权力,电力生产权和销售权。1959年,TVA又被授予了融资权。

联邦政府在赋予TVA上述责任与权利的同时,在政策上给予倾斜和扶持。例如,TVA成立初期,水资源开发项目的建设资金全部由联邦财政投入,售电收入的绝大部分归TVA所有,剩余的资金均用于本流域的开发治理,从而“盘活了”水利资产的存量,实际上是间接地增大了对水利项目的建设投入,以水治水,以水求生存、求发展、求壮大、求繁荣。

2)政府职能与企业效益有机结合

TVA既是联邦的政府机构,又是独立的企业法人。

作为政府职能机构,它承担了航运、防洪、供水、改善水质、生态环境保护、提供娱乐用水等社会责任;在服务方面,负责发布洪水预报、水情通报、洪泛区建设指导等。TVA将防洪应急预案发放到各州政府、社区组织和大型企业,并经常协助他们制订各自的防洪计划和应急洪水预案,还经常开展防洪预演,做到了防患于未然。同时,积极开展如净水计划、湖泊改良计划、优质社区计划等以社会效益为主的项目建设。

作为企业法人,TVA利用水资源开发水电产业,并以此为基础,逐步扩大其经营范围,如进行土地买卖、开发火电及核电项目。其开发资金的筹措,是通过贷款和发行企业债券等方式运作的,逐步使其发展成为全美最大的电力公司。从1940年起,TVA每年向州政府上缴其营业额的5%作为地方补偿,从而妥善地处理了政府机构与州政府的关系;自1959年起,开始逐步偿还先期电力设施的投资达8亿美元,理顺了企业与联邦政府的关系。今后,TVA还将通过电力收入补偿流域水利工程及水资源管理等方面的运行费和管理费。

3)流域管理与区域管理相结合

对田纳西河流域的水资源管理,《TVA法》也作了明确的分工。州政府负责水资源保护、社区防洪安全,向用水部门发放用水许可证,并负责上述问题的实施、水质监测与监督。州政府每两年编制一份地方水资源评价报告上报联邦政府。TVA的职责是:根据各州《清洁水法》和环境保护目标,综合分析地方水资源评价报告,针对具体问题，对水库调度进行适当的调整，同时向地方政府和公众提供防洪、水源保护等方面的技术支持。

TVA还负责田纳西河流域河岸取水工程施工许可证的发放，以确保河流的合理开发利用。

4)高科技在流域管理中扮演了重要角色

田纳西河流域的水资源管理是多目标的，为此TVA对水资源优化配置做了大量工作，同时也采用多种高新技术。在数据采集上采用遥测遥感技术，采集的数据从常规的雨量、水位，扩展到水质、水温等；通讯手段也是多样化的，因地制宜地采用电话、微波、超短波、卫星等手段，大大提高了数据采集的速度和预报预警的时效；在河流的预报调度方面，广泛采用计算机技术进行多目标优化，提高了整个水资源系统的综合利用水平，大大提高了工作效率和经济效益。TVA的员工人数逐年下降，1987年为30 000人，1998年调整为13 800人。

5)注重人才资源开发是企业发展的动力

面对经济的快速发展，市场竞争的加剧以及科学技术的不断更新，如何提高员工的工作技能、应变能力及工作效率，TVA的做法是，将人才开发作为重要工作来抓，高起点、多投入地开发人才。针对职工知识、工作能力和应变技能的薄弱环节，定期聘请专业教师和中、高级管理人员讲课，其目的是提高职工的总体素质，以适应现代化的快节奏、高效率的要求。另外，TVA还采用网络教学、卫星教学系统等高级教学手段，面对员工、面对社会各界进行广泛的宣传和教育。现在全美国没有人不知道TVA的，TVA人也因此感到自豪。TVA对人才资源开发的方法和手段，已取得明显的社会效益，同时也大大提高了他们的经济效益。

2.澳大利亚的墨累－达令河流域(Murray－Darling Basin)的流域管理

负责该流域管理的机构有三个：墨累－达令河流域部长级理事会(Murray－Darling Basin Ministerial Council，简称MDBMC)，社区咨询委员会(Commumity Advisory Committee，简称CAC)和墨累－达令河流域委员会(Murray－Darling Basin Committee，简称MDBC)。

(1)墨累－达令河流域部长级理事会(MDBMC)是流域管理的最高决策机构。理事会根据墨累－达令河流域协议成立于1985年，通常由12名成员组成，这些成员是联邦政府和流域四州负责土地、水利及环境的部长。其任务是为流域内的自然资源管理制定政策和确定方向。为了在流域内采取统一的政策行动，并广泛地听取各方面的意见，设立一个社区咨询委员会。

(2)社区咨询委员会(CAC)是部长级理事会的咨询协调机构，负责广泛收集各方面的意见，进行调查研究，并就一些决策问题进行协调咨询，保证各方面的信息交流，并及时发布最新的研究成果。委员会通常有21名成员,他们来自四州地区及一些部门,如全国农民联合会、澳大利亚自然保护基金会、澳大利亚地方政府协会和澳大利亚工会理事会等。

(3)墨累－达令河流域委员会(MDBC)是部长级理事会的执行机构。委员会成员由来自流域四个州的政府中负责土地、水利及环境的司(局)长或高级官员担任,每州两名,其主任由部长级理事会指派,通常由持中立态度的大学教授担任。委员会是一个独立机构,它既要对各州政府负责,但又不是任一个州政府的法定机构,其职能由流域管理协议规定。

委员会的主要职责是:分配流域水资源;向部长级理事会就流域自然资源管理提供咨询意见;实施资源管理策略,包括提供资金和框架性文件。

另外,委员会下设一个由40名工作人员组成的办公室,负责日常事务。为了加强流域的综合规划与管理,建立20多个特别工作组,招聘来自政府部门、大学、私营企业及社区组织的关于自然资源管理及研究的专家,以便将最先进的技术方法和经验运用到流域管理中去。

目前,该委员会负责流域内4个主要水库、16个水闸、5个堰及众多小建筑物的运行,主要是按用户的要求(同时考虑生态环境要求)放水,至于从河中引水以后的用水方式,委员会不负责管理。城镇、工业及灌溉供水由各州有关机构负责。

第二节　流域生态系统

一、生态系统

生态系统是包括特定地段中的全部生物和物理环境的统一体,是一定空间内生物和非生物成分通过物质的循环、能量的流动和信息的交换而相互作用、相互依存所构成的“生态学功能单位”,是在生物群落的基础上加上非生物环境成分(如阳光、湿度、温度、土壤、各种有机或无机的物质等)所构成的。生态系统由许多生物组成,物质循环、能量流动和信息传递把这些生物与环境统一起来,成为一个完整的生态功能单位。

(一)生态系统的组成

生态系统是由两大部分、四个基本成分组成。两大部分就是生物和非生物环境,也称之为生命系统和环境系统,或生命成分和非生命成分;四个基本成分是指生产者、消费者、还原者和非生物环境,其中前三者是生命成分,后者为非生命成分。生态系统的四个基本成分相互影响,相互依存,通过复杂的营养关系紧密结合为一个统一整体,共同组成了生态系统。

1.生产者

生产者是指能利用太阳能等能源，将简单无机物合成为有机物的自养生物，包括陆生的各种植物、水生的高等植物和藻类，以及一些光能细菌和化能细菌。生产者中最重要的是绿色植物。生产者的作用是将光能转化为化学能，以简单的无机物质为原料制造各种有机物质，不仅供应自身生长发育需要，也是其他生物类群及人类食物和能量的来源。

2.消费者

消费者主要是各类动物，是依靠自养生物和其他生物为食物而获得生存能量的异养生物。它们不能利用太阳能生产有机物，只能直接或间接地从植物所制造的现成的有机物质中获得营养和能量。消费者包括的范围很广，其中，有的直接以植物为食，如牛、兔和一些陆生昆虫等，这些食草动物称为初级消费者；有的消费者以食草动物为食，如食昆虫的鸟类、青蛙、蛇、狐狸等，这些食肉动物可统称为次级消费者；食肉动物之间又是“弱肉强食”，由此可进一步分为三级消费者和四级消费者，这些消费者通常是生物群落中体形较大、性情凶猛的种类，如虎、狮、豹及鲨鱼等。但是，生态系统中以食肉动物为食的三级或四级消费者数量并不多。最常见的是杂食性消费者，如池塘中的鲤鱼、大型兽类中的熊等，食性很杂，食物成分季节性变化大。

3.还原者

还原者主要是指细菌、真菌、放线菌和原生动物。它们也属异养生物，故又有小型消费者之称。它们把复杂的有机物分解还原为简单的无机物，释放归还到环境中去供生产者再利用。如果没有还原者的分解作用，生态系统中物质循环就会停止。还原者体形微小，数量惊人，分布广泛，存在于生物圈的每个部分。

4.非生物环境

非生物环境包括三个部分：一是气候因子，如光照、热量、水分、空气等；二是无机物质，如碳、氧气、氮气及矿物质盐分等；三是有机物质，如碳水化合物、蛋白质、脂肪类等。

生物和非生物环境对于生态系统来说是缺一不可的。如果没有环境，生物就没有生存的空间，也得不到赖以生存的各种物质，因而也就无法生存下去；但仅有环境而没有生物成分也就谈不上生态系统。从这个意义上讲，生物成分是生态系统的核心，绿色植物则是核心的核心。因为绿色植物既是系统中其他生物所需能量的提供者，同时又为其他生物提供了栖息场所。一个生态系统的组成、结构、功能和状态，除决定于环境条件外，更主要的是决定于绿色植物的种类构成及其生长状况。

(二)生态系统的结构

生态系统的结构分为空间结构、物种结构和营养结构。

1. 空间结构

空间结构指生态系统中各种生物的空间配置状况,即生物群落的空间格局状况,包括群落的垂直结构(成层现象)和水平结构(种群的水平配置格局)。

2. 物种结构

物种结构是指生态系统中各类物种在数量方面的分布特征。由于各类生态系统在物种数量及规模上差异很大,如流域水域生态系统的生产者主要是借助于显微镜才能分辨的浮游藻类,而森林生态系统中的生产者却是一些高达几米甚至几十米的乔木和各种灌木。而且,即使是一个比较简单的生态系统,要全部搞清楚它的物种结构也是极其困难的,甚至是不可能的。因此,在实际工作中,人们主要以群落中的优势种类、生态功能上的主要种类或类群,作为物种结构研究对象。

3. 营养结构

营养结构是指食物网及其相互关系。

1)食物链

食物链概念是理解食物网的基础。食物链是生物圈中一种生物以另一种生物为食,彼此形成一个以食物连接起来的链条关系。食物链不是固定不变的,但在人为干扰不很严重的自然生态系统中,食物链又是相对稳定的。食物链的某一环节在食物链的作用过程中都是独特的、不可代替的。因此,某一环节的变化将会影响到食物链的整个链条,甚至影响到生态系统的结构。

从食物链的组成来说,食物链上每一环节称为营养级:第一营养级为生产者(自养生物);第二营养级为食草动物(异养生物)。各类食物链不能无限增长,通常只有四个以上营养级。人类居食物链的顶端,既可以动植物为食,又可以任一营养级为食。

2)食物网

食物网是生态系统中各种食物链互相交错连接形成的网状结构,它揭示了生态系统中生物之间的食与被食的关系。

自然界中一种生物完全依赖于另一种生物而生存的现象十分罕见,常常是一种动物以多种生物为食物,同一种动物可以占几个营养层次,如杂食动物。而且,动物的食性又因环境、年龄、季节的变化而有所不同。如青蛙的幼体在水中生活,以植物为食;而成体以陆上活动为主,并以动物为食。因此,各条多元的食物链,总是会连接成为错综复杂的食物网络。

(三)生态系统的基本特征

1. 生态系统是动态功能系统

生态系统是有生命存在并与外界环境不断地进行物质交换和能量传递的特定空间。所以,生态系统具有有机体的一系列生物学特性,如发育、代谢、繁殖、生长与衰老等。这就意味着生态系统具有内在的动态变化能力。任何一个生态系统总是处于不断发展、进化和演变之中,这就是所说的系统的演替。人们可根据发育的状况将生态系统分为幼年期、成长期、成熟期等不同发育阶段,每个发育阶段所需的进化时间在各类生态系统中是不同的,发育阶段不同的生态系统在结构和功能上都具有各自的特点。

2.生态系统具有一定的区域特征

生态系统都与特定的空间相联系,因此它是一个包含一定地区和范围的空间概念。这种空间都存在着不同的生态条件,栖息着与之相适应的生物类群。生态系统的结构和功能反映了一定的地区特性。同是森林生态相比,无论是物种结构、物种丰度或系统的功能等均有明显的差异。

3.生态系统是开放的"自维持系统"

自然生态系统所需要的能源是生产者对光能的"巧妙"转化,消费者取食植物,而动植物残体以及它们的代谢排泄物通过分解作用,使结合在复杂有机物中的矿质元素又归还到环境(土壤)中,重新供植物利用。这个过程循环往复,不断地进行着能量和物质的交换、转移,保证生态系统发生功能并输出系统内生物过程所制造的产品或剩余物质和能量。生态系统功能连续地自我维持基础就是它所具有的代谢机能,这种代谢机能是通过系统内的生产者、消费者、分解者三个不同营养水平的生物类群完成的,它们是生态系统"自维持"的结构基础。

4.生态系统具有自动调节的功能

自然生态系统若未受到人类或者其他因素的严重干扰和破坏,其结构和功能是非常和谐的,这是因为生态系统具有自动调节的功能。所谓自动调节功能是指生态系统受到外来干扰而使状态改变时,系统靠自身内部的机制再返回稳定、协调状态的能力。生态系统自动调节功能表现在三个方面:①同种生物种群密度调节;②异种生物种群间的数量调节;③生物与环境之间相互适应的调节,主要表现在两者之间发生的输入、输出的供需调节。

(四)生态平衡

1.生态平衡的概念与破坏生态平衡的因素

生态平衡是生态系统在一定时间内结构与功能的相对稳定状态,其物质和能量的输入、输出接近相等,在外来干扰下,能通过自我调节(或人为控制)恢复到原初稳定状态。当外来干扰超越生态系统自我调节能力,则不能恢复到原初稳定状态,谓之生态失调或生态平衡的破坏。生态平衡是动态的,维护生态平衡不能只是保持其原初的稳定状态。

破坏生态平衡的因素有自然因素和人为因素两类。

(1)自然因素主要是指自然界发生的异常变化或自然界本来就存在的对人类和生物的有害因素。如火山爆发、山崩海啸、水旱灾害、地震、台风、流行病等自然灾害，都会使生态平衡遭到破坏。自然因素对生态系统的破坏是严重的，甚至可使其彻底毁灭，并具有突发性的特点。但这类因素常是局部的，出现的频率并不高。

(2)人为因素主要指由于人类对自然资源的不合理利用，伴随着人类生产和社会活动而同时产生的有害因素。人为因素对生态平衡的影响往往是渐进的、长效应的，破坏程度与作用时间、作用强度紧密相关。

2. 生态平衡失调的标志

各类生态系统，当外界施加的自然的或人为的压力超过了其自身调节能力后，都将导致结构破坏，功能受阻，正常的生态关系被打乱和反馈自控能力下降等，这种状态称之为生态平衡失调。

1)生态平衡失调的结构标志

平衡失调的生态系统在结构上出现了缺损。缺损是指生态系统一个或几个组分"失去"，从而使生态系统在结构上不完整，以致失去平衡。

2)生态平衡失调的功能标志

生态平衡失调的功能标志有两个方面：

其一，能量流动在生态系统内的某一个营养层上受阻，表现为初级生产者生产力下降和能量转化效率降低。如水域生态系统中悬浮物的增加，可影响水体藻类的光合作用，减少其产量。有些污染虽不能使生产者生产量减少，但却会因生境的不适宜或饵料价值的降低而使消费者的种类或数量减少，造成营养层次间能量转化与利用效率的降低。

其二，物质循环正常途径的中断。这是目前许多生态系统平衡失调的主要原因。这种中断有的是由于分解者的生境被污染而使其大部分丧失了分解功能，更多的则是由于破坏了正常循环过程。物质输入输出比例的失调是使生态系统物质循环功能失调的重要因素，如某些污染物的排放超过了流域水体的自净能力而积累于系统之中，这些物质的不断释放又反过来危害着正常结构的恢复。

二、流域生态系统及其实例

(一)概述

流域生态系统是以流域为空间尺度的区域中的全部生物环境和物理环境的统一体，是在流域空间范围内生物成分和非生物成分通过物质的循环、能量的流动和信息的交换而相互作用、相互依存所构成的生态功能单位。

河流生态系统的基本功能是对地貌的影响，最终控制河床形状和其中水的化学成分变化是基岩的性质及其抗蚀能力，以及河流流经地区的地质史，如冰川作用、隆起和断层等。

处于河流系统中的生物成分能够反映地貌变化，而且生物成分及其所发挥的功能可能沿着排水网络作系统的有规律的变化。一些在上游河道中占主导地位的生物成分在下游河道中消失不见，但下游河道里又出现了有着不同功能的生物成分。

（二）流域生态系统举例——长江流域生态系统

长江流域主要位于亚热带季风区，冬、夏季风交替明显。多年平均气温14～17℃，无霜期长达285～350天。长江的青藏和川西部分地区属高原气候，太阳辐射强，日照充足，降水稀少，干燥寒冷，多冰雹大风，高寒气候形成永久冻土层，冻土厚度可达100m。而汉中盆地、四川盆地及流域南部则气候温暖。

长江流域多年平均降水量1 100 mm，降水时空分布不均，大致呈东南向西北递减，同一雨区，江南大于江北。春、夏为雨季，长达5～6个月。

该流域的径流主要由降雨形成，除通天河、雅砻江、大渡河的上游由高山冰雪融水补给外，其余大部由雨水补给，径流大小与降水变化相一致。长江每年5～10月份为汛期，汛期径流量占全年径流总量的70%～80%，汛期时空变化有从东向西推迟的趋势。

长江含沙量不高，但输沙量大。长江口是一个中等强度的潮汐河口，进潮量变化在13亿～53亿m^3之间。南槽中滩站平均潮差为2.66m，最大潮差可达4.62m，潮流一般可至江阴附近，潮区界汛期到大通附近，枯季可达安庆。

流域水力资源丰富，理论蕴藏量达2.68亿kW。其中，80%以上分布在宜昌以上干、支流河段，金沙江、长江三峡、雅砻江、岷江、乌江、嘉陵江最为丰富；宜昌以下中下游区，主要集中在洞庭湖、鄱阳湖水系及汉江、清江等支流上。

流域土壤类型多样，具有纬度水平地带性和垂直地带性分布规律。长江以南广布亚热带典型土壤——红壤和黄壤；长江以北大面积分布着黄棕壤、黄褐土等；流域西部发育着高山高原土壤。

流域植被除高寒江源区属荒漠植被外，主要处于中亚热带和北亚热带两个植被区。植被种类丰富，多达14 600种，呈亚热带常绿阔叶林景观，并兼有南方热带和北方温带性植被类型，保存着许多古老珍稀植物，如水杉、银杉等，还有种类丰富的经济植物，诸如油桐、油茶、漆树、柑橘、毛竹等。平原地区以人工植被为主，天然植被好的多属丘陵山地。植被水平分异和垂直分带都很明显。流域森林面积约30万km^2，活立木蓄积量约25.8亿m^3。长江上游各大支流上游河段最为集中，长江中下游在鄂西、陕南、湘西、湘南、江西和皖南等地亦有森林分布，主要树种有云杉、冷杉、铁杉、油松、马尾松、白桦、樟、楠等。流域乔木林覆盖率为20.3%，另有1 980万hm^2宜林荒山荒地,可供造林和发展经济林果。

流域内不乏国家重点保护动物,属于珍稀、特产的动物有 20 多种。尤其西南区的重点保护动物繁多,其中有哺乳类的金丝猴、大熊猫、云豹、白唇鹿,鸟类有白鹤、中华秋沙鸭、红胸雉、丹顶鹤等,爬行类有扬子鳄,鱼类有白鲟、中华鲟、胭脂鱼等。

长江是我国水生生物资源宝库,有鱼类 370 种,其中 1/3 为特有种类,淡水鱼产量约占全国产量的 50%。四大家鱼产卵场主要分布在长江重庆至鼓泽江段,20 世纪 60 年代调查有 36 处,近年有所减少;其次湘江、汉江和赣江中下游亦有分布。

流域内矿产资源种类多、储藏量大。在全国 136 种矿产储量表中就有 109 种,其中钒、钛、汞、磷、芒硝、萤石、蓝石棉等含量占全国总量的 80%以上,铜、钨、锑、锰、高岭土、天然气、重晶石等均占全国的 50%以上,铁、铝、硫、金、银、石棉、水泥灰岩等占全国的 30%以上,还有石膏、岩盐、井盐、绿松石和云母等矿产。

新中国成立以来,随着生产发展和生活水平提高,卫生防疫系统的健全和医疗水平的提高,使很多疾病得以控制,天花、霍乱等已绝迹。但是,自然疫病由于放松防治,近年又有抬头趋势。20 世纪 80 年代后期,血吸虫病在鄂、湘、赣、苏等省部分地区仍较严重,现已引起有关方面关注。

第三节 流域生态系统现状

一、莱斯特·R·布朗的观点

(一)人类现在生活在水向我们挑战的世界

由于每年新增添 8 000 万人向地球的水资源提出索求,水资源供需矛盾日益尖锐。发展中国家的很多地方甚至现在都缺乏用于满足饮用、洗澡和生产粮食等基本需要的足够的水。

到 2050 年,印度预计要增加人口 5.63 亿;中国要增加 1.87 亿;世界上最干旱的国家之一巴基斯坦的人口预计要增加 2 亿以上,即由今天的 1.41 亿增加到 3.44 亿;埃及、伊朗和墨西哥预计要增加现有人口的一半甚至更多。在这些和其他一些缺水的国家,人口继续增长就是要让数亿人民遭受水贫困。这是当地一种难于逃避的贫困化的方式。

水匮乏的表现之一是河流干涸。世界上某些大河现在一年中有些时候干涸,不能流入大海,或是流到大海时已没有什么水了。

例如,流入咸海的两条河流之一——中亚的阿姆河,现在已被土库曼斯坦和乌兹别克斯坦的棉农大量生产汲干了。由于阿姆河有时不能流入咸海,而锡尔河的水流已经由过去的流量减少到现在的微量，咸海在这个半干旱地区的炎炎烈日之下缩小了。1960年以来，咸海下降了12m，面积缩小了40%，水量减少了66%。原来滨海的城镇现在离海水有50km。如果近期这样的趋势延续下去，那么咸海再过一二十年大部分将消失，而只会作为地理上的一种记忆在老地图上保留下来。

咸海由于缩小，海水中盐的浓度增加了，鱼类因此无法生存。其结果是，近至1960年还可捕捞6万t鱼的渔场现在都废弃了。

河流如果干涸，流域内的海洋生态系统也会被破坏。比如科罗拉多河原是流入加利福尼亚湾的，它支撑着一个大的渔场和好几百户科科帕印第安居民，但今天这个渔场只剩下原来模样的残余。

一条让人夜不能寐的河流是尼罗河，因为尼罗河的水不是像在中国一样在省与省之间分配，而是在国家与国家之间分配。10个国家分享着尼罗河流域，但只有埃及、苏丹和埃塞俄比亚3个国家起支配作用。尼罗河85%的水源于埃塞俄比亚，但埃及使用了最大部分，其余的水大部分为苏丹所用。这两个国家的需求满足后，尼罗河在流入地中海时就所剩无几了。

几乎从不下雨的埃及完全依赖尼罗河。如果没有这条生命河，埃及就不能生存。即使尼罗河所有的水都供给埃及使用，埃及养活它现有的人口也还需进口一些粮食。埃及现在已有40%的粮食要靠进口，而它现在的人口是6 800万，2050年时预计增加近1倍，增加到1.14亿。苏丹的人口增长得更快，预计将从目前的3 100万增加到2050年的6 400万，其水需求将增加1倍以上。

供给尼罗河的水，绝大部分来自降落在埃塞俄比亚的雨水，而埃塞俄比亚的人口还在更快地增长。按每个家庭平均近6个孩子计算，其人口预计将从2000年底的6 300万增加2倍，增加到2050年的1.86亿。埃塞俄比亚迄今只建了200个很小的水坝，使用尼罗河840亿m^3河水中的5亿m^3，即不到1%的水。但埃塞俄比亚政府计划使用更多的水扩大粮食生产和供电，努力使人民摆脱穷困。

尼罗河上、下游的水量大不相同。很难说人均年收入刚刚100美元的埃塞俄比亚不应该为了自身的发展而使用尼罗河的水，即使这要牺牲人均年收入超过100美元的埃及的利益。如果尼罗河流域的国家不能很快稳定它们的人口，就会有陷入水贫困的危险。

为水而竞争加剧的其他河流还有约旦河、恒河和湄公河。以色列、约旦和巴基斯坦人之间为约旦河进行的竞争是众所周知的。约旦河从黎巴嫩流入以色列，在以色列境内与加利利海汇合，最后流入死海。该河被过度使用，其结果是，加利利海的水位下降，死海在缩小。

印度和孟加拉国共同拥有恒河，过去印度需要多少水就用多少水。恒河在干旱季节甚至流不到孟加拉国。幸运的是两国签订了一个按双方同意的量将水分配给孟加拉国的条约。

湄公河流域的竞争也在加剧。中国在上游建了水坝,留给柬埔寨、老挝和越南的水就少了,而这几个国家的稻米种植就依靠湄公河。

(二)地下水水位下降

由于对水的需求超过了蓄水层可持续的出水量,在主要河流干涸的同时,每个大陆的地下水水位也在下降。

过度抽水的做法现在在总共出产全世界近一半谷物的中国、印度和美国3个国家中很普遍。在出产25%谷物的中国华北平原、印度的粮仓旁遮普邦和美国南部大平原,地下水水位都在下降。

从水文学的角度看,有两个“中国”,即包括长江流域及其以南地区的气候潮湿的南方和包括黄河流域及其以北地区的干旱的北方。南方有人口7亿,有全国1/3的耕地和4/5的水;北方有人口5.5亿,有全国2/3的耕地和1/5的水。北方1hm^{2}耕地拥有的水是南方的1/8。

由于对水的需要超过了供应,蓄水层的水过度抽汲,中国的北方正越来越干旱。1999年,北京的地下水水位下降了1.5m,某些由井汲水的深层蓄水层可能下降得更多。2001年,世界银行的报告说:“北京周围的深井现在要挖1 000m才能流出淡水,显著增加了供水的费用。这是奇闻似的现象。”

从上海北面直到北京以北地区的中国华北平原,包括河北、河南、山东、北京和天津5省(市)。1997年末,官方资料显示,这5个省(市)有井260万眼,大部分用于灌溉。同年,有9.99万眼井废弃了。显然是由于地下水水位下降,井水枯竭;但后来又钻了22.19万眼新井。在北京和天津两大城市里,废弃的井比新钻的井要多,这种大批大批废弃井的情况是前所未有的。钻这么多新井反映人们在地下水水位下降的情况下在拼命找水。

早先的资料表明,华北平原的地下水水位平均每年下降1.5m。但近期废弃井和新钻井的资料显示,在某些地方,地下水水位下降得还要快得多。在紧靠黄河流域北面的海河流域,过度汲水的现象最为严重。这个包括北京和天津两大工业城市在内的地区是1亿以上人的家园。

世界银行预计,从现在到2010年,中国的人口预计增长1.26亿,届时全国城市对水的需求将从500亿m^{3}增加到800亿m^3,增长60%。同时,工业对水的需求预计将由1 270亿m^{3}增加到2 060亿m^3,增加62%。在中国北方大部分地区,满足日益增长的对水的需求的办法是投资提高水的使用效率,或是让农业不用灌溉水。

印度的旁遮普邦因复种高产冬小麦和夏季稻米,谷物产量有余,可以运往其他国家。但那里的地下水水位在下降,估计每年下降 0.6m,这迫使农民把浅些的井钻得更深。

在美国南方大平原,灌溉农业大部分以从奥加拉拉蓄水层汲取的水为基础,而奥加拉拉蓄水层基本上是化石蓄水层,再添补水的能力很小。由于地下水水位下降,蓄水层的蓄水量大幅度减少,农民被迫放弃灌溉农业,又回到旱作农业。好几个在美国粮食生产中占主导地位的州,包括科罗拉多州、堪萨斯州、俄克拉荷马州和得克萨斯州,由于奥加拉拉蓄水层的蓄水量大幅度减少,灌溉面积在慢慢缩小。

得克萨斯州的灌溉耕地主要位于地势高的平原。对该地区进行的经济分析得出的结论是,随着水的供应减少,该地区作物产量将逐步下滑。2000～2025 年间损失最大的是靠灌溉生产的饲料粮包括玉米和高粱,种旱地作物小麦的耕地面积会略有增加,总起来看,谷物生产将下降 17%。对邻近一些州,如俄克拉荷马州和堪萨斯州所做的类似的详细分析也表明,依赖水较多的作物的产量也会下滑。

得克萨斯州南部的埃尔帕索和边界对面的姊妹城——墨西哥的华雷斯都是从同一蓄水层汲水。由于这两个迅速扩展的城市的人口增加了,水的需求超过了蓄水层可持续的出水量。得克萨斯州公用事业委员会的分析员戴维·赫尔伯特认为,由于未能有效地处理水供应问题,这两个城市正在走向水枯竭。

由于人口在继续增长,世界水的状况只会越来越糟。今天全世界有人口 61 亿,而水的缺口却很大,我们现在是在用属于我们孩子们的水养活自己。

(三)面临缺水

全世界消费的水,包括从河流和地下汲取的水,估计约 70%用于灌溉,约 20%用于工业,约 10%用于居民消费。在这三大部门之间对水的需求竞争越来越激烈的情况下,水经济学对农业是不利的。在中国,用 1 000t 水生产 1t 小麦,大概只值 200 美元;如用于扩大工业产量,其产值则可增加 70 倍,增加到 14 000 美元。在一个竭力寻求经济增长和就业岗位的国家,将水由农业引向工业的利益是明显的。水经济学也有助于解释美国西部的农民越来越普遍地把使用灌溉水的权利出售给城市的现象。

城市化、工业化和维护生态系统也扩大了水需求。发展中国家传统上依靠村庄里的井的村民,在迁移到有室内抽水便池的高层公寓房屋后,用水量很容易增至 3 倍;而且工业化比城市化用水更多。

富裕程度提高本身也增加了对水的需求。比如说,人们的食物向食物链中的高层次上移,消费更多牛肉、猪肉、家禽、鸡蛋和奶制品,这就要用更多谷物。美国的饮食中畜产品丰富,每个人需要的谷物就比印度这种主要吃大米国家多 3 倍,而谷物多用 3 倍意味着水也多用 3 倍。

缺水一度只是地方性的现象，但现在却通过国际谷物贸易跨越国界。世界谷物进口增长得最快的市场是北非和中亚，该地区包括摩洛哥、阿尔及利亚、突尼斯、利比亚、埃及、伊朗和伊朗再往东的国家。这个地区的各个国家，实际上既缺水而同时人口增长又很快。这个地区的城市和工业增长的水需求，总是通过转移灌溉用水来满足的。粮食生产能力的丧失就用从国外进口谷物来弥补。由于1t谷物代表1 000t水，这就成了缺水国家进口水最有效的办法。

2000年，伊朗进口了700万t小麦，使日本这个几十年来世界第一小麦进口国也因之失色。伊朗和埃及的人口都有7 000万，每年还要增加100万以上，现在都面临严重缺水的局面。

生产北非和中亚2000年进口的谷物和其他食物需用的水，大致相当于尼罗河年水流量。换句话说，该地区快速增长的缺口等于另一条尼罗河以进口谷物的形式流入该地区。

现在人们常常说北非和中亚未来的战争更可能是为争夺水而不是为争夺石油。由于为水而战难于取胜，为水展开的竞争更可能在国际谷物市场上出现。在这场竞争中，"赢家"是那些在财政上最强大而不是在军事上最强大的角逐者。

情况表明，世界上水的缺口年年增大，处理起来难度也会递增。如果目前世界各国就决定停止过度汲水以稳定地下水水位，世界谷物产量将减少约1.6亿t，也就是减少现今产量的8%，谷物的价格就会上升到统计图顶端以上。

缺水国家的政府如不很快稳定人口、提高用水效率，这些国家缺水状况不久就会变成缺粮。现在的危险在于，谷物进口需求增加的缺水国家的队伍在迅速增加，这包括中国和印度这样有潜势的人口巨人。这一队伍的扩大将超过美国、法国、加拿大和澳大利亚这些余粮国家的出口能力。这反过来又会使世界谷物市场不稳。

很多国家水的形势都在迅速恶化，但中国水缺口的快速增长则可能影响整个世界。每年人口增加1 200万、城市化、经济增长率预计为7%以及中国消费者继续提升其食物链的层级，这些因素结合到一起，肯定会使水需求在未来年代继续超过供应。这些趋势表明，中国对进口谷物的需求不久就会攀升，就像近几年大豆的进口一样。1995～2000年，中国由大豆自给变成了世界最大的大豆买家，40%的供应量靠进口。

增加水价、减少浪费、提高水的使用效率，这样可以改善缺水状况，但在中国这样做总是不容易的。2001年初，中国政府宣布计划在今后5年内分段提高水价，这是朝正确方向前进的受欢迎的一步。但是在北京，这种选择因公众对提高过去常常是免费水的价格有反应而充满了风险，这近似美国汽油价格上涨时的形势。

前面已经谈到，中国不是惟一面对缺水的国家。由于缺水而增加粮食进口或威胁说要增加进口的国家还包括印度、巴基斯坦、墨西哥以及几十个比较小的国家；但是只有人口13亿、同美国的年贸易顺差达800亿美元的中国，在近期有潜力震撼世界粮食市场。简而言之，中国地下水水位下降不久将可能意味着整个世界粮食价格上涨。

二、黄河流域生态环境现状

（一）水资源开发利用

黄河的河川径流利用率现已达53%，水资源利用程度在国内外河流中属较高水平。黄河流域已建成水库及各类蓄水工程10 077座（其中大型水库18座），总库容605.7亿m^3。黄河下游还兴建有向两岸海河、淮河流域平原地区供水的引黄工程130处，供水能力达到690亿m^3。黄河供水地区现引用河川径流量年均395亿m^3，流域的西安、太原等城市区域和支流河川盆地地下水超采现象较为严重。黄河干流主要已建水利工程概况见表1-1。

表1-1　黄河干流主要已建水利工程概况

序号	水库名称	坝址位置至河源(km)	集水面积(km^2)	最大坝高(m)	总库容(亿m^3)	多年平均流量(m^3/s)	装机数(台)	总装机(万kW)	年发电量(亿kW·h)	功能
1	龙羊峡	1 687	131 420	178	276.3	650	4	128	59.4	发电为主兼顾防洪和灌溉等
2	李家峡	1 776	136 743	165	16.5	664	5	200	59	发电为主兼顾灌溉
3	刘家峡	2 020	181 766	147	57	877	5	116	55.8	发电、防洪、灌溉、防凌和供水、养殖
4	盐锅峡	2 052	182 704	57.2	2.2	823	9	40.2	21.7	发电为主兼顾灌溉
5	八盘峡	2 069	215 851	33.0	0.49	1 000	5	18	9.5	发电为主兼顾城市供水和灌溉等
6	大峡	2 180	227 798		0.9	1 037	4	30	14.7	发电为主兼顾灌溉
7	青铜峡	2 604	275 004	42.7	5.65	1 050	8	27.2	10.4	灌溉和发电为主兼顾城市供水、防凌、防洪
8	三盛公	2 940	314 000			935				灌溉为主
9	万家寨	3 575	394 813	90	8.96	790	6	108	27.5	供水结合发电调峰，兼顾防凌、防洪
10	天桥	3 672	403 877	42	0.74	894	4	12.8	6.07	发电为主兼顾灌溉
11	三门峡	4 437	684 000	106	96.4	1 330	6	32.5	13.0	防洪、兼顾发电和灌溉等
12	小浪底	4 568	694 155	154	126.5	1 342	6	180	58.4	防洪、兼顾发电和灌溉等

水资源短缺和需求增加造成的供需失衡，是黄河水资源管理面临的突出问题。非汛期流域有相当数量的河道径流是上游汇流区排放的生产、生活污水。20世纪90年代，黄河下游出现了严重断流现象，1997年，黄河下游断流历时与断流河长分别达到226d和704km，断流天数占全年的62%，断流长度占整个下游河道长度的90%。

(二)生态环境

黄河流域生态环境脆弱，水土流失、植被破坏、水生态系统蜕变和功能萎缩是流域生态恶化的突出表现。以乌梁素海为典型代表的流域湿地水生态功能破坏及导致的系统平衡逆向变化，是流域水生态保护需亟待解决的重要问题。

黄河源头地区是流域水资源的主要来源区，目前生态植被退化和草原沙漠化现象严重，水源涵养能力显著下降，源头区已多次出现断流现象；中游黄土高原水土流失面积45.4万km^2，是世界水土流失最为严重的生态系统脆弱区，具有水土流失面积广、强度大、产沙区域集中、水土流失类型多样且成因复杂等特性，治理难度很大，水土流失既造成了黄河泥沙问题，又构成了黄河面源污染，是流域水资源开发利用和生态改善的最大障碍；断流是黄河下游和河口地区生态受影响的主要问题。

黄河及主要支流已划定水功能保护区和保留区11个，累计河长2 050km。据不完全统计，目前流域内已规划和建设省级以上自然保护区50个，其中国家级自然保护区19个。

(三)流域水资源质量状况

1998年调查，黄河流域废污水排放量47.3亿t，其中工业废水34.3亿t，占排放总量的72.5%。黄河干流共接纳污染物COD_{Cr}152万t、氨氮7.05万t，其中干流排污口入黄COD_{Cr}27.7万t、氨氮2.46万t，支流入黄COD_{Cr}124万t、氨氮4.59万t。黄河干流直接入黄排污口193个，85%以上排污口为超标排放。流域内省(区)废污水排放及黄河各河段受纳污染物情况见表1-2、表1-3。

水土流失是黄河流域最突出的面源污染。泥沙进入河道后，所吸附的重金属元素和有机胶体、无机盐类，可能因河水pH值变化，对水体构成影响。

黄河流域农业耕作水平不高、用水量大，灌区土壤残留的化肥、农药等随农田退水和地表径流进入水体造成污染。上游宁蒙灌区农灌入黄退水口水质污染严重，乌梁素海退水渠COD_{Cr}、BOD_5实测值分别高达179mg/L和48.7mg/L，调查的12条农灌退水口年输入黄河COD_{Cr}21.7万t、氨氮7 220t、总氮3 510t、总磷419t，是黄河的重要面源输入区。

表 1-2　**1998 年黄河流域各省(区)废污水排放量**　(单位:亿 t)

省(区)名称	工业废污水	生活废污水	总 量
青 海	2.48	0.45	2.93
甘 肃	6.58	1.14	7.72
宁 夏	4.96	0.74	5.70
内蒙古	1.62	0.80	2.42
山 西	4.16	1.61	5.77
陕 西	7.76	5.48	13.24
河 南	4.23	2.28	6.51
山 东	2.48	0.52	3.00
合 计	34.27	13.02	47.29

表 1-3　**1998 年黄河干流污染物入河量分析**

序号	一级功能区名称	排污口数(个)	排污口入河量(t/a)		支流数(个)	支流入河量(t/a)		入河总量(t/a)	
			COD_{Cr}	氨氮		COD_{Cr}	氨氮	COD_{Cr}	氨氮
1	玛多源头水保护区								
2	青甘川保留区								
3	青海开发利用区	4	2 377	284.1	1	7 335	97.7	9 711	382
4	青甘缓冲区	0	0	0	0	0	0	0	0
5	甘肃开发利用区	115	91 866	10 625.9	7	241 773	3 161.1	333 639	13 787
6	甘宁缓冲区	0	0	0	0	0	0	0	0
7	宁夏开发利用区	5	38 652	230.6	11	163 327	5 721.4	201 979	5 952
8	宁蒙缓冲区	8	8 195	427.7	3	39 993	1 438.3	48 188	1 866
9	内蒙古开发利用区	12	49 521	1 899.0	4	46 836	2 103.1	96 358	4 002
10	托克托缓冲区	0	0	0	1	8 997	2 106.2	8 997	2 106
11	万家寨调水水源保护区	0	0	0	3	2 257	39.5	2 257	40
12	晋陕开发利用区	19	852	82.4	24	156 026	2 097.5	156 879	2 180
13	三门峡水库开发利用区	18	67 780	4 793.6	19	382 668	21 529.1	450 448	26 323
14	小浪底水库开发利用区	0	0	0	23	13 827	61.8	13 827	62
15	河南开发利用区	9	13 702	1 948.6	10	156 413	7 133.9	170 115	9 083
16	豫鲁开发利用区	0	0	0	2	6 253	38.3	6 253	38
17	山东开发利用区	3	3 796	4 314.9	4	14 752	415.0	18 548	4 730
18	河口保留区	0	0		0	0	0	0	0
	总计	193	276 741	24 606.8	112	1 240 457	45 943	1 517 199	70 551

(四)水质现状

2000年黄河流域评价总河长7 247km,其中干流评价河长3 613km。黄河干流及主要支流水质状况变化情况见表1-4。

表1-4　　黄河干流及主要支流流域水质变化情况

评价范围		统计河长(km)	Ⅰ类		Ⅱ类		Ⅲ类		Ⅳ类		Ⅴ类		超Ⅴ类	
			河长	%	河长	%	河长	%	河长	%	河长	%	河长	%
枯水期	全流域	7 247	0	0	479	6.6	2 082	28.7	1 999	27.6	873	12.0	1 814	25.0
	干流	3 613	0	0	220	6.1	1 511	41.8	1 490	41.2	392	10.8	0	0
	支流	3 634	0	0	259	7.1	571	15.7	509	14.0	481	13.2	1 814	49.9
丰水期	全流域	7 247	98	1.4	268	3.7	2 705	37.3	1 097	15.1	1 016	14.0	2 063	28.5
	干流	3 613	0	0	220	6.1	2 006	55.5	386	10.7	367	10.2	634	17.5
	支流	3 634	98	2.7	48	1.3	699	19.2	711	19.6	649	17.9	1 429	39.3
全年	全流域	7 247	0	0	220	3.0	2 587	35.7	1 456	20.1	1 249	17.2	1 735	23.9
	干流	3 613	0	0	220	6.1	1 757	48.6	732	20.3	730	20.2	174	4.8
	支流	3 634	0	0	0	0	830	22.8	724	19.9	519	14.3	1 561	43.0

评价河段枯水期和全年可满足水功能要求的河长分别为2 561km及2 807km,占总评价河长的35.3%与38.7%,有64.7%和61.3%的评价水体劣于河段相应水质控制标准。

1.省界水质

2000年,黄河流域30个省界河段水体,各水期有51.7%～88.9%的断面水质劣于Ⅲ类控制标准要求。在污染严重的枯水时段,有近50%的省界监控断面出现Ⅴ类和超Ⅴ类水质。

2.重要城市供水水源地水质

2000年,甘肃兰州和山东高村、泺口、利津等黄河供水河段水质类别Ⅲ类,内蒙古昭君坟、画匠营、镫口、头道拐和河南花园口黄河供水河段水质类别Ⅳ类,宁夏石嘴山和河南三门峡黄河供水河段水质类别Ⅴ类,主要超标项目有氨氮、高锰酸盐指数等。

第二章　流域水资源保护工作体系

第一节　流域水资源保护

水资源保护是流域水资源管理的一项重要内容，旨在协调好流域开发与国民经济发展的辨证关系，实现流域水资源的可持续利用。

一、流域水资源保护的组织机构和职责

1998年，国务院颁布的水利部“三定方案”规定：水利部应按照国家资源与环境保护的有关法律法规和标准，拟定水资源保护规划；组织水功能区划的划分和向饮水区等水域排污的控制；监测江河湖库的水量、水质，审定水域纳污能力；提出限制排污总量的意见。

流域机构是水利部实施流域管理职能的派出机构。流域机构内设置的流域水资源保护局是实现流域水资源保护的组织基础。以黄河流域水资源保护局为例，该局是水利部、国家环境保护局双重领导的负责黄河流域水资源保护且具有行政职能的事业单位，也是黄河水利委员会的直属机构。黄河流域水资源保护局机关下设局办公室、计划财务处、监督管理处、规划科技处；所属单位下设有水资源保护研究所、监测管理中心、后勤服务处；所属基层局下设有黄河上游水资源保护局、宁蒙水资源保护局、中游水资源保护局、三门峡库区水资源保护局、山东水资源保护局；并规划2005年增设榆林、延安和天水3个水质监测站。黄河流域水资源保护局机构组成示意图见图2-1。

黄河流域水资源保护局的主要职责是：负责《中华人民共和国水法》、《中华人民共和国水污染防治法》等法律、法规的贯彻实施；拟定黄河流域水资源保护、水污染防治等政策和规章制度并组织实施，指导流域内水资源保护工作；组织黄河流域水功能区的划分，按照有关规定，对流域水功能区实施监督管理；组织编制流域水资源保护规划并监督实施；指导和协调流域各省（自治区）水资源保护规划的编制；负责编制流域内水资源保护中央投资计划并监督实施；根据授权，审查水域纳污能力，提出限制排污总量意见并监督实施，负责发布黄河流域水资源质量状况公报；负责流域内重大建设项目的水资源保护论证的审查，负责取水许可的水质管理工作；根据流域水资源

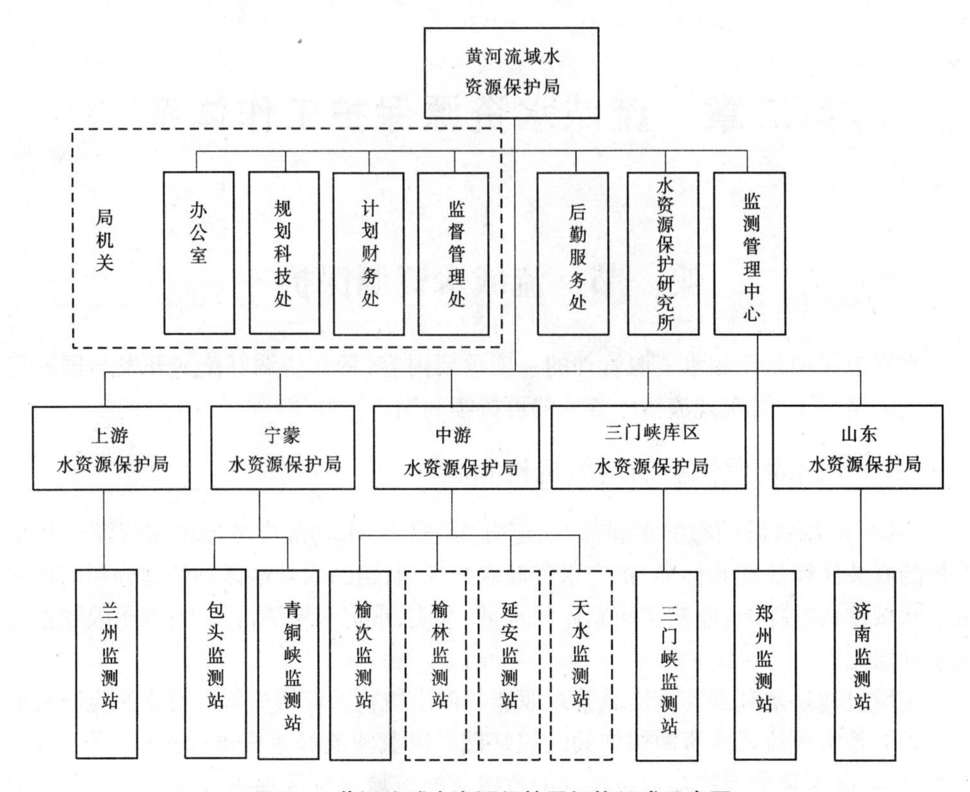

图 2-1 黄河流域水资源保护局机构组成示意图

保护和水功能区统一管理要求，指导、协调流域内的水质监测工作；负责拟定流域水环境监测规范、规程、技术方法和省界水体水环境质量标准；开展流域水污染联防；协调流域内省际水污染纠纷，调查重大水污染事件，并提出处理意见；负责黄河水资源保护管理的现代化建设，组织开展水资源保护科研成果的应用和国际交流与合作。

二、流域水资源保护工作流程

流域水资源保护的核心工作流程见图 2-2，其主要工作内容是：

(1)根据流域或区域的水资源状况，按水资源的自然属性、开发利用现状、社会经济需求及保护流域水资源和生态环境的要求，划定水功能区，并报国家批准；根据划定的水功能区，确定相应的水质目标。

(2)根据已确定的水质目标、河流的设计流量及水质模型，计算不同河段及时段的水环境承载能力。

(3)根据不同河段及时段的水环境承载能力，计算允许纳污的总量；将允许的纳污总量分配到可管理的单元(行政区域、主要支流口、主要流入干流的排污口、主要农灌退水口等)。

(4)对以上可管理单元进行监测。

(5)将监测到的分散数据进行处理,利用数学公式进行汇总计算,得到实际接纳的污染物总量;与下达的控制指标进行对照,对超标排放和超总量排放的单元下达处理意见并监督执行。

三、黄河流域水资源保护对策措施及建议

流域水资源系统是开放的复杂系统,水资源保护工作十分复杂,是一项系统工程。黄河流域水资源保护局认为,黄河河情特殊,问题复杂。水污染及生态失衡是黄河治理面临的重大问题之一,水资源保护关系到水资源可持续利用和国家经济发展大局。为保障黄河水资源保护规划有效实施和规划目标的顺利实现,必须建立健全行政管理体制和稳定的投入保障机制。黄河流域水资源保护局建议的具体内容包括以下几条。

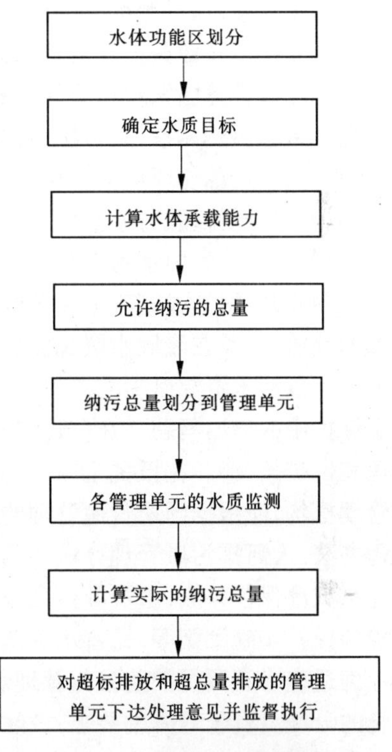

图2-2　流域水资源保护的核心工作流程图

(一)建立以流域统一管理和保护为前提,流域与区域相结合的水资源保护分级负责管理体制

黄河流域水资源缺乏,时空分布不均,水质污染严重。随着流域社会经济发展,特别是西部大开发战略的实施,黄河水资源供需矛盾日益突出,并已成为流域社会经济可持续发展的重要制约因素。在对黄河水资源进行开发、利用、治理的同时,突出水资源配置、节约和保护工作,是新时期黄河流域水资源管理的重要内容。

水的流域特性,以及人类、自然社会对水的依赖需求,决定了水资源管理与保护必须改变现行条块分割、“多龙管水”的格局,代之以在流域为单元的水量和水质统一管理原则下,实行流域和区域相结合的分级负责管理体制。在统筹考虑流域与区域、近期与远期以及各部门、各地区间的利益分配,综合平衡和协调处理上下游、左右岸

及干支流之间的水资源权益和纠纷基础上，实施流域水资源的统一规划、统一配置、统一调度和统一管理，应充分发挥流域机构在水资源保护中的重要作用，充实和完善地方水资源保护机构。这既是社会经济可持续发展的必然要求，也是实现流域水资源优化配置、节约和保护的体制保证。

新时期水资源管理必须注重水量和水质的统一管理。水量和水质是水资源的两个基本属性，二者相互依存、缺一不可。水作为一种特定资源，其管理实质是实现水资源的优化配置，在资源配置中优化完成量的分配和质的保护。

（二）完善水资源保护法规，建立健全流域执法体系，依法保护水资源

水资源保护是国家对资源管理的行政行为。建立健全以流域为单元的水资源保护法规体系和执法体系，是依法保护水资源的前提。

现行国家资源与环境保护法规对水资源流域管理的内容体现不足，建议在制定《黄河法》、《流域管理法》或修订《中华人民共和国水法》、《中华人民共和国环境保护法》、《中华人民共和国水污染防治法》等法规时，应体现水资源的流域统一管理和可持续利用原则，增加或充实水资源保护内容和条款，以法律形式明确流域水资源保护机构的性质，以及在流域水资源保护工作中的地位、责任和权利。

鉴于黄河水资源面临的严峻形势，应采取特殊政策和紧急措施，解决当前流域水资源保护中的突出问题。在《黄河法》出台前，建议尽快制定并颁布实施《黄河水资源管理和保护条例》。在报批全国水功能区划成果基础上，国务院水行政部门及黄河流域管理机构，应根据国家资源管理的法规要求，尽快颁布实施全国及黄河的水功能区管理办法、入河排污口管理办法、污染物入河总量控制管理办法、重要（河流）供水水源地水资源保护办法、水资源污染补偿办法、省界水体水质管理规定、取水许可管理水资源保护实施细则等，完善水资源保护行政法规体系。

为适应水资源保护监督与管理需要，根据水资源保护流域统一管理，流域区域相结合的分级负责管理体制要求，黄河流域应建立与之相适应的水资源保护执法体系，对水资源利用与保护行为实施有效监控，重点对水功能区污染物控制总量、城市水源地保护、取水退水行为及入河排污口控制进行执法监察，并依法查处重大水资源污染和水生态破坏事件。

（三）以水功能区管理为重点，污染物入河总量控制为关键，全面实施黄河流域水资源保护规划

随着流域社会经济的发展，黄河水资源开发利用程度逐步提高，流域内受纳的废污水量及污染负荷也呈增加趋势，干流刘家峡以下及支流大部分河段早已超过水体允许纳污能力，城市河段水污染严重，水质不能满足功能要求，对河道生态及用水安全影响很大。国家大江大河治理的主要依据，是经批准的有关规划。本规划经批准后,黄河水资源保护工作必须以水功能区管理为重点,以污染物入河总量控制为关键,建立污染物入河许可制度。强化实施污染物入河总量省(区)分配、主要入河排污口重点监控、河流水质省(区)界监测核查工作,全面落实流域水资源保护规划,实现黄河水质不超标的目标。

建议国家在黄河水量分配基础上,进一步建立和实施黄河水资源分配制度,实行流域内水量和水体允许纳污能力省(区)分配。立足于资源、环境和社会的协调发展,以流域水功能区划为依据,水质保护为目标,审定黄河干流及主要支流水功能区的纳污能力,并结合流域社会总体规划和经济发展水平,制订了 2005、2010 年和 2020 年 3 个水平年的总量控制规划方案。规划实施将对黄河流域水资源功能目标实现产生重要的促进作用。在流域水资源管理中,应采取有效的流域与区域措施,保障规划方案的实施并确保其规划目标的实现。根据黄河水资源特点和水量实时调度要求,应制订黄河不同时空条件下的污染物总量控制方案,为流域水资源优化管理提供实施依据。

根据分级负责的原则,规划实施中,黄河流域水资源保护机构负责流域入黄污染物总量控制计划的制定、下达与监督管理;在黄河干流、流域直管河段所划定的水功能区及省(区)界河流缓冲区内,实施入河排污审批管理,实行水功能区水质统一监控,并对流域省(区)界断面水质目标进行监测核查;流域内各省(区)根据黄河水资源保护目标要求,实行管辖河段的入河排污审批与监督管理,实施河流水质监测工作。具体负责辖区入黄污染物总量控制计划的落实,并据此制定、分解和监督所辖区域主要河流入河污染物控制总量。根据有关法规和流域水资源保护要求,黄河流域应建立河流水质和入河污染物排放总量控制的地方行政首长责任制,并纳入地方工作考核目标。

(四)以城市生活水源区保护为重点,调整和规范入河排污口设置

城市生活饮用水源的水质安全是水资源保护工作的重点。目前,黄河流域水源地受到污染的影响明显,干流兰州、白银、包头、三门峡、郑州等河段的取水口与排污口交错分布,生活饮用水水源区水质难以保证。因此,应将生活用水安全作为水资源管理与保护的首要任务,在黄河重点城市建立和划定饮用水源保护区,制定有效管理法规,实施水质保护。严格控制水库等水利工程内的排污行为,强化取水许可和实施排污口登记制度,依法管理并调整及规范入河排污口设置,确保城市生活饮用水水质安全。

根据现有城市生活饮用水水源地存在的问题,建议采取如下工程与非工程措施:根据取水水质保护要求,流域内 20 万人以上城市的饮用水水源地,应划定水源保护区并制定相关管理办法,将水源地的保护列为各地水资源管理的重点。黄河干流沿岸城市应以取水安全为首要目标，在对入河排污口实施有效监控基础上，优化调整和规范各类入黄排污口，并做好河流内点源控制和面源减控工作。兰州市城区污水应规划排污设施，统一截污至污水处理厂处理后再排入城市水源区下游；白银市应建设新的城市生活水源地，替代现有的东大沟黄河水源；包头市四道沙河的废污水需经严格处理后排入黄河；老蟒河应恢复原有河道，不再汇入沁河口；濮阳渠村饮用水取水口与天然文岩渠入黄口相对位置不合理，对城市水源地影响较大，建议调整。

（五）以水资源保护目标为环境约束条件，切实加强流域水污染防治工作

保护水资源是水资源管理的重要内容，也是水污染防治的最终目标。黄河流域水污染防治工作严重滞后于水资源管理需求，污染物入河量超出水资源可承纳能力，是造成黄河流域水污染的根本原因。

目前，黄河流域内大多数工业企业废污水未得到有效治理，超标排放，大量城市生活污水未经处理直接排入地面水体，对主要入黄支流及黄河干流造成了严重的污染影响，直接制约了黄河水资源的永续利用和社会经济的可持续发展，加强黄河流域水污染防治工作刻不容缓。

为实现流域水资源的可持续利用，解决黄河水质污染超标问题，必须以水资源保护目标为环境约束条件。根据黄河的水资源承纳能力，优化流域产业结构与工业布局，规划并实施流域和省（区）的水污染防治。各级地方政府与环境主管部门，应根据流域水资源保护要求，加大污染源的治理力度，切实做好水污染防治工作，满足污染物入黄控制要求。

第一，应全面加强现有污染源的治理控制。按照国家有关法规和规划目标，现有污染源必须实现达标排放和入黄控制要求。目前，黄河宁蒙农灌退水渠及三门峡库区入黄支流（如渭河）污染严重，污染物入黄量大，不仅制约了沿岸社会经济的发展，而且对下游河段的黄河水体造成了严重的水污染问题，宁蒙和三门峡库区河段水污染控制已成为黄河中下游能否实现水资源功能规划目标的关键，渭河是黄河流域水污染防治工作的重中之重；同时，黄河潼关至三门峡区间矿产资源无序开发现象突出，水体重金属污染严重，陕西、河南两省应采取有效措施进行综合治理，严格控制重金属类污染物的产生和入黄。

第二，一切新建、改建和扩建的工程项目，均应符合流域产业结构调整要求与水资源可配置条件，严格执行建设项目取水许可制度和环保“三同时”制度，满足黄河水污染物总量控制要求。

第三，在强化城市节水工作的同时，加快城市污水处理厂建设。流域内所有城市均应建污水处理厂。2005 年和 2010 年城市污水集中处理率须分别达到 45% 及 70% 以上，并须根据黄河水资源保护需要，考虑城市污水脱氮处理问题，有效控制氨氮对黄河的污染影响。在重点地区,有针对性地加强和推进污水资源化工作。

第四,积极开展黄河面污染源的治理。黄河上中游地区生态环境脆弱,水土流失严重,粗放型农业耕作模式造成农灌退水和化肥农药流失量大,面源有机污染对黄河水质影响明显。在加强点源控制基础上,必须加大面污染源的治理和控制力度。应采取得力措施,加快黄河上中游地区、特别是中游地区的水土保持工作进度,逐步调整上中游地区的农业产业结构,积极发展节水灌溉农业,指导农民科学施用化肥农药,把面污染源的治理、控制纳入水污染防治与水资源保护的监控体系。

(六)强化流域取水许可审批并建立建设项目水资源论证评估制度,开展取水清洁生产和节水减污审核工作

黄河流域生产技术水平落后、水污染可控水平低,入河的点源污染物质主要来源于资源破坏性开发和不合理使用所造成的资源流失。这是流域水资源目前遭受侵害的主要原因。

工业水污染控制既是黄河流域现阶段水污染防治工作的重点,也是各规划水平年实现入黄污染物总量控制目标的关键。黄河流域有关省(区)应抓住西部大开发的机遇,重视产业结构和工业布局的调整,严禁在黄河流域规划和建设高耗水、重污染的工业项目。推行清洁生产技术,转变工业污染末端治理的落后观念,建立工业水污染防治过程控制为主、过程控制与末端治理相结合的资源环境新理念。根据这一总体原则,黄河流域各级水资源管理部门应进一步加强协同配合,强化流域建设项目取水许可审批管理和经常性检查工作,实施取水项目的取水、耗水和退水的动态管理,并实行水资源保护的一票否决制。对耗水多、退水水质不符合规定要求的企业,要吊销其取水许可证。同时,建立取水项目的水资源论证评估制度。在审批和年审建设项目取水许可及用水申请计划时,重点加强项目清洁生产分析、水资源量平衡、节水减污和排污入河可控水平的审核工作,明确取水项目必须达到的节水减污措施和清洁生产水平,确保流域 2005 年工业用水重复利用率达到 60% 以上,实现建设项目取水及排污入河审批和控制的系统管理。

(七)逐步推广和建立节水型农业发展模式,控制农业面源污染

农业取排水的管理是黄河流域水资源管理工作的重要环节,农业节水及灌溉退水的水质控制水平对黄河水资源保护工作至关重要。目前,黄河流域农业灌溉用水量占河川径流利用量的 90% 以上,农业节水和控污的潜力很大。黄河灌区现状及发展应考虑水资源的承载能力,加大农业节水力度,逐步调整农业种植结构,实行节水灌溉,2005 年灌溉用水有效利用系数须达到 0.45 以上。引黄灌区农业节水灌溉和农田退水控制,须纳入流域水资源配置和保护工作之中。

因此,建议采取特殊的措施和政策。将黄河灌区节水工程列入国家基本建设计划,并实行优惠的融资政策;建立节水补助制度,从各级水利建设基金中划出一部分资金,用于流域少数民族聚居区和贫困地区的老灌区配套更新的补助等;对新建取水工程实行节水减污一票否决制度。各省(区)在申请新建引黄取水工程时,必须先由水行政主管部门审批节水及水资源保护的专项方案,未经审批,不得开工建设;获准建设的工程要严格按节水方案实施;对已达到用水指标的省(区),不再批准新的引黄取水工程,以节水挖潜求发展;现有灌区的节水改造,须限期达到节水与控污目标,以满足节水和农业面污染源的入河控制管理。

(八)进一步完善水量统一调度工作,保障流域和重要河段的环境生态用水

水既是特殊的资源,又是重要的环境要素。《中华人民共和国水污染防治法》规定,国务院有关部门和地方各级人民政府在开发、利用和调节、调度水资源的时候,应当统筹兼顾,维持江河的合理流量和湖泊、水库及地下水体的合理水位,维持水体的自然净化能力。水利部水资源[2001]155 号文也对河流闸坝调度工作进行了总体要求。在黄河流域治理中,应重点考虑水资源的节约、配置和保护问题,统筹计算并合理规划流域城市生活、生态保护和工农业生产用水,将各主要河流河道生态环境用水作为水资源配置工作的重点予以保证,采取有效措施,切实保证生态环境脆弱地区的生态环境用水,重点保障黄河干流中下游河段及主要支流(如汾河)下游等河段的生态用水。

据初步推算,非汛期黄河中游头道拐及下游利津断面生态环境需水量应分别保证 $150m^3/s$ 和 $240 \sim 280m^3/s$(平均 $263m^3/s$),目前黄河入海最小流量应控制在 $50m^3/s$ 以上。

为满足黄河水资源优化配置需要和实现流域水资源的统一调度管理,应进一步加强流域水利工程的调度和管理工作。目前,黄河干流的水量统一调度工作已经全面展开。实践证明,水量调度在初步缓解黄河下游断流及枯水期下游用水紧张局面的同时,对非汛期黄河中下游河段的水质保护和河道生态恢复起到了重要作用。目前黄河水量调度过程中,在一定条件下初步实现了水质、水量统筹兼顾,基本保证了调水河段调水期的低限生态环境用水。现阶段黄河实施的是刘家峡水库至头道拐及三门峡水库至利津河段的水量实时调度,与流域水资源统一调度和管理的要求还相差很远。黄河须在现有水量统一调度和管理的基础上,积极创造有关工程和管理的条件,逐步实现流域水资源的统一调度和管理,进一步优化水资源配置和改善流域生态环境。

黄河中游头道拐至龙门区间,河段长 700 多公里,支流众多,属于黄河流域的暴雨洪水区之一,但目前尚无较大的控制性骨干工程,降低了黄河水沙整体调控能力。枯水季节宁蒙河段灌溉用水量大,直接影响潼关以下河段的纳污能力恢复和生态环境用水。因此,建议尽快将黄河规划中的碛口和古贤水库列入建设计划,以增大黄河水沙调控能力,同时可对黄河潼关以下河段的水资源保护起到重要作用。

要从根本上缓解黄河水资源供需矛盾,必须加快南水北调西线工程前期工作的步伐,争取尽早开工,补充黄河水量,增加上游生态用水。南水北调中线、东线工程的水量分配要考虑黄河供水范围的用水要求,合理优化和配置黄河主、客水资源。

(九)以水资源保护为基础,加强黄河流域生态保护工作

黄河的湿地与保护区域所占比重较大,生态建设是黄河开发和治理的重要内容,也是西部大开发战略的重点。生态失衡是黄河目前已出现并须亟待解决的流域性重大问题,新时期流域生态保护是要创建积极的生态平衡,形成与流域经济社会发展相协同的人类-环境体系。

黄河上、中游地区的生态保护和下游河道湿地及河口生物多样性,对于流域水资源保护有重要作用,应以水资源条件为依托,全面加强黄河流域生态保护工作。

黄河兰州以上控制面积仅占流域的29.6%,年径流量却占55.6%以上,是黄河基流的主要来源区。为保护和恢复黄河源头生态环境,国家已经开始“三江源”自然保护区建设。建议国家加快黄河源头区生态保护建设进度,促进涵养水源和流域生态平衡。黄河源头保护区以下至龙羊峡河段是本次规划的保留区,流域管理机构必须对区间水资源配置与保护进行严格管理。黄河中游地区生态环境十分脆弱,水土流失严重,既是流域面污染源的主要来源区,也是黄河水污染防治的重点。国家已将该区列入我国“十五”计划的生态建设重点,地方政府及有关部门须切实重视和加强区间的水土保持与水污染防治工作,在创造良好生态效益的同时,有效控制对黄河下游的面源污染输入影响。黄河河口地区湿地生态系统的存在与发展,主要受水资源条件变化影响,稳定性较差。应在进一步强化流域水资源统一调度和管理基础上,加强黄河下游生态用水保障和湿地水生态保护工作,修复并维持黄河下游滩区和河口地区的基本生态平衡,促进生态保护和经济发展的良性循环。

(十)加强监管能力建设,强化水资源保护监督体系

强化水资源保护监督管理的地位和职能。应根据水资源保护管理体系要求,落实水资源保护经费,加强流域及各级地方水资源保护监督管理体系的建设,提高水资源保护的监测监控水平,正确、有效地行使国家赋予的水资源保护职能,满足国民经济持续发展的要求,实现规划保护目标。

借鉴国外发达国家流域水资源管理的先进经验技术,流域和省(区)要全面强化和提高水资源保护监督管理能力,重点加强水功能区监督、入河污染物控制及排污口监控、水源地保护督察、取水及退水审批与监督的能力建设,建立黄河水量调度的水质保护与排污总量控制实时管理系统,实施流域省际水污染联防,提高流域水污染事故防范的联动能力。

加速流域水资源保护监测和管理现代化、信息化的建设进程。重点加快流域水质标准实验室和流动实验室、重点水域水质自动监测以及流域水质预警预报和水环境信息系统的建设。转变观念,强化现场综合处置能力,重点提高水质监测、监督监察和管理系统的机动能力、快速反应能力和自动测报能力。制定和完善各种流域水资源保护技术规范和规程,强化水资源保护管理技术的支撑作用,提高流域管理的业务素质与技能,使流域监督管理充分体现权威、公正、全面和准确、快速、及时的效能。

(十一)加强科学研究,为流域水资源保护提供技术支撑

科学研究是实现科学管理的前提。规划实施及新时期流域水资源保护管理工作,需要大量的研究成果为其提供技术支持。黄河水资源保护科研工作要适应水利工作的战略调整,为实现流域社会经济的可持续发展和国家西部大开发战略实施提供服务。作为社会公益性的研究工作,国家应筹措专项资金,对流域水资源保护政策法规、管理办法、技术标准及重大水资源保护技术问题进行研究。黄河流域水资源的节约、配置和保护等方面的重大技术问题应列入重点研究计划。

黄河水问题突出,水资源管理和保护工作尤为艰巨。在治黄新形势下,须针对多沙河流泥沙对水环境影响特性、高开发利用河段水质的系统保护、河流生态用水的确定和保障、水资源配置及水量调度下河流水质与纳污总量的实时监控方案等进行研究;针对黄河流域水资源贫乏情况,建议在有条件的地区适时研究和建设污水资源化示范工程。

(十二)建立水资源保护补偿机制,研究并尝试实行国家资源管理体制下水资源使用权的市场调节

资源所有权属国家所有,国家对水资源实施统一管理。根据水利产业政策的要求,建立黄河流域水资源保护补偿机制及河流纳污容量权属交易制度,促进流域水资源的有效保护。

水资源具有自然和商品的双重属性,水量及其纳污能力是水资源自然要素的两个重要组成内容,黄河水资源的稀缺性决定了二者的重要价值。水资源对社会经济可持续发展的支撑作用,要求国家必须实施水资源的政府调控与配置。在政府宏观调控基础上,尊重水资源的价值和经济规律,通过一定的经济手段和物质利益诱导方式,促使稀缺资源的配置更为合理和更趋优化。目前,黄河水资源短缺与水资源污染、浪费现象并存。在实施流域有效水污染控制和国家对黄河水资源实施统一管理的基础上,建议研究并逐步尝试建立流域水资源使用权的市场调节机制,在特定功能区内对水量和水域纳污能力进行市场调控。实行纳污能力的有偿使用和交易,积极发挥市场对资源配置的能动作用。

（十三）黄河水资源保护经费保障

为落实规划，实现黄河水质不超标的水资源保护要求，流域机构和省（区）水行政部门必须有可靠的经费来源，以保障水资源保护工作的开展。各省（区）的水资源保护基建和业务运行经费应列入省（区）水资源保护规划报告，其经费投入主要纳入地方基本建设与财政预算。

（十四）加强黄河水资源保护宣传工作

黄河水资源保护工作任重而道远，需要全社会的长期共同努力。目前，黄河乃至全国水资源保护工作的重要性还未被公众所广泛认知，社会各界乃至水利系统内部仍不同程度地存在重工程轻资源、重水量管理轻水质保护的问题。因此，在加强水资源保护管理的同时，要建立经常性的水资源保护宣传经费渠道，强化宣传与教育工作，使水资源管理者真正实现由传统水利向可持续发展水利观念的转变，并自觉落实在管理工作中。做好流域和省（区）水资源质量状况公报及水源地水质公报工作，充分利用各种媒体，向社会公布黄河水资源保护信息，大力加强有关水资源保护的法规宣传和行政执法监督宣传，形成全社会对黄河水污染防治和水资源保护的舆论监督，使社会公众关心、认同并积极支持水资源保护工作，创造良好的水资源保护社会氛围。

第二节　流域水资源保护规划

在流域水资源保护工作中，流域水资源保护规划是一项重要的基础工作。2000年2月，水利部以水资源[2000]58号文发出通知，要求在全国开展水资源保护规划编制工作。在规划工作体系中，流域水功能区划不仅是规划工作的基础，而且是履行水行政主管部门职责的一项重要工作，按照工作部署先期开展。

按照水利部的统一部署，2000年3月21日，黄河流域片水资源保护规划工作会议在郑州召开，会上成立了黄河流域片水资源保护规划领导小组，讨论了《黄河流域水资源保护规划工作大纲》、《黄河流域水资源保护规划技术细则》和《黄河流域水功能区划技术细则》，统一了认识，统一了技术要求，明确了任务分工和工作进度。流域水资源规划工作程序如图2-3所示。

限于篇幅，本节后续部分主要论述规划工作程序中的水功能区划和水功能区纳污能力计算两个重要环节。

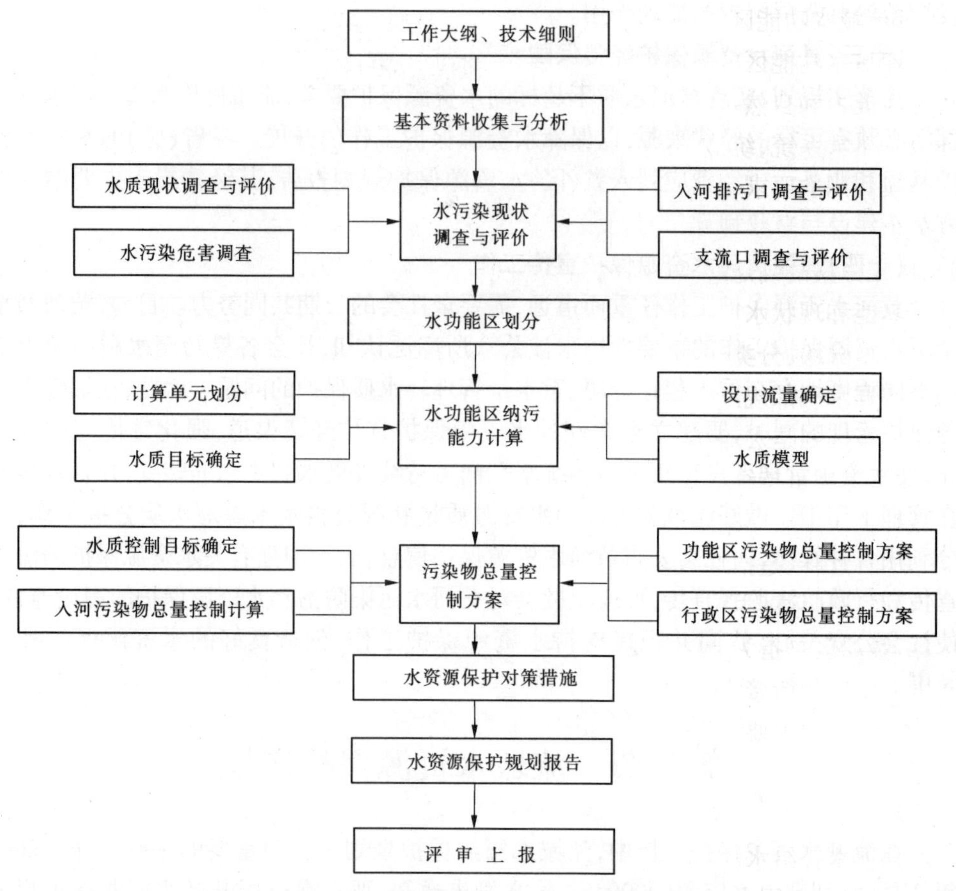

图 2-3 流域水资源保护规划工作程序

一、水功能区划

在实际操作过程中，水功能区划工作分资料收集与实地调查、资料整理分析、水功能区划分、区划方案征求意见、编制报告与送审报批5个阶段。水功能区划工作涉及省(区)间管理权限和利益，协调工作难度较大、要求较高。水功能区划方案形成后，流域机构与各省(区)对区划方案反复讨论，多方协商，达成共识，提出区划成果。

(一)水功能区划分的原则与方法

流域水功能区划分的主要依据有《中华人民共和国环境保护法》、《中华人民共和国水法》、《中华人民共和国水污染防治法》、《取水许可制度实施办法》、《流域治理开发规划纲要》、《地面水环境质量标准》(GB3838—88)、《全国水功能区划技术大纲》、

《黄河流域水功能区划技术细则》等法律、法规、标准和有关技术规定。

流域水功能区的划分原则：一是既要考虑社会经济发展需求，又要考虑水资源的可再生能力和自然环境的可承受能力，以促进社会经济的可持续发展。二是将流域作为一个大系统，统筹兼顾上下游、左右岸、流域与区域、行业与部门之间对水资源综合开发利用的要求；在考虑开发利用对水量要求的同时，又要重视其对水质的要求，优先保护城镇集中饮用水水源地。三是水功能区的分区界限应尽可能与行政区界一致，区划方案的确定应切实可行，便于管理。四是水体功能和水质保护标准不得低于现状功能和现状水质。

（二）分级、分类系统

按照水利部规定，水功能区划分采用两级体系。

一级区划是宏观上解决水资源开发利用与保护的问题，主要协调地区间用水关系，长远考虑可持续发展的需求。一级功能区分四类，即保护区、保留区、开发利用区和缓冲区。保护区是指对水资源保护、自然生态及珍稀濒危物种的保护有重要意义的水域；保留区是指目前开发利用程度不高，为今后开发利用和保护水资源而预留的水域；开发利用区主要指具有满足城镇生活、工农业生产、渔业或娱乐等需水要求的水域；缓冲区是指为协调省（区）际间、矛盾突出的地区间用水关系，以及在保护区与开发利用区相衔接时，为满足保护区水质要求而划定的水域。

二级区划主要协调用水部门之间的关系。二级功能区划分在一级区划的开发利用区内进行，分为七类，即饮用水水源区、工业用水区、农业用水区、渔业用水区、景观娱乐用水区、过渡区和排污控制区。饮用水水源区是指满足城镇生活饮用水需要或作为地下水补给水源的水域；工业用水区是指满足城镇工业或大型工矿企业用水需要的水域；农业用水区是指满足农业灌溉用水需要的水域；渔业用水区是指具有鱼、虾、蟹、贝类产卵场、索饵场、越冬场、洄游通道功能的水域，以及养殖鱼、虾、蟹、贝、藻类等水生动植物的水域；景观娱乐用水区是指以满足景观、疗养、度假和娱乐需要为目的的水域；过渡区是指为使水质要求有差异的相邻功能区顺利衔接而划定的水域；排污控制区是指接纳生活、生产废污水比较集中，接纳的废污水对水环境无重大不利影响的水域。

（三）水功能区划分实例

黄河流域水功能区划涉及 271 条河流、3 个湖泊，划分一级功能区 488 个、二级水功能区 474 个；西北内陆河区水功能区划涉及 120 条河流、6 个湖泊，划分一级水功能区 204 个、二级水功能区 74 个。

1. 一级区划

一级区划分黄河干流和主要支流。

1)黄河干流

黄河干流划分了18个一级水功能区。其中保护区2个,即玛多源头水保护区和万家寨调水水源保护区,河长343km,占黄河河长的6.3%;保留区2个,即青甘川保留区和河口保留区,河长1 458.2km,占黄河河长的26.7%;开发利用区10个,即青海开发利用区、甘肃开发利用区、宁夏开发利用区、内蒙古开发利用区、晋陕开发利用区、三门峡水库开发利用区、小浪底水库开发利用区、河南开发利用区、豫鲁开发利用区、山东开发利用区,河长3 398.3km,占黄河河长的62.2%;缓冲区4个,即位于两省(区)交界处的青甘缓冲区、甘宁缓冲区、宁蒙缓冲区和由开发利用区到保护区功能缓冲的托克托缓冲区,河长264.1km,占黄河河长的4.8%。

2)主要支流

湟水划分了3个一级水功能区。其中,保护区1个,即海晏源头水保护区,河长75.9km,占湟水河长的20.3%;开发利用区1个,即西宁开发利用区,河长223.7km,占湟水河长的59.8%;缓冲区1个,即青甘缓冲区,河长74.3km,占湟水河长的19.9%。

汾河划分了5个一级水功能区。其中,保护区1个,即静乐源头水保护区,河长80.4km,占汾河河长的11.6%;保留区1个,即古交保留区,河长28.2km,占汾河河长的4.1%;开发利用区2个,即静乐娄烦开发利用区和太原运城开发利用区,河长546.9km,占汾河河长的78.8%;缓冲区1个,即河津缓冲区,河长38.3km,占汾河河长的5.5%。

渭河划分了5个一级水功能区。其中,保护区1个,即渭河源头水保护区,河长6.0km,占渭河河长的0.7%;开发利用区2个,即定西天水开发利用区和宝鸡渭南开发利用区,河长699.3km,占渭河河长的85.5%;缓冲区2个,即甘陕缓冲区和华阴缓冲区,河长112.7km,占渭河河长的13.8%。

洛河划分了4个一级区。其中保护区1个,即洛南源头水保护区,河长48.6km,占洛河河长的10.9%;开发利用区2个,即洛南开发利用区和卢氏巩义开发利用区,河长331.3km,占洛河河长的74.1%;缓冲区1个,即陕豫缓冲区,河长67.0km,占洛河河长的15.0%。

大汶河划分了4个一级水功能区。其中保护区1个,即东平湖自然保护区,面积155km^2;保留区1个,即东平保留区,河长10km,占大汶河区划河长的4.6%;开发利用区1个,即莱芜泰安开发利用区,河长193km,占区划河长的88.9%;缓冲区1个,即东平缓冲区,河长14km,占区划河长的6.5%。

黄河干流及主要支流一级水功能区划成果统计见表2-1。

表 2-1 黄河干流及主要支流一级水功能区划成果统计

河流名称	保护区		保留区		开发利用区		缓冲区	
	个数	河长(km)	个数	河长(km)	个数	河长(km)	个数	河长(km)
黄河干流	2	343	2	1 458.2	10	3 398.3	4	264.1
湟水	1	75.9			1	223.7	1	74.3
汾河	1	80.4	1	28.2	2	546.9	1	38.3
渭河	1	6.0			2	699.3	2	112.7
洛河	1	48.6			2	331.3	1	67.0
大汶河	1	155* km^2	1	10.0	1	193.0	1	14.0
合计	7		4	1 496.4	18	5 392.5	10	570.4

注:上角标标有“*”的数字表示大汶河的保护区面积。

2.二级区划

二级区划同样包括黄河干流和主要支流两类。

1)黄河干流

黄河干流10个开发利用区内共划分了50个二级功能区。其中,饮用水水源区14个,即兰州饮用工业用水区、白银饮用工业用水区、青铜峡饮用农业用水区、包头昭君坟饮用工业用水区、包头东河饮用工业用水区、三门峡饮用工业用水区、小浪底饮用工业用水区、焦作饮用农业用水区、郑州新乡饮用工业用水区、开封饮用工业用水区、濮阳饮用工业用水区、济南饮用工业用水区、滨州饮用工业用水区、东营饮用工业用水区,河长1 033.2km,占黄河开发利用区河长的30.4%;工业用水区3个,即兰州工业景观用水区、菏泽工业农业用水区、聊城工业农业用水区,河长253.2km,占开发利用区河长的7.4%;农业用水区12个,即李家峡农业用水区、尖扎循化农业用水区、皋兰农业用水区、陶乐农业用水区、三盛公农业用水区、巴彦淖尔盟农业用水区、乌拉特前旗农业用水区、土默特右旗农业用水区、天桥农业用水区、碛口农业用水区、古贤农业用水区、龙门农业用水区,河长1 327.2km,占开发利用区河长的39.1%;渔业用水区6个,即刘家峡渔业饮用水水源区、八盘峡渔业农业用水区、盐锅峡渔业农业用水区、靖远渔业工业用水区、渭南运城渔业农业用水区、三门峡运城渔业农业用水区,河长478.3km,占开发利用区河长的14.1%;景观娱乐用水区1个,即壶口景观用水区,河长15.1km,占开发利用区河长的0.4%;过渡区7个,即兰州过渡区、永宁过渡区、乌海过渡区、乌拉特前旗过渡区、包头昆都仑过渡区、府谷保德过渡区、吴堡过渡区,河长168.6km,占开发利用区河长的5.0%;排污控制区7个,即兰州排污控制区、吴忠排污控制区、乌海排污控制区、乌拉特前旗排污控制区、包头昆都仑排污控制区、府谷保德排污控制区、吴堡排污控制区,河长122.7km,占开发利用区河长的3.6%。

2)主要支流

(1)湟水共划分了10个二级功能区。其中,饮用水水源区1个,即西宁饮用水水源区,河长10.3km,占湟水开发利用区河长的4.6%;工业用水区2个,即西宁城西工业用水区、西宁城东工业用水区,河长26.3km,占开发利用区河长的11.8%;农业用水区3个,即海晏农业用水区、乐都农业用水区、民和农业用水区,河长129.0km,占开发利用区河长的57.7%;景观娱乐用水区1个,即西宁景观娱乐用水区,河长4.8km,占开发利用区河长的2.1%;过渡区2个,即湟源过渡区、西宁过渡区,河长43.1km,占开发利用区河长的19.3%;排污控制区1个,即西宁排污控制区,河长10.2km,占开发利用区河长的4.5%。

(2)汾河共划分了20个二级功能区。其中,饮用水水源区2个,即汾河水库饮用工业用水区和汾河二库饮用工业用水区,河长67.2km,占汾河开发利用区河长的12.3%;农业用水区6个,即汾河一坝农业工业用水区、汾河二坝三坝农业用水区、汾西灌区农业用水区、洪洞农业用水区、临汾农业用水区、汾南农业用水区,河长267.4km,占开发利用区河长的48.9%;景观娱乐用水区1个,即太原景观娱乐用水区,河长6km,占开发利用区河长的1.1%;过渡区5个,即古交过渡区、小店镇过渡区、灵霍山峡过渡区、临汾过渡区、襄汾过渡区,河长141.3km,占开发利用区河长的25.8%;排污控制区6个,即古交排污控制区、太原排污控制区、介休排污控制区、临汾排污控制区、襄汾排污控制区、稷山排污控制区,河长65.0km,占开发利用区河长的11.9%。

(3)渭河共划分了20个二级功能区。其中,工业用水区4个,即天水工业农业用水区、宝鸡坪头工业农业用水区、宝鸡工业农业用水区、咸阳工业农业用水区,河长215.9km,占开发利用区河长的30.9%;农业用水区8个,即渭源农业用水区、陇西农业工业用水区、武山农业工业用水区、甘谷农业工业用水区、天水农业用水区、咸阳农业用水区、西安农业用水区、渭南农业用水区,河长377.2km,占开发利用区河长的53.9%;景观娱乐用水区2个,即宝鸡景观娱乐用水区和咸阳景观娱乐用水区,河长23.8km,占开发利用区河长的3.4%;过渡区3个,即天水过渡区、宝鸡过渡区、咸阳过渡区,河长55.0km,占开发利用区河长的7.9%;排污控制区3个,即天水北道排污控制区、宝鸡排污控制区、咸阳排污控制区,河长27.4km,占开发利用区河长的3.9%。

(4)洛河共划分了18个二级功能区。其中,农业用水区6个,即洛南农业用水区、卢氏农业用水区、洛宁农业用水区、宜阳农业用水区、偃师农业用水区、偃师巩义农业用水区，河长168.3km，占开发利用区河长的50.8%；渔业用水区1个，即卢氏洛宁渔业用水区，河长34.0km，占开发利用区河长的10.3%；景观娱乐用水区1个，即洛阳景观娱乐用水区，河长22.0km，占开发利用区河长的6.6%；过渡区5个，即卢氏过渡区、洛宁过渡区、宜阳过渡区、洛阳过渡区、巩义过渡区，河长79.0km，占开发利用区河长的23.8%；排污控制区5个，即卢氏排污控制区、洛宁排污控制区、宜阳排污控制区、洛阳排污控制区、巩义排污控制区，河长28.0km，占开发利用区河长的8.5%。

(5)大汶河共划分了3个二级功能区。其中，饮用水水源区1个，即钢城饮用工业用水区，河长14.0km，占大汶河开发利用区河长的7.3%；农业用水区2个，即莱芜农业用水区、泰安农业工业用水区，河长179.0km，占开发利用区河长的92.7%。

黄河干流及主要支流二级水功能区划成果统计见表2-2。

表2-2　**黄河干流及主要支流二级水功能区划成果统计**

河流名称	项目	饮用水水源区	工业用水区	农业用水区	渔业用水区	景观娱乐用水区	过渡区	排污控制区	合计
黄河干流	个数	14	3	12	6	1	7	7	50
	河长(km)	1 033.2	253.2	1 327.2	478.3	15.1	168.6	122.7	3 398.3
湟水	个数	1	2	3		1	2	1	10
	河长(km)	10.3	26.3	129.0		4.8	43.1	10.2	223.7
汾河	个数	2		6		1	5	6	20
	河长(km)	67.2		267.4		6.0	141.3	65.0	546.9
渭河	个数		4	8		2	3	3	20
	河长(km)		215.9	377.2		23.8	55.0	27.4	699.3
洛河	个数			6	1	1	5	5	18
	河长(km)			168.3	34.0	22.0	79.0	28.0	331.3
大汶河	个数	1		2					3
	河长(km)	14.0		179.0					193.0
合计	个数	18	9	37	7	6	22	22	121
	河长(km)	1 124.7	495.4	2 448.1	512.3	71.7	487.0	253.3	5 392.5

根据《全国水功能区划技术大纲》要求，结合黄河流域实际情况，黄河流域水资源保护局还确定了各水功能区的相应水质目标。

二、规划河流现状纳污量

（一）主要污染物

通常情况下，河流中的污染物主要来自入河排污口及其支流，这两部分入河污染物量之和，即为河流的纳污量。以黄河流域为例，规划河流现状纳污量需要统计黄河干流和湟水、汾河、渭河、洛河、大汶河5条主要支流的纳污量。

1998年，黄河干流共接纳主要污染物COD_{Cr}151.7万t，氨氮7.05万t。其中，入黄排污口COD_{Cr}27.7万t，氨氮2.46万t；支流输入COD_{Cr}124万t，氨氮4.59万t。

据统计，1998年5条主要支流共接纳耗氧有机物COD_{Cr}53.51万t，氨氮2.97万t。其中，湟水COD_{Cr}12.0万t，氨氮0.30万t；汾河COD_{Cr}8.16万t，氨氮0.62万t；渭河COD_{Cr}20.4万t，氨氮1.19万t；洛河COD_{Cr}4.45万t，氨氮0.29万t；大汶河COD_{Cr} 8.50万t，氨氮0.57万t。

（二）流域面源污染

江河流域地域宽广、地形多样、耕地面积绝对量大，面源污染物主要来源于水土流失、农药化肥、工业废物、废气和垃圾等。

1.水土流失

大面积的水土流失，是流域最突出的面源污染物。例如，黄河多年平均输沙量为16亿t，平均含沙量高达35kg/m^3。随暴雨径流进入河流的泥沙不仅使河水的色度、浑浊度增大，影响水体的感官性状，而且泥沙本身含有多种元素和矿物质，在一定条件下，影响水质状况。据调查，陕北一带黄土地层平均含砷量为10.4mg/kg，比地壳岩石圈上部和其他土壤中砷的平均值高出一倍左右，同时还含有铜、铅、锌、镉、汞等重金属元素及相当数量的黏土矿物质、有机胶体和无机盐类。泥沙进入河道后，在黄河水呈弱碱性的环境条件下，砷和一些重金属不易释放出来，但遇酸性环境，泥沙中的多种元素便会析出，对水质产生影响。

2.农药、化肥

流域内大量使用的化肥、农药，除被作物吸收、分解外，大部分残留在土壤和水分中，然后随农田退水和地表径流进入水体，造成污染。天然水体中的植物营养物（氮、磷）、农药等主要来源于农灌退水。

3.工业废物和垃圾

工业生产过程中所产生的固体废物随着工业发展日益增多，其中以冶金、煤炭、火力发电等行业的排放量最大。一些工矿企业把工业废物随意堆积于河滩或直接倾入水体,这些工业废物中含有大量易溶于水的物质或在水中发生转化,造成水体污染。一些城市垃圾包括居民的生活垃圾、商业垃圾、医疗卫生系统的垃圾和市政维修管理产生的垃圾等,堆积河边,任水流冲洗,污染水体。

4.废气和降尘

由于工业生产、燃料燃烧和汽车尾气,向大气排放大量的二氧化硫、氮氧化物、碳氧化物、碳氢化物和烟尘,这些废气和烟尘可以自然降落或在降水过程中溶于水,而被挟带至河道中,对水体形成污染。

由此可见,上述面源污染物,通常都是在强降雨期间和雨后集汇流过程中,以及随农灌退水进入地表水体,对河流(湖、库)水环境造成污染和影响。

欲对河流水污染做到实时监控,在一定的时空范围内,对点源和面源污染情况的掌握尤为重要。但我国对面源污染的研究起步较晚,特别是一些区域性的面源污染负荷定量化及其控制研究,显得更为薄弱。随着点污染源逐步得到控制,面源污染将越来越突出,要从根本上改善水环境质量,进行大范围的面源污染负荷定量化及其监控措施的研究,是亟待开展的重大科研课题。

(三)水污染危害

大量的污染物排入水体,致使水体遭受污染,对工农业生产、人体健康等方面造成严重危害,并破坏生态环境。水污染给人们带来的危害主要有以下几个方面。

1.对工业生产的危害

水污染给流域工业经济带来的危害是显而易见的。由于水质的下降,一方面造成工业产品质量下降、用水处理费用增大、不能满足生产等,构成显性经济损失;另一方面造成水资源可利用程度下降,使工业经济的投资与发展规模受到限制,发展速度减慢,构成了隐性的经济损失。

2.对农业生产的危害

水污染对农业经济构成的危害,主要来自污水灌溉。长期不合理地污水灌溉,致使土壤板结、碱化、土质变硬、通气性差,在这种土壤中生长的作物,不仅幼苗期易枯萎死亡,生长期长势弱,籽粒不饱满,造成减产,而且农作物质量下降,一些有毒有害物质的含量不符合国家卫生标准。另外,由于地面水体水质恶化,有些灌区不得不在灌溉期关闭引水闸,造成农业减产。

3.对城镇供水的危害

由于地下水资源的严重超采,地表水已越来越多地成为大、中城市集中供水的水源。然而,由于废污水的大量排入,黄河干流水质已由原来的Ⅱ类、Ⅲ类水,下降为现在的Ⅳ类、Ⅴ类水。由于水质下降,水质净化工艺越来越复杂,投药量加大,成本倍增,造成巨大的经济负担,同时也造成了一定的社会负面效应。例如河南郑州、新乡等城市,用水基本取自黄河,近几年冬季,自来水常出现较强的鱼腥味,尽管水厂加大处理力度,但仍不能去除,对此群众反映强烈。据分析测算,由水污染而造成的流域内城镇供水年经济损失 10 多亿元。

4. 对渔业的危害

水污染影响鱼类的繁殖、生长、发育和索饵,使鱼类资源受到破坏,产量减少,质量下降。历史上黄河流域水产资源丰富,鱼类区系组成和种群具有特色,品种也较多。近些年来,由于河水污染,鱼类种群变化较大,种群数量也急剧减少。黄河水体中原有 16 个水生生物种群,目前已有近 1/3 绝迹或数目极少。河南境内的洛河鲤鱼和伊河鲂鱼,曾有“洛鲤伊鲂贵似牛羊”的美誉,而这两种名贵鱼种早已绝迹。

5. 对人体健康的危害

水污染对人体健康产生的危害一般分两类。一类是使水体含有致病的微生物、病毒等,各种病毒微生物在水中都可存活一定时间,如伤寒杆菌、脊髓灰质炎等,这些病毒微生物可引起某些传染病的流行蔓延;另一类是水中含有有毒物质引起人体中毒,这些有毒物质主要来源于工业污水和含有农药、化肥残留物的农灌退水。水中有毒有害物质可以通过饮用、皮肤接触、蒸发后被人吸入,以及经粮食、蔬菜、肉类生物链等途径被人体吸收、富集,使人体产生慢性疾病,导致神经、血液、内脏器官等各类疾病,危害人体的健康。

除上述几个方面外,河水污染还对水工建筑物、生态环境、地下水水质、自然与人文景观等方面产生不利影响及危害。

总之,流域水污染危害影响方方面面,涉及千家万户,不仅给人们带来了直接的危害,而且还具有一定的潜在影响。这既是一个环境与经济问题,同时也是一个非常敏感的社会问题。因此,进一步加大流域水污染防治工作和水资源保护工作的力度,尽快遏制水质严重恶化的趋势,缓解水资源供需矛盾,是当务之急。

三、水功能区纳污能力计算

为了科学合理地利用有限的流域水资源,实现水资源的优化配置和有效保护,必须对流域干流、支流水功能区纳污能力进行计算,为实施水污染物总量控制提供科学依据。

水功能区的纳污能力,是指在一定的条件下,按确定的水质目标、来水水质以及入河排污口(支流口)情况,依据水体稀释和污染物自净规律,利用数学水质模型计算出的水功能区最大允许容纳的污染物量。

计算实例——黄河流域水功能区纳污能力:在水功能区划与水质保护目标确定

的基础上，通过对资料的统计分析，结合黄河干、支流的实际情况，确定水体纳污能力计算范围，以不同的设计条件，利用多种数学模型，率定相应的参数，对控制的主要入河污染物 COD_{Cr}、氨氮分别进行计算，并对多种计算结果进行对比分析，确定较为合理的黄河干、支流各功能区的纳污能力。各省(区)水体的纳污能力，原则上根据其所辖黄河干、支流水域范围分别进行统计分配。

(一)计算范围

计算范围分黄河干流计算范围和主要支流计算范围两种。

1.黄河干流计算范围

根据黄河干流入河排污口调查和水质评价结果，黄河干流龙羊峡水库以上河段为高寒地区，人烟稀少，经济不发达，基本上无集中废污水排放口，水质良好，现已满足水功能区划的要求，在此情况下，再计算其纳污能力已无现实意义，故纳污能力计算范围主要是黄河龙羊峡水库以下河段。

黄河龙羊峡水库以下，选择55个功能区作为计算单元，其中一级功能区5个，分别是青甘缓冲区、甘宁缓冲区、宁蒙缓冲区、托克托缓冲区和万家寨调水水源保护区；二级功能区50个。55个计算单元河长3 735.4km，占干流河长5 464km的68.4%。

为使干流纳污能力计算与水功能区划紧密结合，并使污染物总量控制方案更加切实可行，本次纳污能力计算单元的划分同干流水功能区划基本一致。计算单元内若有功能敏感区，如大、中城市和重要工矿企业生活饮用取水口，则将该河段划分为两个或几个子计算单元。若其间有1个取水口，则划分为2个子计算单元，第一个子计算单元的上断面为该功能区的上断面，下断面一般设在取水口上游1 000m处；第二个子计算单元的上断面设在取水口下游100m处，下断面则为该功能区的下断面。若其间有2个取水口，则划分为3个子计算单元，方法同上。如有多个取水口，依此类推。

2.主要支流计算范围

湟水、汾河、渭河、洛河和大汶河5条主要支流，进行纳污能力计算的一级、二级功能区共76个，计算河长2 270.8km。其中，湟水11个功能区，计算河长298km；汾河21个功能区，计算河长585.2km；渭河21个功能区，计算河长782.3km；洛河19个功能区，计算河长398.3km；大汶河4个功能区，计算河长207km。

(二)计算模型

污染物进入水体后，受到水体的平流输移、纵向离散和横向混合作用，同时与水体发生物理、化学和生物生化作用，使水体中污染物浓度逐渐降低，水质逐渐好转。为了客观地描述水体自净或污染物降解规律，较准确地计算出河段的纳污能力，可采用一定的数学模型来描述此过程。纳污能力计算的数学模型主要有零维模型、一维模型、二维模型和三维模型，通常采用的是一维模型和二维模型。

1.一维模型

一维模型主要适用于宽深比较小、污染物在较短的河段内基本上能混合均匀，且污染物浓度在断面横向方向变化不大；或者是计算河段较长，横向和垂向的污染物浓度梯度可以忽略的河段。

2.二维模型

二维模型主要适用于入河污染物在水深方向基本上混合均匀，但在河流的纵向和横向上形成混合区的河段，即考虑污染物的混合过程，这时河流的水质变化过程就需要用二维水质模型描述。当计算河段内有取水口，特别是生活饮用取水口时，需要利用二维模型来进行计算污染物混合长度，以判断排污口对取水口的影响。

根据上述模型的适用条件，结合黄河干、支流实际情况，黄河干流纳污能力计算以一维模型为主，对有重要保护目标的水功能区或计算子单元采用二维模型计算；对于支流来说，由于河道较窄、水深较小，污染物混合较快，其纳污能力计算均采用一维模型。

第三节　流域水资源监测

为保障流域水资源保护规划的有效实施和规划目标的顺利实现，必须完善水资源保护管理监测网络(包括地面水和地下水)。根据监测网络所提供的监测信息，及时了解各规划河段(功能区)、水域的污染物入河状况及地面水和地下水水质变化趋势，有针对性地实施水资源保护的监督管理，使水质监测工作为水资源统一管理和保护服务。

一、地面水监测

(一)地面水监测范围确定

以黄河流域为例，监测范围与黄河干流和湟水、汾河、渭河、洛河、大汶河5条支流水功能区划范围相一致，按规划目标，监测范围随时间相应扩大，以满足不同时期水资源保护规划的要求。其具体监测范围为：黄河干流玛曲至入海口，支流入黄口河段，入黄排污口和农灌退水口，以及上述5条支流的源头至入黄口。

监测站点的布设原则上应满足水功能区划、水污染物总量控制及《水环境监测规范》的要求。对于水资源保护管理监测站点布设的基本原则如下：

(1)各类水功能区设水质代表断面。各功能区水质断面位置为：①保护区、保留区下断面附近；②省(区)界缓冲区和功能缓冲区的上断面或下断面附近；③开发利用区中饮用水源区、工业用水区、农业用水区的取水口上游附近；④渔业用水区、景观娱乐用水区内适当位置；⑤排污控制区、过渡区的下断面附近。

(2)各功能区支流汇入口、主要入河排污口和农灌退水口设水质断面。

(3)水库水质代表断面布设在水库的入口、中心区、出口处。

按照上述原则，根据目前实际情况，规划地面水质监测站点(断面，站点)407个。其中，黄河干流37个(2005年前在省界或重要水源地布设6处自动监测站)，支流入黄口站99个，入河排污口站191个，农灌退水口站12个，5条主要支流水质站点68个(湟水11个、汾河19个、渭河19个、洛河14个、大汶河5个)。

(二)监测项目选择

监测项目选择的基本原则如下：

(1)国家、行业颁布的水环境与水资源质量标准、评价标准中已列入的项目。

(2)《水环境监测规范》规定的监测项目。

(3)反映不同功能水域主要污染物特征的监测项目。

(4)满足水资源保护多层次多目标管理需要规定监测的项目。

(5)满足污染物总量控制要求的项目。

选项要求如下：

(1)饮用水源区水质监测必测项目见表2-3，同时根据不同水域主要污染物的特征，增加饮用水源区水质监测选测项目(见表2-4)和有机化学物质监测项目(见表2-5)。

(2)工业、农业、渔业、景观娱乐用水区及过渡区水质监测必测项目见表2-6，同时根据不同水域主要污染物的特征，增加表2-7中选测项目。

表2-3　**饮用水源区水质监测必测项目**

序号	必测项目	序号	必测项目	序号	必测项目
1	水温	8	氨氮	15	总汞
2	pH值	9	硝酸盐	16	总砷
3	悬浮物	10	亚硝酸盐	17	总镉
4	溶解氧	11	挥发酚	18	总铅
5	高锰酸盐指数	12	总氰化物	19	总大肠菌群
6	生化需氧量	13	氟化物	20	细菌总数
7	化学需氧量	14	六价铬	21	石油类

表 2-4 饮用水源区水质监测选测项目

序号	选测项目	序号	选测项目
1	总硬度	5	溶解性铁
2	电导率	6	总锰
3	硫酸盐	7	总铜
4	氯化物	8	总锌

表 2-5 饮用水源区有机化学物质监测项目

序号	监测项目	序号	监测项目	序号	监测项目
1	苯并(α)芘	15	甲苯	29	丙烯腈
2	甲基汞	16	乙苯	30	联苯胺
3	三氯甲烷	17	二甲苯	31	滴滴涕
4	四氯化碳	18	氯苯	32	六六六
5	三氯乙烯	19	1,2－二氯苯	33	林丹
6	四氯乙烯	20	1,4－二氯苯	34	对硫磷
7	三溴甲烷	21	六氯苯	35	甲基对硫磷
8	二氯甲烷	22	多氯联苯	36	马拉硫磷
9	1,2－二氯乙烷	23	2,4－二氯苯酚	37	乐果
10	1,1,2－三氯乙烷	24	2,4,6－三氯苯酚	38	敌敌畏
11	1,1－二氯乙烷	25	五氯酚	39	敌百虫
12	氯乙烯	26	硝基苯	40	阿特拉津
13	六氯丁二烯	27	2,4－二硝基甲苯		
14	苯	28	酞酸二丁酯		

表 2-6 其他功能区水质监测必测项目

序号	监测项目	序号	监测项目	序号	监测项目
1	水温	8	氨氮	15	总汞
2	pH 值	9	硝酸盐	16	总砷
3	悬浮物	10	亚销酸盐	17	总镉
4	溶解氧	11	挥发酚	18	总铅
5	高锰酸盐指数	12	总氰化物	19	总铜
6	生化需氧量	13	氟化物	20	石油类
7	化学需氧量	14	六价铬		

表 2-7　　**其他功能区水质监测选测项目**

序号	选测项目	序号	选测项目
1	总硬度	6	总磷
2	电导率	7	溶解性铁
3	硫酸盐	8	总锌
4	氯化物	9	总有机碳
5	硫化物	10	大肠菌群

入河排污口、农灌退水口根据总量控制目标，确定水温、水量、pH 值、氨氮、化学需氧量(COD_{Cr})、石油类、挥发酚为必测项目，同时根据污水类型从表 2-8 中选测有关项目。

表 2-8　　**入河排污口监测项目**

污水类型	监测项目
工业废水	pH 值、色度、悬浮物、化学需氧量、生化需氧量、挥发酚、氰化物以及相应行业排放标准中规定的监测项目
生活污水	化学需氧量、生化需氧量、悬浮物、氨氮、总磷、阴离子表面活性剂、细菌总数、总大肠菌群
医院污水	pH 值、色度、余氯、化学需氧量、生化需氧量、悬浮物、致病菌、细菌总数、总大肠菌群
城市污水处理厂出厂污水和市政公共下水道污水	pH 值、色度、悬浮物、化学需氧量、生化需氧量、氨氮，与工业污水合流的市政下水道混合污水应增加有关工业废水监测项目

监测频率如下：

(1)保护区、保留区受人类活动影响小，水质变化不大，参照河流水系背景断面监测要求，每年 1～2 次。

(2)一级区划的缓冲区、开发利用区中饮用水源区、过渡区每年不少于 12 次，每月中旬采样。

(3)省(区)界断面每年不少于 12 次。

(4)主要支流入黄口每年不少于 6 次，其他支流口每年 3 次。

(5)重点入河排污口、农灌退水口每年 4 次，其他 3 次。

(6)其他监测站点根据监督管理需要确定，每年不少于 3 次。

(7)功能重叠区以最高功能确定监测频次。

二、地下水监测

地下水站点布设原则。地下水水质站根据水文地质条件及污染源分布状况设置,主要布设在以地下水为主要供水水源的地区、饮水性地方病(如高氟病)高发地区、污水灌溉区、垃圾堆积处理场、地下水回灌区、污染严重区域、超采区域。

此次黄河流域片共布设地下水监测点102个,主要分布在黄河干流沿岸及湟水、汾河、渭河、洛河、大汶河等5条支流流经地区。

监测项目包括:

(1)国家级站点应符合表2-9中必测项目要求,并根据地下水用途选择有关项目。

(2)水源性地方病源流行地区增加碘、钼等项目。

(3)工业用水增加侵蚀性二氧化碳、磷酸盐、总可溶性固体等项目。

(4)农村地下水可选择有机碳、有机磷农药等项目。

表2-9　　地下水监测项目

必测项目	选测项目
pH值、总硬度、溶解性总固体、氯化物、氟化物、硫酸盐、氨氮、硝酸盐氮、亚硝酸盐氮、高锰酸盐指数、挥发酚、氰化物、砷、汞、镉、六价铬、铅、铁、锰、大肠菌群	色、嗅和味、浑浊度、肉眼可见物、碘化物、凯氏氮、侵蚀性二氧化碳、磷酸盐、偏硅酸、铜、锌、钼、钴、硒、铍、钡、镍、锶、细菌总数、阴离子合成洗涤剂、六六六、滴滴涕、有机氯、有机磷、挥发性有机碳和可溶性有机碳、苯系物、烃类、总α放射性、总β放射性等

监测频率是:

(1)国家级站点每年监测两次,丰、枯水期各一次。

(2)省(区)站点每年监测一次。

(3)地下水污染严重的控制井点,每季度监测一次。

(4)以地下水作生活饮用水源的站点每月监测一次。

三、站网管理与监督

(1)黄河干流水资源保护管理站网由黄河水利委员会实行统一管理,由黄河流域水资源保护局(处)组织实施,局下属监测单位承担所辖河段的监测工作。

主要支流水资源保护站网由所在省(区)水利厅实施统一管理,省(区)水文水资源局组织实施，省（区）水环境监测中心承担所辖河段的监测工作。

（2）监测站网是黄河流域水资源保护规划的重要组成部分，站网的建设和实施应符合黄河流域水资源保护规划的实施计划和技术要求。

（3）加强监测成果质量管理，实施质量保证管理体系，以质量为中心，以标准化计量为基础，严格执行制度，系统科学管理，为水资源保护和管理提供准确、可靠的水质信息。

（4）加快监测信息系统现代化建设，提高实验室仪器设备的标准化和现代化水平，增强获取监测数据的能力，及时向流域及省（区）水资源保护管理部门发送水质信息，并适时参加监测资料整理汇编工作。

（5）黄河水质监测工作是黄河水资源保护及管理的一项重要的基础工作，已受到各级领导的重视和关心，为保证监测站网的有效实现，促进站网建设和正常运行，应加大监测经费的投入。

流域水资源监测网络建设时，应在充分利用已有条件的前提下，以“重要性、先进性和适用性”为原则，以有选择地配备先进设备、改善不适应发展的落后设备条件、提高监测工作效率、保证监测质量为基本出发点，本着“利用自身条件，更新陈旧设备，按标准化建设模式，边利用边完善”的指导思想进行建设。

第三章　数字技术与流域水资源保护

第一节　流域水资源保护数字化设计技术

近20年来，数字化技术作为一种既有创造性又有破坏性的力量，正在极大地改变着人们的工作、沟通、生活和娱乐方式。在和流域水资源保护相关的环境管理领域，从20世纪70年代开始，国外的一些政府机构和软件开发商就开始尝试将数字化技术引入环境系统管理工作中，通常是采用开发环境管理信息系统的方式来提高管理的有效性。例如，美国环保局的STORET系统和AIRS系统，英国环保局的WQIS系统，挪威的MEMbrain系统，欧共体的ECDIN(Environmental Chemicals Data and Information Network)系统，联合国计划开发署的GRID(Global Resource Information Database)系统。中国从20世纪80年代也开始开发环境管理信息系统，如国家水质管理信息系统NWQMIS、国家环境统计系统ESS95、国家防汛指挥系统等。

目前，以微电子、数据库、计算机和网络为代表的数字化技术飞速发展，使得人类社会在21世纪进入了“数字地球”时代，即进入地球的虚拟对照体——信息化地球时代。通过采用空间、高空、低空、地面遥感、测绘，以及地球化学和地球物理等各种手段获得海量的地球数据，并用计算机将它们和与之相关的其他数据以及应用模型相结合，在网络系统中重现真实的地球。数字化地球使得流域水资源保护工作在信息的采集、存储、传输、处理、检索和发布等方面发生了革命性的变革，也使管理工作发生了深刻的变革。例如，在流域水资源管理信息的采集方面，卫星、航天飞机、宇宙飞船、飞机、热气球携带的各种波段的各类传感器构成了对地观测的主体，提供了全球连续和重复的表面数据。基于遥感(RS)技术、地理信息系统(GIS)技术和全球定位系统(GPS)技术的中国国家防汛指挥系统，可以实现在30分钟内收集齐全国的水情雨情信息。再如，对流域水资源管理信息的处理，借助于计算机强大的处理能力，可迅速处理海量数据，很快得到非结构型和半结构型评价问题中经常遇到的迭代计算结果。以数字化技术为代表的新经济时代对流域水资源管理提出了更高的要求，在构造流域水资源管理模式时，自然也应体现数字化技术的新趋势。

一、流域水资源管理数字化设计的基本思想和步骤

对流域水资源管理而言,数字化设计是关于利用数字技术来扩大管理组织的战略选择的艺术和科学。流域水资源保护的数字化设计不是一个单纯的数字技术问题,要注意避免为技术而技术的泥沼,而是强调建立独特的管理思想及价值理念,发挥与流域水资源保护有关的各方面的积极性,极大地提高管理效率。数字化设计要求管理者利用数字化技术来建立一个管理模型,该模型不仅要达到一流水平,而且要具备独特性。

在新经济时代,对流域水资源保护而言,其成功取决于管理设计和数字化程度两个方面。管理设计优、数字化程度高的管理组织即完成了数字化管理设计的组织,是数字化管理组织。数字化管理组织的一个重要特征是组织的主要业务活动从纸面作业转为数字(通常是在线)作业。当然,组织在线业务量仅仅是数字化管理模式的表面,真正涉及的是管理者是否充分利用了数字技术提供的新的管理战略选择,改变了组织的业务方式,进而实现:管理决策的基础从推测转为了解;管理理念从错位转为匹配;和管理相关的信息流动从滞后转为及时;管理服务模式从管理者设计并提供转变为被管理者的自我服务;员工的时间利用从主要是低附加值的工作转变为最大程度地发挥他们的能力;业务流程从事后被动控制转为事前预防控制;生产率增长模式从10%到10倍的改进;组织从相互隔绝转为统一系统,在这个系统中,信息、思想和解决方案能够互相分享。

流域水资源保护的数字化设计,一般要包括以下7个步骤:

(1)明确目前组织在流域水资源管理方面所面临的最重要的管理难题。

(2)明确解决这些难题的最佳管理设计。

(3)明确重要的管理活动哪些涉及原子管理(Managing Atoms)、哪些涉及比特管理(Managing Bits)。

(4)明确如何用比特管理替换原子管理。

(5)建立比特引擎(Bit Engines),通过电子手段管理比特。

(6)实施设计。

(7)通过实施信息的反馈,持续改进组织的数字化设计。

数字化技术在流域水资源保护领域有广阔的应用前景,管理者应树立正确的数字化思想,广泛采用数字化技术来组织和实施对流域水资源保护工作。需要强调的是,数字化技术不是一个单纯的信息技术问题,管理模式的数字化既是技术性的又是社会性的,管理者应从社会技术系统的视野,了解流域水资源保护的技术成分与相关组织的结构、功能和政治之间的关系。

限于篇幅，本节重点研究步骤(5)即建立比特引擎所涉及的前沿数字化技术问题，主要包括智能体(Agent)技术、因特网(Internet)技术、数据仓库(Date Warehouse)技术、地理信息系统(GIS)技术和群件(Groupware)技术。

二、流域水资源保护数字化设计的智能体(Agent)技术

Agent的概念源于分布式人工智能(DAI)中的分布式问题求解，其基本思想是，使软件能够模拟人类的社会行为和认知，即人类社会的组织形式、协作关系、进化机制，以及认知、思维和解决问题的方式。与传统的对象概念相比，Agent概念具备更多的知识及主动性和协作性，具有更强的问题求解和自治能力。此外，Agent之间可以相互感知与协作，从而可以达到协作求解一个共同任务的目的。

智能体具有自主性、协作性、分布性和自适应性，其智能特性表现为能够对高级问题分析求解，可随环境变化修改自己的目标、学习知识并提高能力。在流域水资源保护的数字化设计中，涉及到的智能体主要有以下3类。

(一)界面智能体

界面智能体(Interface Agent)是由人和计算机通过人机界面组成的有机整体。界面智能体可充当管理者(用户)和机器信息沟通的桥梁，形成一种人机互相激发、优势互补、共同寻求问题求解的有效途径，从而构成一个基于网络的分布式人机共存环境。将界面智能体技术用于流域水资源保护工作，可实现管理工作的智能化和自动化。

界面智能体通过知识来协调用户与环境交互，以其具有的智能性对用户的反应进行反馈和主动调节，同时在运行时能指导用户操作，减轻用户负担。基于界面智能体的人机交互方式如图3-1所示。

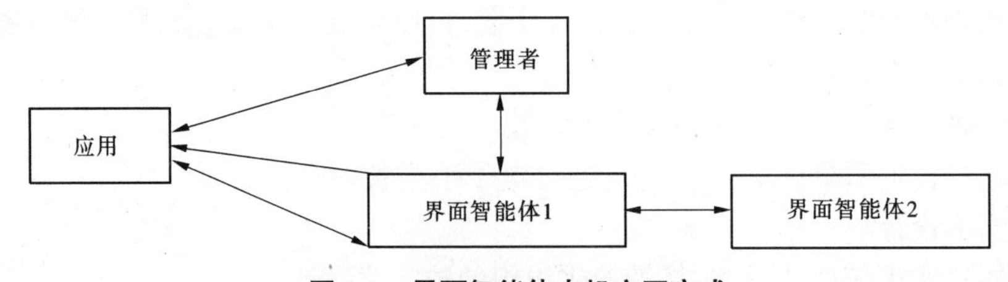

图3-1 界面智能体人机交互方式

界面智能体作为管理者的助手，可通过以下学习方式来适应流域水资源保护问题的变化，与用户协作替用户完成分析任务：①通过发现和模拟用户学习知识；②通过获得用户的正向和负向反馈学习知识；③通过用户的指导来获得知识；④通过与其他界面智能体通讯获得知识。

界面智能体能独立地持续运行，代表管理者决策并可与其他智能体或用户通讯。智能体可以替用户承担一些简单的、重复的和费时的工作而无需用户的介入。

（二）信息智能体

信息智能体（Information Agent）是用来进行信息检索的智能体，可用来对分析工作中的分布式信息进行管理、控制和分类。

在流域水资源保护工作中，信息智能体主要的功能有3个方面：①分析信息处理和分析任务安排；②协助用户进行 Interent 浏览；③信息检索。

（三）移动智能体

移动智能体（Mobil Agent）是指在复杂的网络中能够从一台计算机移动到另一台计算机的智能体。移动智能体能够在异构的网络节点间移动，并通过与服务设施和其他智能体协商获取、提供服务来完成流域水资源保护系统全局管理目标。移动智能体有以下特征：①满足智能体的目标驱动特性；②能够转移到不同的地址空间中执行；③转移后其执行持续，即从转移的下一条指令继续执行，转移过程中保持自身状态。

在网络环境下开展流域水资源保护工作时，由于问题的复杂性使得目标在本地难以满足，可将智能体移动到其他节点上进行。

在多智能体系统（MAS）中需要解决协同机制和自适应学习问题。Agent 环境中协同工作有两种：①具有不同子目标的多个 Agent 必须对其资源、目标和结果进行协调，协同机制要协调各自的知识、目标、策略和规划，解决知识和行为的社会性问题；②当单个 Agent 无法独立完成任务而需要其他 Agent 帮助就导致协作，协同机制要进行任务的描述、分解、调度与管理。协同机制可以采用合同网方法。合同网方法适应问题的多层次特点，Agent 既是下层 Agent 的管理者，又是上层 Agent 的承包人，控制基于 Agent 之间的合同关系。

三、流域水资源保护数字化设计的因特网（Internet）技术

流域水资源保护系统信息具有分布式特性。分布式环境信息指使用互联网技术，在互联网上以多种形式发布的环境信息，如地图、图像、数据集合、分析操作和报告等。分布式信息的应用方式有原始数据下载、静态图像浏览、动态图像浏览、元数据目录浏览、基于万维网的分析信息查询及分析和智能网络型地理信息系统等。

分布式特征要求对分析信息数据管理和维护的形式由集中式变成分布式，并使分析工作实现信息的在线发布和在线实时计算、分析和处理。流域水资源保护信息的分布性表现在两个方面：一是多数数据源以分布式形式存在；二是多种分析处理方法以分布式形式存在。分析信息的互操作性将这两种形式描述成异构数据源互操作

性和异构环境信息处理环境互操作性。同样，对于分布式环境信息发布与分布式实时处理也有两种方法，即分布式数据源方法和分布式部件方法。

借助 Internet，可实现流域水资源保护信息的发布和分布式实时分析处理和管理。在分析过程中，客户机可直接通过 Internet 获取多种数据。如在流域防洪工作中，对一次洪水可能产生结果的评价，管理者需要大量的空间数据，可按图 3-2所示获取相关的空间数据，例如 ArcInfo、MapInfo、MGE、GeoStar 等格式地理信息数据。在客户机上运行的系统，必须有识别和处理多种数据源的部件。这种方法的优点是直接使用 Internet 协议，如 Http、Ftp 等，以及 Web 服务器的功能等。

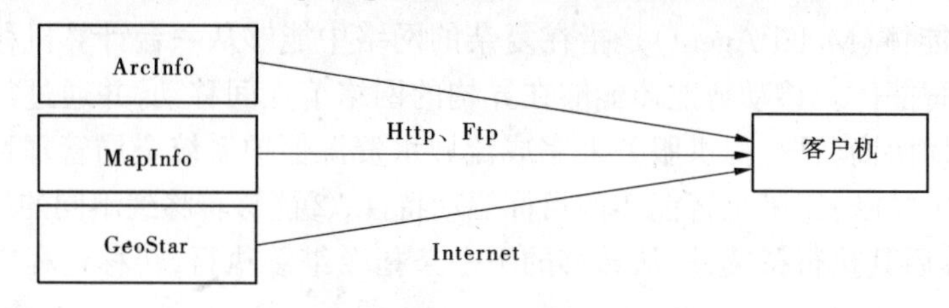

图 3-2　分布式评价数据源方法

使用分布式环境信息数据获取方法，对环境信息的发布部门而言，只需提供环境信息数据服务，无须关心用户如何使用和能否使用。但是，对每一种数据源，在客户机上运行的系统都必须有相应的部件对其进行识别和管理。由于目前商用信息软件有许多种，每一种商用信息软件自身又有多种数据格式，如 ArcInfo 数据格式有 Shapefile、E00、Coverage 等，采用通常的分布式数据源方法只能解决部分问题。为适应分布式信息发布与实时分析处理的要求，分布式部件方法被提出，即在分布式评价数据源与客户机之间增加中间件的处理方法。分布式部件主要在两个方面起作用：一方面是将多种环境数据源解释成客户机能够识别和直接使用的信息；另一方面是对分布式环境数据进行各种实时分布式处理和分析。

四、流域水资源保护数字化设计的数据仓库(Date Ware house)技术

流域水资源保护工作牵扯到大量的数据。传统的关系数据库能有效地管理数字、字符、基于日期和时间的信息，但对于管理更加复杂的数据类型，如时间序列、统计函数、地理和基于 Web 的、多维的数据，则不能理解或操作。为解决信息管理中存在的“数据监狱”和“数据贫穷”现象，W·H·英蒙于 1990 年提出了数据仓库的概念，即以关系数据库、并行处理和分布式技术为基础，目的在于解决在信息技术中存在的虽然有大量数据、但仍有信息贫乏的问题。通过对源数据库中的数据进行提取(Extraction)、清洁(Clean)、聚集(Aggregation)和转换(Transformation)，重新组织成

面向全局的数据视图，为管理工作提供数据存储和组织基础。

与数据仓库相关的一项技术是数据挖掘，也称数据开采。数据挖掘的目的是帮助管理者在数据仓库中寻找数据间的潜在关系，发现被忽略的要素，提取隐藏在其中的信息，辅助分析者进行工作。数据挖掘的方法有多种，如决策树法、神经网络法、概念树法、遗传算法、模糊数学方法等。

目前，数据库技术和网络技术发展已促成了以数据仓库为核心、以在线分析(OLAP)和数据挖掘工具为手段的评价支持系统，如图 3-3 所示。

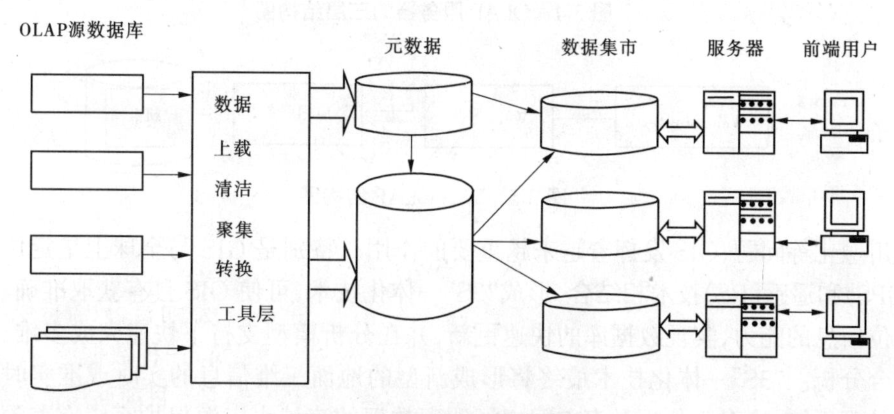

图 3-3　数据仓库系统结构图

(1)数据仓库解决了分析工作中数据库内数据不一致问题，数据仓库提供统一的全局数据视图供用户访问。

(2)在线分析和多维数据模型为用户提供了数据分析模型。

(3)建立在数据仓库和多维数据库基础上的数据挖掘，为分析工作提供了全局性的知识，这些知识可以为所有的应用共享。

(4)数据仓库为在线分析提供了充分可靠的数据基础，数据挖掘可以从数据仓库和多维数据中找到所需的数据，数据挖掘中发现的知识可以直接用于指导在线分析，而在线分析得出的新知识也可以立即补充到系统的知识库中。

作为管理支持手段之一的在线分析是一种软件技术，它使与流域水资源保护系统分析有关的各类人员，通过对信息多种可能的观察角度进行快速、一致性和交互性的存取以获得对评价信息的深入理解。在线分析是一种多用户的三层客户/服务器，其结构如图 3-4 所示。基于 Web 的在线分析结构如图 3-5 所示。

五、流域水资源保护数字化设计的地理信息系统(GIS)技术

流域水资源保护系统一般包含空间内涵地理数据，如水土流失、森林面积减少、

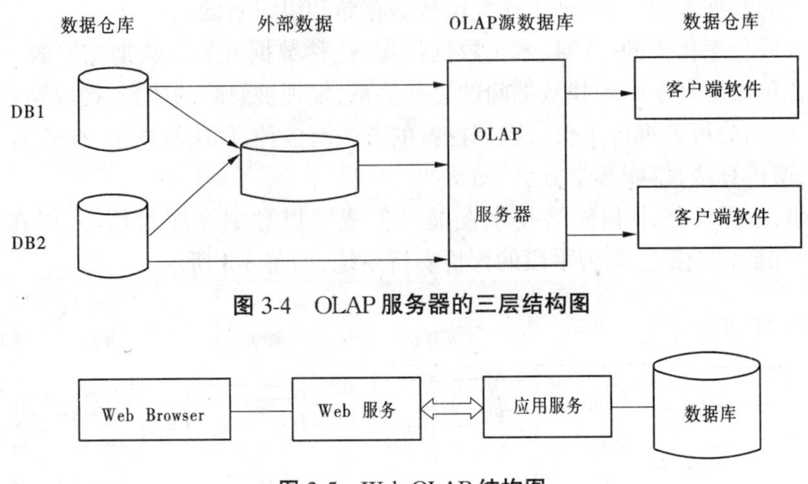

图 3-4 OLAP 服务器的三层结构图

图 3-5 Web OLAP 结构图

冰川融化等问题,GIS 发挥着越来越重要的作用。特别是 GIS 与全球卫星定位系统(GPS)和遥感(RS)技术相结合,形成"3S"一体化技术,可使 GIS 具有获取准确、快速定位信息的能力,实现数据库的快速更新,并在分析模型支持下快速完成多维、多元复合分析。"3S"一体化技术最终将形成新型的地面三维信息的实时或准实时获取与处理系统,这对于分析具有空间内涵地理数据的流域水资源保护系统有着深远的影响。特别是随着其他数字化技术的不断发展,虚拟现实、3D、4D、专家系统等一些新思想同 GIS 相结合,更加拓宽了 GIS 的应用范围。

在流域水资源保护工作中,要求以"3S"技术为代表的地球空间信息技术不再局限于数据的采集,而是强调对地球空间数据和信息从采集、处理、量测、分析到管理、存储、显示和发布的信息流全过程。地球空间信息技术的发展,信息获取的技术手段和方法发生了根本性变化,从传统的地基的、手工的、单点的、单要素的向空基的、全自动的、面域的、全要素的方向发展,所获取的信息的数据量成几何级数增长,数据的质量和性质也发生了根本性的变化。地球空间信息技术与通信技术的集成使得地球空间信息在动态、实时和远距离控制与操作方面成为可能。

RS 技术是迅速获取分析信息的有效途径,GPS 技术提供研究范围内特征物的定位信息,GIS 是充分处理、分析与表现环境信息的良好手段。在如何用软件技术实现流域水资源保护支持时,设计路线是:

(1)在应用模式上,可利用现有成熟的软件如 GIS 的 ArcInfo、MapInfo 等,RS 的 Ermapper、PCI 等,可用 Lisp、Prolog 编写专家系统推理软件。

(2)在自主开发集成系统时,由于 RS 和 GIS 的复杂性决定了对应系统是复杂的信息系统，需要投入较大的人力和物力，同时必须对系统进行良好的设计才能满足系统的易用性和易扩展性。

(3)应用现代信息技术的系统集成方案，即将现有的 GIS 和 RS 等成熟软件包中的可重用组件，重新融合为新的实用分析软件系统。如采用组件对象模型(COM)技术和基于 COM 技术产生了 OLE、ActiveX 等技术，实现编程对象或组件在二进制人工码上的重用。基于这种方法建立的代码模块能集成在其他软件或系统中，从而使程序设计可开发工作量大大减轻。

GIS 和其他数字化技术结合，使 GIS 技术的应用前景更加广阔。如 GIS 和万维网相结合，发展成基于网络的地理信息系统，即 WebGIS，可实现不同信息系统之间以及不同地区的同类信息系统之间的连通和兼容。

六、流域水资源保护数字化设计的群件(Group Ware)技术

群件是一种计算机软件，所有能够支持工作组(规模可大可小、功能可强可弱、自动化程度可高可低)内成员协同工作的软件大多可以叫做群件，同样所有支持工作组协同工作的技术都可称为群件技术。在流域水资源保护系统集成管理工作中，涉及的群件除电子邮件和工作流自动软件外，还包括群体日程安排软件、电子会议软件、视频会议软件和白板软件等。

典型的群件技术有 CSCW(计算机支持的协同工作)技术，有代表性的群件产品有 IBM 的 Lotus Notes、Microsoft Exchange 等，这些产品都提供了二次开发工具，如 Lotus Notes 的公式和脚本、Microsoft Exchange 的 Visual Basic，利用它们可以编制具有工作流能力的程序。

流域水资源保护系统分析工作经常包括许多工作组，如在长江三峡工程的生态环境影响评价过程中，仅论证工作，原水利电力部论证领导小组在 1986 年成立了由 55 名生态、环境、水利等方面的专家组成生态环境专家组，生态环境专家组先后开了 4 次专门会议，对工程正常蓄水位、库区移民环境容量以及三峡工程对中游平原湖区和河口区的生态环境影响进行了专题讨论，并审查通过了论证报告；再如，2000 年 7 月中国工程院完成的《21 世纪中国可持续发展水资源战略研究》，有 43 位两院院士和近 300 位院外专家参加，历时一年多，分 7 个课题组，对中国水资源的发展战略进行评价。借助于计算机技术和网络通信技术支持的数字化群件技术，可以大大提高工作组的效率，实现工作群体在共享环境下的协同工作、交互协商、分工合作共同完成某项任务，实现工作组之间和工作组成员内部之间的实时或异步交互。

第二节 流域水资源系统管理数字化设计的非IT视野

一、建模和计算技术

对某一流域水资源系统进行分析,可以将这一系统高度简化抽象为一个模型,以便于更好地理解或解决本质的问题。

广义地讲,模型有多种,包括数据模型、数学模型、实验模型和仿真模型等。在流域水资源系统管理工作中,需要针对管理问题的特性,建立不同的模型。如对流域水资源数据特性的抽象,可建立概念模型和数据模型,其中数据模型又包括网状模型、层次模型和关系模型等;再如,水质变化预测和水环境管理决策要建立数学模型等。

流域水资源系统管理工作,面对的多是不确定性、非线性的复杂问题,解决这类问题,应研究算法。可能用到的数学工具有符号推理与数值计算的结合,离散事件系统与连续时间系统分析的结合,以及模糊集合论、神经网络理论、遗传算法、分布式计算技术等。

随着计算机技术的发展,建模技术和计算技术不断交互。最初人们主要是利用计算机强大的计算能力来完成管理模型求解所需要的大量计算任务,使得人们从这些烦琐的手工计算中解脱出来。之后,在有计算机作为计算工具的基础上,人们对管理模型的研究更为深入,研究出了基于计算机完成复杂计算的复杂水资源环境系统数学模型。计算机技术在这一层次的应用已经变为建模的必要工具,如神经网络预测方法的网络训练、检验等只有利用计算机才能完成。

二、"以人为本"的精神

"以人为本"是主流管理理论的重要基础,建立流域水资源系统数字化工作体系也应体现这一精神。"有效的信息管理必须首先思考人们如何应用信息,而不是如何使用机器"(Thomas H. Davenport,1994)。因此,简单地认为只要建立了计算机网络和共享的数据库,就能使管理工作上台阶的美好愿望,往往很难变成现实。要在流域水资源系统的数字化工作体系实现"以人为本"的精神,需要考虑如下几个问题。

(1)流域水资源系统管理工作涉及的信息来自不同领域。信息本性的混乱导致信息经常具有多重含义,模糊性是人类思维和客观事物普遍存在的属性,以及不同部门、不同人员认识问题的角度不同,实际工作中经常出现以下的事实:对于看来简单的事物,常常会提出不同的观点。例如,最基本的概念如水资源、水质、污染等概念,在实际工作中经常有不同的理解。"以人为本"的精神要求接受这个事实,认为信息非常复杂,根本不可能完全控制住,数字化工作体系必须具有灵活性和一定程度的无序性。要控制好信息的标准化和信息个性化之间的平衡。信息的标准化用于建立那些能够用于整个组织的含义,而信息的个性化则是个人或小组用对自己更实用的方法来定义信息。

一种信息,无论多么简单、多么基本,都可能会引起不同的理解。因此,对用于整个组织的信息,应采用行政手段,明确规定其含义,避免各部门理解上的分歧。另一方面,应认识到个人或小组以更实用的方法来定义信息的必要,在具有高度不确定性的流域水资源系统管理工作中,善待信息个性化非常重要。

(2)信息共享会随着数字化项目的建立而自动实现吗？答案是否定的。一方面,管理体系中总是有一些部门、人员,出于各种有意无意的目的,希望采用保密或模糊处理等手段来控制信息。这些目的包括:担心某些信息共享会引起工作上的被动或法律上的纠纷,认为信息是可获利的经济资源或代表一定的权力,认为信息是个人的智慧或经验结晶而不应该让别人共享,以及认为信息不够完善到可以共享的程度,等等。因此,想当然地认为不同单位、不同人员都会自动地实现信息共享,是 IT 项目管理者经常出现的错误。

要实现真正有价值的信息共享,同时避免垃圾信息泛滥,需要重视组织内部的信息文化建设。譬如将信息共享作为绩效考评的一个重要指标,在组织内建立鼓励信息交流的文化氛围。

(3)IT 项目不能发挥预期效果的一个重要原因,正如管理宗师 Peter F. Drucker 所讲:"工具(电脑、数据库)是有了,人们也具备了电脑知识,但他们缺乏信息常识。他们中几乎没有人能回答:我需要何种信息？我应该从何人、以何种形式得到该信息？我应该向何人、以何种形式并在何时提供何种信息。"为避免这一情况的发生,在流域水资源系统数字化工作体系建设时,要做好信息图、信息指南和核心业务文件的建设。

持续对用户人员培训以及加强系统使用人员和开发人员的沟通,也是"以人为本"的精神对流域水资源系统数字化工作体系要求,是保证系统成功的关键之一。

三、管理组织变革

数字化技术的应用与组织机构的变革是互动的关系,应注意二者之间相互制约、相互促进。数字化技术的应用,会促进组织变革;科学的组织变革,会使数字化技术应用如虎添翼。超越组织水平、不切实际数字化技术应用,往往被束之高阁;落后的数字化技术应用,也会阻碍组织变革。

当代社会经济的高速发展,使流域水资源系统管理面临高度的不确定性。为适应这种管理环境，管理组织必须持续变革，包括变革业务流程和组织架构。数字化技术的应用，加剧了这一变革趋势。流域水资源系统管理面临业务流程改善或再造、管理机构扁平化、组织网络化和虚拟化的变革。流程再造是对业务过程所进行的基本再思考和根本上的再设计，以显著改善像成本、质量、速度、服务等关键性绩效指标。它着眼于"过程"，简化原来需要历经多个部门的复杂业务流程和信息流程，消除由此产生的失误、延迟、返工等，大大提高工作效率和工作效果。传统的组织层次多，问题要通过这种层次传递才能得以解决，往往决策速度大大降低。管理机构扁平化要求中间管理层逐渐减少，通过减少垂直层、扩大水平层，组织机构变得越来越精简。网络结构将成为未来重要的组织形式，按网络形式组织起来的工作流程，构成了一个具有固定连接的业务关系网络为基础的小单元联合体。一个完善的网络组织不再由确定的结构和可划分的界限来定义。

四、学习型组织

从个人学习至组织学习进而到学习型组织，是组织发展的很重要趋势。数字化技术的应用，可改变组织的学习方式，是建立学习型组织的催化剂。

从知识管理的角度看，组织的业务活动体现为一系列知识的流动过程，如组织环境知识由外部流向组织，组织声望、形象知识由组织内流向环境，组织文化、风气、基本数据等起始和终止在组织内流动，与此同时，自然是人们不间断的学习过程。数字化技术的运用，使组织内的数据、信息和知识的共享、交换提升到一个全新水平，为组织学习提供了良好的基础。通过数据挖掘等可以使组织发现新知识。一旦将这种学习机制溶入组织的正常运作，则会提高组织的智商，并成为向学习型组织演变的推动力。

五、质量管理与 ISO9001:2000 标准

质量管理是流域水资源系统数字化工作体系的一个重要组成部分，体现在 IT 项目本身的规划、设计、建设、运行、更新的整个项目生命周期过程中，也体现在相关单位的运作体系中。采用 ISO9001:2000 标准建立规范的质量管理体系，是提高质量管理水平的捷径。

ISO9001:2000 标准质量体系包括四大内容：管理职责，资源管理，产品实现，测量、分析和改进。同时，该标准还提出了质量管理的八大原则，均是质量管理的宝贵经验的结晶。在流域水资源系统数字化工作体系中，应广泛地采用这一质量管理体系和相关的管理原则，可以少走弯路。在采用 ISO9001:2000 标准时，要注意质量体系的有效性，不要单纯地为认证贯标而建立形式化的质量体系。

例如,过程方法是ISO9001:2000标准的八大原则之一。过程是指将输入转化为输出的一组相互关联或相互作用的活动,质量管理体系是通过一系列的过程来实施的。为使组织有效地运行,必须识别和管理众多相互联系的活动,利用资源合理配置,并通过管理,将获得输入转化为输出的任何活动都可视为过程。在使用过程方法时,需要注意理解和满足要求,需要考虑过程的增值,强调获得过程业绩和有效性的结果,基于客观的测量持续改进过程。建立流域水资源系统管理数字化工作体系必须以业务流程为基础,而业务流程和ISO9001:2000标准中的过程概念是一致的;还有本文前面"管理组织变革"部分提到的业务流程改善或再造,同ISO9001:2000标准中"基于客观的测量持续改进过程"也是一致的。

流域水资源系统数字化工作体系建设的一个重要内容是"标准体系",包括业务标准体系、信息标准体系和信息技术标准体系。采用ISO9001:2000标准来管理标准体系的建设,能取得好的效果。例如,各类标准文件管理,可直接应用标准中的"文件控制"条款,其内容是:文件应予控制。质量记录是一种特殊类型的文件,也应依据要求进行控制。应编制形成文件的程序,以规定以下方面所需的控制:文件发布前得到批准,以确保文件是充分与适宜的;必要时对文件进行评审与更新,并再次批准;确保文件的更改和现行修订状态得到识别;确保在使用处可获得适用文件的有关版本;确保文件保持清晰,易于识别;确保外来文件得到识别,并控制其分发;防止作废文件的非预期使用,若因任何原因而保留作废文件时,对这些文件进行适当的标识。

六、商业精神

我国的七大流域机构是水利部的派出机构,在授权范围内行使水行政管理职能。流域机构的水资源管理工作,并不排斥商业精神;相反地,恰恰需要引入营利精神和商业行为。首先,流域水资源保护管理的对象,并非是不可划分的社会群体,撇开政府的阶级倾向,政府对水资源管理政策的调整,通常会影响某一特定的社会群体,由于营利性的管理和某些商业手段对提高服务质量和效率大有裨益,如个性化服务、7×24小时服务、360°服务等,完全可以用于针对特定人群的服务。其次,除政府财政投资建设的水资源保护项目外,自筹资金、开发营利项目以弥补公益支出,已成为非营利组织的共同趋势。最后,政府部门的工作往往缺乏透明度,社会对它们的日常工作缺少有效监督,绩效考评也缺乏客观标准,将营利世界的一些经营理念应用到非营利世界,将有利于解决上述问题,提高政府和公益组织的廉洁度和公众信赖度。

在流域水资源系统管理数字化工作体系中,项目管理如IT技术的外包决策,可以采用商业手段进行。Regina E. Herzlinger提出了一个"披露—分析—发布—惩罚"的提高政府机构廉洁度和公众信赖度的解决方案,要求非营利组织和政府部门注重向大众披露、分析、发布有关自身工作表现(强调增加披露量化的非财务信息),同时处罚不遵守上述要求的机构。这一解决方案也可应用到流域水资源系统数字化工作体系中。

七、系统整合

这种整合,不单纯是数字技术的集成,还包括管理系统与数字化系统的整合,因应用数字化技术而导致的原有各种管理系统变革后的整合。从一定意义上讲,这些系统整合的好坏,也直接影响数字化技术运用的效果。

以业务流程改进为例,在流域水资源系统数字化工作体系建设过程中,会有业务流程调整问题;在组织的质量管理体系中,也有业务流程调整问题;在组织的业务流程改善或再造中,也有业务流程调整问题;甚至在组织推行的其他改革如机构改革中,也有业务流程调整问题。实际工作中,这些工作往往是由组织的不同部门在不同的时间来推进的,工作之间很难保证相互一致性,往往导致系统冲突。再如,近20年来,流域机构的信息化建设已有了一定的规模,相继建立了一些信息系统和平台,如流域防汛决策支持系统、办公室自动化系统等,同时还有一些信息系统在规划建设中,实现水资源保护数字化工作体系和这些系统之间的整合,也是一项重要的工作。类似的整合还包括数据的整合复杂水环境资源系统管理数字化设计的非IT视野。

第三节 数字水资源保护及应用实例

一、数字水资源保护

数字水资源保护就是综合运用现代科学技术,进行自动化水质量信息采集和现代化的监督管理,把流域水质量信息进行多方位、多时空的三维描述,逐步建成一个与可持续发展相适应的、能全面支持流域水资源保护工作的数字化体系,实现监测技术现代化、数据采集自动化、信息资源共享化、管理决策智能化。

(一)国外数字水资源保护

随着水资源保护管理工作的逐步深入和信息技术革命的兴起,西方发达国家早在20世纪七八十年代就建立了许多有效的信息系统。例如,美国国家环境保护局(EPA)1992年所列的信息系统清单ISI中,就已经包含了600多个系统、数据库和模型;英国在20世纪60年代就建成了水质档案系统(WAP2),后来又建成资源和环境信息系统;加拿大从最早的国家水数据库(NAQUADAT)发展到现在的多种环境数据库;日本、芬兰、丹麦、荷兰等国家也建成了各种形式的环境信息系统。此外,随着环境问题的全球化,跨国的环境资源数据库和信息系统开始出现。比如,欧盟的环境化学品数据和情报网 ECDIN(Environmental Chemical Data and Information Network),欧洲环境和健康信息源超级数据库,CORINE 项目(收集、协调欧盟各国的自然和生态资源状况信息),以及联合国环境规划署的环境信息系统:国际环境资源查询系统、国际潜在有毒化学品登记管理系统、全球环境监测系统(GEMS)、全球资源信息数据库(GRID)等。

(二)国内数字水资源保护现状及其发展趋势

1973 年第一次全国环境保护会议召开,揭开了中国水资源保护事业的序幕。党和政府高度重视环境保护工作,“九五”期间,国家修订了《中华人民共和国水污染防治法》等环境保护法规,在《国务院关于环境保护若干问题的决定》和《国务院关于国家环境保护“九五”计划和 2010 年远景目标的批复》指出:“明确目标,实行环境质量行政领导负责制。要实施污染物排放总量控制,抓紧建立全国主要污染物排放总量指标体系和定期公布的制度。到 2000 年,全国所有工业污染源排放污染物要达到国家或地方规定的标准;各省、自治区、直辖市要使本辖区主要污染物排放总量控制在国家规定的排放总量指标内。”迄今为止,国家共颁布了 6 部环境保护法律、10 部相关资源法律和 30 多个环境保护法规,发布了 90 余个环境保护规章,制定了 430 项国家环境保护标准;地方性环境保护法规达 1 020 个。

随着信息化技术的发展,在水资源信息规范方面也有很大的进展。我国从“六五”、“七五”开始,也相继开展了一些水资源保护信息数据库和管理信息系统的建设和应用。在管理领域,随着一系列水资源保护管理制度的形成和逐步完善,国家环保局有关司处组织开发、审查、推行了一系列环境数据库和应用系统,包括国家环境统计信息系统 (ESS95、ESS2001)、国家环境质量监测数据统一传输软件(MODAT)、全国排污申报登记动态管理信息系统(NSMIS)、环境监理信息系统、建设项目环境管理系统、排污收费系统、有毒化学品信息管理系统、乡镇污染源调查数据库等。这些数据库系统面向实用,为减少有关部门的数据处理工作量,提高管理水平起到了积极作用。

“八五”和“九五”期间,我国利用世界银行贷款建设了 27 个省级环境信息系统,采用 20 世纪 90 年代流行的客户/服务器结构,建立了为各应用系统共享的基础数据库,包括环境质量监测数据库、污染源数据库、环境标准数据库和环境背景数据库等,首次引入网络信息管理、大型关系型数据库、地理信息系统、决策支持系统等技术手段,提出了比较完整的整体信息解决方案。在近期的信息系统建设项目中,则进一步明确了系统定位,划分软件功能,顺应技术发展,采用了三层体系结构(浏览器/服务器体系结构),建设集办公自动化、管理信息系统、地理信息系统、环境数据分析系统和数据发布系统于一体的综合环境信息系统。在数据库建设上，强调尊重现行的数据收集和管理体制，着眼于对已有环境数据系统的综合利用。在整合现有数据源、对各类环境数据进行重新组织的基础上，着重加强数据查询分析和地理信息系统建设，并应用 Intranet/Web 和 Web GIS 技术，为环境信息用户提供统一的操作界面，实现信息共享。

二、数字水资源保护应用实例：黄河流域数字水资源保护规划

《数字黄河水资源保护规划》是“数字黄河规划”中的一项专题报告，按照“数字黄河规划”的要求，依据“中共中央关于制定国民经济和社会发展第十个五年计划的建议”、水利部“2001～2010 年全国水利信息化规划纲要”、“黄河水利委员会改革发展五年计划纲要” 精神的要求，以“黄河流域水资源保护局改革发展五年计划”为指导思想，在“黄河流域水资源保护局信息化规划”和“数字水资源保护”需求分析报告基础上，紧扣黄河流域水资源保护局的主要职能和工作任务，以黄河水资源保护工作多年积累的经验和形成的管理体制为基础，遵照水资源保护的有关法律、法规的规定，根据流域水资源保护局的建设能力以及可能的投资规模，本着充分利用现有设备、统一规划、分步实施的原则，黄河流域水资源保护局组织编写了《数字黄河水资源保护规划》。

规划的基准水平年为 2002 年、目标水平年为 2006 年、远景目标水平年为 2010 年。

（一）建设目标

数字水资源保护建设的目标是：从 2002 年起，用 5 年左右的时间，依据黄河流域水资源保护局的职能，充分利用现代信息技术、海量数据的快速存储与处理技术、多维数据的融合与主体动态表达技术、仿真与虚拟技术、元数据技术、快速定位技术等高新技术，通过水资源保护信息的采集、传输、存储和处理过程的信息化、自动化，全面开发水质信息资源，健全信息化管理体制，形成水资源保护信息化的法规、标准规范和安全体系框架，全面提供科学、及时、有效的水质信息服务，提高现代化管理的效率和效能；加速黄河水资源保护管理科学化、信息化和数字化进程，提高流域水资源保护综合管理能力，使流域监督管理充分体现权威、公正、全面和准确、快速、及时的效能；实现流域水资源保护管理的监测技术现代化、数据采集自动化、信息资源共享化、管理决策智能化。

(1)实现水质目标和总量控制的双控制管理目标。对黄河干流 58 个水功能区、支流 22 个省界缓冲区进行监督管理，实现水功能区水质目标，保护正常的水域功能，保障黄河流域水资源的可持续利用。实施入河水污染物总量控制，优化水量调度有

关方案措施，提出发生重大水污染事件时的水量调度预案，实现水质水量统一管理和优化控制。

(2)加强对黄河干流主要入河排污口的监督管理。实时掌握黄河干流主要入河排污口动态排污情况，检查和掌握流域入黄排污总量分配方案执行情况，为水量水质统一调度和水资源优化管理的决策提供基础依据。利用自动监测站和移动实验室和黄河重点入河排污口远程监控系统，对入黄排污口、入黄支流口进行监督性监测，真实、科学和动态地掌握入黄排污和河流水质的变化情况。

(3)建设机动巡测队伍和流域水污染联防信息支持系统，迅速准确地掌握流域内重大水污染事件的情况，正确、迅速地处理和解决水污染事件。进行流域性的水污染联防，防御枯水和其他不利时期水污染事故发生，避免和减少水污染事件造成的损失。

(4)初步实现黄河小浪底以下重点河段水质预警预报工作，为黄河水量调度管理服务，并定期向社会发布水质预报信息，满足水资源管理和水源地用水安全需要，保障用水户用水安全，实现水资源有效利用的目标。

(5)对黄河干流 15 个重点城市供水水源地水质状况进行动态的监督管理，定期发布供水水源地水质公报，为供水水源地水质安全提供监控和管理保障，确保居民饮用水安全。

(二)建设任务

依托黄河流域计算机网络，建成以黄河流域水资源保护局为中心的水资源保护计算机网络系统；基本建成水资源保护管理系统，实现流域监测资料自动建档入库，实现污染趋势分析及预警预报，能及时科学地进行全流域水资源保护综合评述和质量评价，发布水资源保护质量信息等。现已重点建成：水资源保护监控中心；水资源保护计算机网络；水资源保护综合数据库；由黄河水质监测实验室信息采集处理系统、应用服务系统、监督管理系统、信息服务系统及各水环境监测中心(站)水质信息管理系统组成的水资源保护管理系统；由自动水质监测站和流动分析实验室组成的水质实时监测系统；水质遥感监测系统；以及黄河流域水资源保护局办公自动化系统等。

1. 制定和完善信息系统规范

制定和完善水资源保护信息采集标准与规范。在水资源保护信息源中，大多数种类的信息缺乏统一的标准、规范。要开展不同层次的信息需求调研，分类整合现有水资源保护信息指标体系，合理规范信息采集渠道，对于一些不适合信息化要求的已有标准、规范，提出修订意见。在此基础上，研究建立适应黄河水资源保护信息化的编码技术方案。对类似污染因子的信息编码，黄河上现在还是一个空白，开展此项工作是十分必要的。

加快研制水资源保护信息化关键技术标准与规范，对信息的存储、传输、共享及应用软件的开发和网络建设相关的关键信息技术进行研究。结合水资源保护信息化建设的实际需要，制定黄河水资源保护信息化关键技术标准与规范，保证信息资源的共享及应用软件的相互兼容，实现水资源保护信息的互联互通。

2．信息采集处理系统

信息采集处理系统具体包括以下几个方面。

1)完善补充现有各类监测站网

完善现有水资源质量站、省界水体水质站和重要城市供水水源地站，使其满足功能区管理和水污染总量控制管理要求。在5年的时间内，新增11个水资源质量站、25个省界水体监测站、15个供水水源地站、37个重点排污口站、10个自动监测站、8个移动实验室，完善和增加7个基层水资源保护局实验室设备，以提高信息采集的自动化能力。

地下水水质站应根据水文地质条件及污染源分布状况设置，布设在以地下水为主要供水水源的地区、饮水性地方病(如高氟病)高发地区、污水灌溉区、垃圾堆积处理场、地下水回灌区、污染严重区域、超采区域。根据最新的流域站网规划，在地下水饮用水源区、地下水污染严重区域、重要的农灌区的地下水井点开展监测，流域范围内到2005年拟实施12个地下水井点的监测，基本满足地下水利用与保护的需要。

2)调整、增加监测项目和监测频次

调整、增加监测项目和监测频次具体包括以下两方面。

ⅰ 调整、增加监测项目

水资源质量站监测项目包括水质监测项目和悬移质监测项目两类，具体内容参见本书第二章第三节的内容。

ⅱ 监测频次

根据水利部《水环境监测规范》(SL219—98)中有关监测频率的技术规定，结合站网的具体情况和流域片水资源保护管理要求，对水质站监测频率作如下规定。

(1)水资源质量站：①主要水系源头背景站采样频率为每年2～4次。②黄河干流水质站采样频率每年不少于12次，每月中旬采样。③支流用于全国水资源质量公报、年报编制的站点监测频次每年12次；支流国家级站点采样频率每年不少于6次，丰、平、枯水期采样；一般站点可适当减少采样频次。④水功能区水质控制站点，因污染河段有季节差异，为满足管理要求，采样频次和时间可按污染季节和非污染季节适当调整，但干流全年监测不得少于12次，主要支流监测不得少于4～6次。在河流、水库最枯水位和封冻期，每年第一次洪水应酌情增加采样次数。

(2)省界站:采样频次每年不少于12次,每月中旬采样,枯水期酌情增加采样次数。

(3)国家级城市供水水源地站:实行按旬采样。

(4)入河排污口站:重点河段和易发生重大水污染事故河段上的入河排污口站监测频次一般情况下每年不少于2次,一般入河排污口监测频次每年不少于1次,枯水期采样。有特殊需要时可按要求增加测次。

(5)地下水站:地下水监测井点监测频率每年不少于2次。

(6)大气降水站:按《水环境监测规范》要求,国家级站点每年监测4次,污染严重地区12次,其他站点2~4次。

(7)对于枯水期或小流量易发生水质严重恶化、会危及沿岸供水安全的河段、受严重污染的出入境处、受严重污染的主要支流入黄口、有大量污废水积蓄的闸坝以及其他重要控制河段在常规水质监测的基础上,应进行应急动态监测,根据各河段污染的主要水质指标、不同水情和污染状况,采取不同的监测频率,对河道水污染进行跟踪性监测或监视性监测,及时掌握河道水量水质变化,确定污染的影响程度和范围,对污染提出预警。

(8)河流发生重大污染事故,对污染事故可能影响水域组织实施监视性监测时,视污染情况确定监测频次和采样时间。

3)扩充监测手段

水质监测是水资源保护、监督和管理的基础,根据目前监测工作的现状与存在问题,除要继续完善现有监测站网外,还须建立地下水和降水的监测站网,从而扩大监测的业务范围,为水资源的有效保护提供全方位的基础信息。

监测手段是各类站网良好运行的基本保障,监测能力的建设与监测手段的扩充是今后全面完成监测工作任务的必要条件,它关系到黄河水质监测信息化、数字化进程的发展。

ⅰ 实验室监测手段

依据实验室监测工作现状可知,目前黄河各级实验室的根本任务是保障现有监测站网的正常运行,实验室的监测手段也是基于此任务配备的,它只能勉强满足现有监测站网的运行,而扩展监测工作范围的能力较弱。随着今后监测任务的日益增多,如水量调度水质监测、供水水源地水质监测、入河排污口水质监测、地下水水质监测、大气降水水质监测以及水生态监测等,以黄河7个实验室目前现有监测手段是无法完成上述监测任务的,也与黄河水质监测信息化、数字化的目标相差甚远。所以,必须加大实验室监测能力的建设,彻底改变目前实验室的监测工作方式,实现实验室监测手段的现代化,才能确保日益增多的监测工作需要,为实现水质监测、水资源保护与管理全面现代化和数字化提供基础保障条件。

为使黄河各级实验室监测手段满足数字黄河建设的需要,适应未来监测工作的发展,根据将来水质监测工作对实验室监测能力的需求,在今后实验室监测能力建设方面,将重点考虑以下内容:

(1)保障新增的监测项目。随着经济发展和社会进步以及人类对生活质量的日益追求,水的质量将成为社会关注的热点问题,水质监测工作毫无疑问地将得到迅速扩展,监测项目将大大增加,这种趋势十分明显。在20世纪90年代初,在国家颁布的水质监测规范中,监测项目较少,大多是一些常规水污染指标,而目前新颁布的水质监测规范的监测增加了有毒有机物的监测,使监测项目有较大幅度的增加。所以,在对黄河各级实验室监测能力进行规划和建设时,首先要考虑实验室监测设备配备,无论在配备数量上和配备质量上都要全面保障监测项目的需要。

(2)提高实验室监测设备的配备水平。目前,黄河各级实验室监测仪器配备的水平较低,只有少量大型分析仪器设备,大部分都是质量较差、自动化水平低的小型常规分析设备,对于水样前处理的手段更是缺乏,基本上没有先进的水样前处理设备。随着地下水监测、大气降水监测和一些特殊的监测工作的开展,工作量将成倍的增加,仅靠常规监测仪器设备作为各种监测工作主要硬件支撑条件是非常困难的。所以,必须要配备高水平、高自动化的大型监测仪器设备和自动化程度高的常规分析仪器设备、水样前处理设备,以全面提高实验室监测仪器工作的效率。如在大型仪器配备上,可配备足够数量的气相色谱-质谱联用仪、气相色谱仪、等离子发射光谱-质谱联用仪、等离子发射光谱仪、液相色谱-质谱联用仪、液相色谱仪、全自动流动分析仪、全自动原子荧光光谱仪、全自动电位滴定仪;在辅助设备和前处理设备上,可配备足够数量全自动进样装置、高智能化的机械臂、智能化的加热控制器、微波消解装置、自动萃取仪等。只有全面提高了黄河各级实验室的装备水平,才能切实保障各种监测工作的开展,才能更好地为黄河水资源保护提供大量翔实的水质信息,为实现数字黄河提供水质数据支持。

(3)提高实验室信息处理和内部管理水平。目前,黄河各级实验室监测数据处理仍主要依靠手工操作,信息数据传输缓慢,易受外界人为因素干扰,分析精度偏低,内部管理手段落后,造成了流域监测站网检测反应速度相对迟缓、水质适时监控能力低下和监测时效性差的局面。同时,实验室业务工作、样品及试剂控制、监测质量体系均系人工管理,实验室内部各种资源不能完全共享,监测时间和物资浪费较为严重,实验室运行成本较高,质控水平难以再得到提高。

实现实验室信息处理、传输自动化与管理现代化,是提高水质监控能力和实现监测工作规范化、标准化的目标,适应国际惯例并与之监测体系接轨的重要手段。实验室管理系统是这种手段的核心，它遵循质量体系建设的原则，按照质量体系对组织管理、信息传输、信息处理、测试运行和资源保障等各部分的要求进行的。该系统在实验室信息处理方面具备对监测信息的采集、网络传输、分析处理的能力，实验室内部管理方面具备组织指导、计划协调、执行、监控、保障、审核和制约等功能。所以，要全面提高实验室信息处理和内部管理水平，必须建立这种实验室管理系统，为快速、准确、权威地提供各种黄河水质监测数据奠定基础。

为满足数字黄河工程对水质监测手段的要求，实现黄河水质监测工作现代化，根据实验室监测手段存在的现状、问题和需求，拟对7个实验室的主要监测手段进行以下扩充(见表3-1)。

表3-1 **黄河7个实验室监测手段扩充**

序号	设备名称	拟配数量	配备实验室
1	气相色谱－质谱联用仪	1台	配备流域中心实验室
2	气相色谱仪	5台	配备包头、银川、榆次、三门峡、济南监测实验室
3	等离子发射光谱－质谱联用仪	1台	配备流域中心实验室
4	等离子发射光谱仪	7台	7个监测实验室
5	液相色谱－质谱联用仪	1台	配备流域中心实验室
6	液相色谱仪	7台	7个监测实验室
7	原子吸收仪	6台	配备基层6个实验室
8	离子色谱仪	7台	7个监测实验室
9	全自动TOC测定仪	7台	7个监测实验室
10	全自动BOD测定仪	7台	7个监测实验室
11	全自动流动分析仪	8台	7个监测实验室
12	全自动原子荧光光谱仪	7台	7个监测实验室
13	全自动电位滴定仪	14台	7个监测实验室
14	全自动进样装置	7套	7个监测实验室
15	智能化机械臂	1套	配备流域中心实验室
16	智能化加热控制器	7套	7个监测实验室
17	微波消解装置	7套	7个监测实验室
18	自动萃取仪	7台	7个监测实验室
19	实验室管理系统	7套	7个监测实验室

ⅱ 自动监测手段

自动监测手段主要是指用于现场在线监测水质的自动监测系统。自动监测系统是实时监测水体质量不可缺少的技术手段，它不仅可以及时反映水质污染的情况，而且可以对水质进行预警，结合其他技术(如水质模型)后，还可以对所监测的河段进行预测,分析未来时间和下游一定河长的水质变化趋势。

虽然水质自动监测系统在国内近几年才开始应用,但在水质监测工作中已起到非常重要的作用,这也是由自动监测站本身所具有的特点决定的,它的特点主要表现在以下两个方面:

其一,水质自动监测系统是提供实时水质信息惟一的技术手段。随着黄河水资源保护工作的不断加强,为更有效合理地保护、利用黄河有限的水资源,实现黄河污染总量控制的目标,今后对水质信息的需求量将越来越大,水质监测的频次也将会不断增加,这样对水质监测的周期就有很高的要求,只有自动监测站能满足这种高频次、短周期的要求。

其二,水质自动监测系统是保证黄河沿岸城市和工农业用水水质安全的有效措施。黄河沿岸用水对量与质的双重要求,是黄河管理部门必须面临的现实问题。由于自动监测站对水质监测具有实时和预警预测的双重作用,是其他监测手段无法替代的,它不仅可以有效地监测水体的质量,而且可以预测未来一定时期的水质变化趋势,为黄河管理部门提供及时的水质信息,确保沿黄两岸的用水水质安全。

由于水质自动监测系统具有上述的重要作用,所以在黄河各重要河段、重要城市供水水源地、主要支流入黄口和主要排污口建设由高性能化和高智能化在线分析测试设备组成的自动监测系统已成为黄河水质监测的重要手段之一。此外,水质自动监测系统的建立,不仅可满足黄河水资源各管理部门对水体监控的需要,同时也为深入研究黄河水体提供了先进的监测手段。根据上述需求,拟黄河干流建设10个标准水质自动站,沿黄主要排污口和污染严重的支流建设若干个小型自动监测站,以满足水质实时监测的需要。

ⅲ 巡测手段

巡测手段主要指移动实验室,它顾名思义是一种可移动的、灵活的水质分析实验室,它不仅配备具有实验环境的车辆,而且在车辆中还配备用于水质监测的各种监测设备。在整个黄河监测系统中,巡测手段是水质自动监测站和固定实验室的补充监测手段,它同时具有以下两个方面的作用:

(1)对水污染事件进行追踪调查。随着黄河两岸经济的发展,用水与排污的矛盾日益加剧,水污染事件频繁发生,对沿黄城镇生活用水和农业用水,造成了严重影响。自动监测站和固定实验室只能监视所设监测断面的河段水质状况,但无法判定污染的来源,移动实验室是追踪污染源最有效、最快速的手段,它能够在最短时间内追踪污染源,查明污染成分,及时上报有关部门。

(2)实施水质动态和相对连续的水质监测。移动实验室由于其对水质具有较强的灵活性和相对的连续性,从而弥补了固定实验室连续性和自动监测站空间性的不足。水污染事件的发生在时间和空间上都是随机的，例如在水量调度实施期间，对水质监测的河段位置、周期和时段有时会进行必要的调整，这种灵活的、快速的、相对连续的监测方式只能由移动实验室提供；在引黄济津开闸放水期间，为确保黄河的水质，满足天津用水水质要求，在这段时期内就应在易受污染的河段关键位置设立监测点，连续对调水水质进行监测。

由于移动实验室的这种作用，所以必须为黄河各级监测实验室配备一定数量的这种巡测手段，使之能够掌握其监测各河段的水质动态和水污染事件，为管理部门及时提供由于水污染事件造成的水质动态变化情况，提供对水污染事件决策的支持。

根据现状分析，为满足巡测工作的需要，为数字黄河工程提供全面灵活的水质信息，拟在全河建立 8 个移动实验室，其中，流域监测中心配备 2 个，6 个基层监测站各配备 1 个。

ⅳ 远程图像监视手段

根据黄河污染物总量控制方案和监督管理的需要，拟在黄河重点污染河段、主要排污口建立若干套图像监视系统，以达到监视污染的目的。远程图像监视是对大型排污口和重要河段的关键断面进行水污染事件监视的主要手段。大多数水污染事件发生时，均可以通过视觉进行判别，所以只要在完善的信息网络系统支持下，这种远程图像监视手段在监视污染方面具有独特的优越性。

在黄河水资源保护和水质监测系统中，尚无远程图像监视污染的手段，而这种手段的应用是一种尝试，也是当前网络信息化发展的产物。对黄河干流污染源的监视是实现水功能区划水质目标和污染物总量控制目标的关键所在，作为污染源的有效监视手段，目前可采用的系统有两种：一种是水质自动监测系统；另一种就是远程图像监视系统。前者比较独立，具有自身的特点，是图像监视系统无法取代的，但投资较大；后者只要有合适的网络支持，就可以用少量的投资解决某些类型污染源的监视问题。所以，在整个黄河水质监测系统中，水质自动监测系统网必须建立，而远程图像监视网也不可偏废，两者具有较强的互补性，在建设时应做好前期论证工作。

4)数据处理系统

数据处理系统主要包括站网管理系统、水质监测数据处理子系统、移动实验室卫星定位子系统、分中心实验室数据管理子系统、实时监测数据管理子系统、水质评价系统等。

3. 监控中心建设

随着水资源保护事业发展和“数字黄河”工程的进程，进一步加强水资源统一管理和保护，逐步建成黄河水资源利用和保护体系，作为水资源保护管理决策机构，在技术支持方面最缺乏的就是一个可以对各类信息和整个水资源保护工作进行综合处理、协调、管理、决策支持的部门。水资源保护监控中心的建立完善包括行政手段、经济手段、工程手段、科技手段和法律手段在内的各项措施，实现黄河水资源的科学管理、优化配置和有效保护。作为水资源保护的神经中枢，通过水资源保护信息的收集、处理、评价、查询、预警预报、流域水资源保护规划，水功能区管理、入河污染物总量控制和监督稽查的逐步完善，实现流域水资源保护管理的监测技术现代化、数据采集自动化、信息资源共享化、管理决策智能化。

水资源保护监控中心在信息系统中是一个虚拟概念，是由多个子系统或多个功能模块组成，应包括水资源保护计算机网络系统、网络信息安全、水资源保护综合数据库、信息服务平台、GIS 虚拟环境、决策支持系统等。

4. 水资源保护应用系统建设

水资源保护应用系统主要由入河污染物总量控制监督管理子系统、水功能区监督管理子系统、入河排污口监督管理子系统、水资源保护审批管理子系统、水污染预警预测子系统、省界监督管理系统、污染事件处理系统、稽查管理系统、水污染联防系统等组成。

(三)建设原则和总体结构

1. 建设原则

以需求为导向，实行长远目标与近期目标相结合、分期实施、急用先建、逐步推进，达到既有总体目标又有阶段目标及边建设、边应用、边发挥效益的建设要求。立足当前实际，整合已有资源，最终形成完整的水资源保护信息化体系。

实行“统一规划，统一标准，强化管理，资源共享，避免重复建设”的指导方针，逐步建立有效促进水资源保护可持续发展的保证体系，以推进水资源保护的现代化和提高行业的管理水平，更好地为国民经济建设和社会发展服务。

在水资源保护信息系统的建设中，按照“先进实用，高效可靠”的原则，尽可能采用现代信息技术的最新成果，使其具有较好的先进性和较长的生命周期，保证系统的开放性和兼容性，为系统技术更新、功能升级留有余地。

充分利用国家的信息公共基础设施和黄河防汛指挥系统、黄河水资源管理系统所提供的信息资源，实行优势互补、资源共享。

2. 总体结构

依据黄河流域水资源保护局的职能，建成黄河流域水资源保护管理系统。要充分利用现代信息技术(海量数据的快速存储与处理技术、多维数据的融合与主体动态表达技术、仿真与虚拟技术、元数据技术、快速定位技术)，在整合水资源保护现有的各种资源、已建和正在建设系统的基础上，组织水资源保护管理系统的总体结构。

1)总体结构描述

"数字水资源保护系统"是"数字黄河"工程中的有机组织,是实现"堤防不决口、河道不断流、污染不超标、河床不抬高"的有效组成部分。图3-6给出的总体结构是根据黄河流域水资源保护局的职能、业务关系、机构设置等描绘出的。在图3-6中,详细地反映了数据在系统中的流动过程以及水资源保护的业务工作流程;同时,也可以看出"数字水资源保护"系统的各子系统,即系统的功能模块是相互关联、密不可分的。

根据"数字黄河"工程的总体框架要求,"数字水资源保护系统"可分为3个层次:

(1)基础设施。包括实验室数据(水资源质量监测站、省界监测站、水量调度监测站、水源地监测站、入河排污口监测站、地下水监测站、大气监测站等)、实时监测站(自动监测站、移动实验室、排污口监测、排污口远程监视等)等水质数据和图像数据以及基础资料数据的收集、处理,写入水资源保护综合数据库;监控中心的建设和水资源保护局域网的建设。

(2)信息服务平台。包括知识库、模型库和数据共享接口、服务中间件、虚拟仿真环境等部分。

(3)应用系统。包括分析评价系统、办公系统、监督稽查、监督管理系统、信息服务、专家会商系统、决策支持等部分。

2)功能组成

功能组成包括以下几方面。

ⅰ 数据采集、处理和数据存储

在5年的规划内,对黄河水利委员会管辖河道范围内的103个水资源质量监测站点、省界55个水质监测站点、水量调度水质监测13个站点、入河排污口203个站点进行水质数据采集、供水水源地15个站点进行水质数据采集;初步建立7个可移动监测站、11个自动监测站,对黄河重要河段、严重污染河段、新出现的污染源等情况进行实时监测。

实验室数据管理系统将来自分析仪器的数据自动采集、实验读数量值转换、水样身份管理、原始报表生成、数据质量认证、数据在站资料整编、实验室质量控制等,并根据对水资源质量监测、省界监测、水量调度监测的实际业务需要,按水资源保护规范要求,对原始数据资料进行汇总、合理性分析、数据验证、整理等处理,并完成资料整汇编入库。

监测数据处理系统将来自实验室数据(包括水资源质量站、省界站、水调站等)、自动监测站数据、流动实验室数据等的数据处理。在综合数据库的支持下,进行监测站资料的整编、统计、分析和水环境状况评价等;可分别对水资源质量监测、省界监

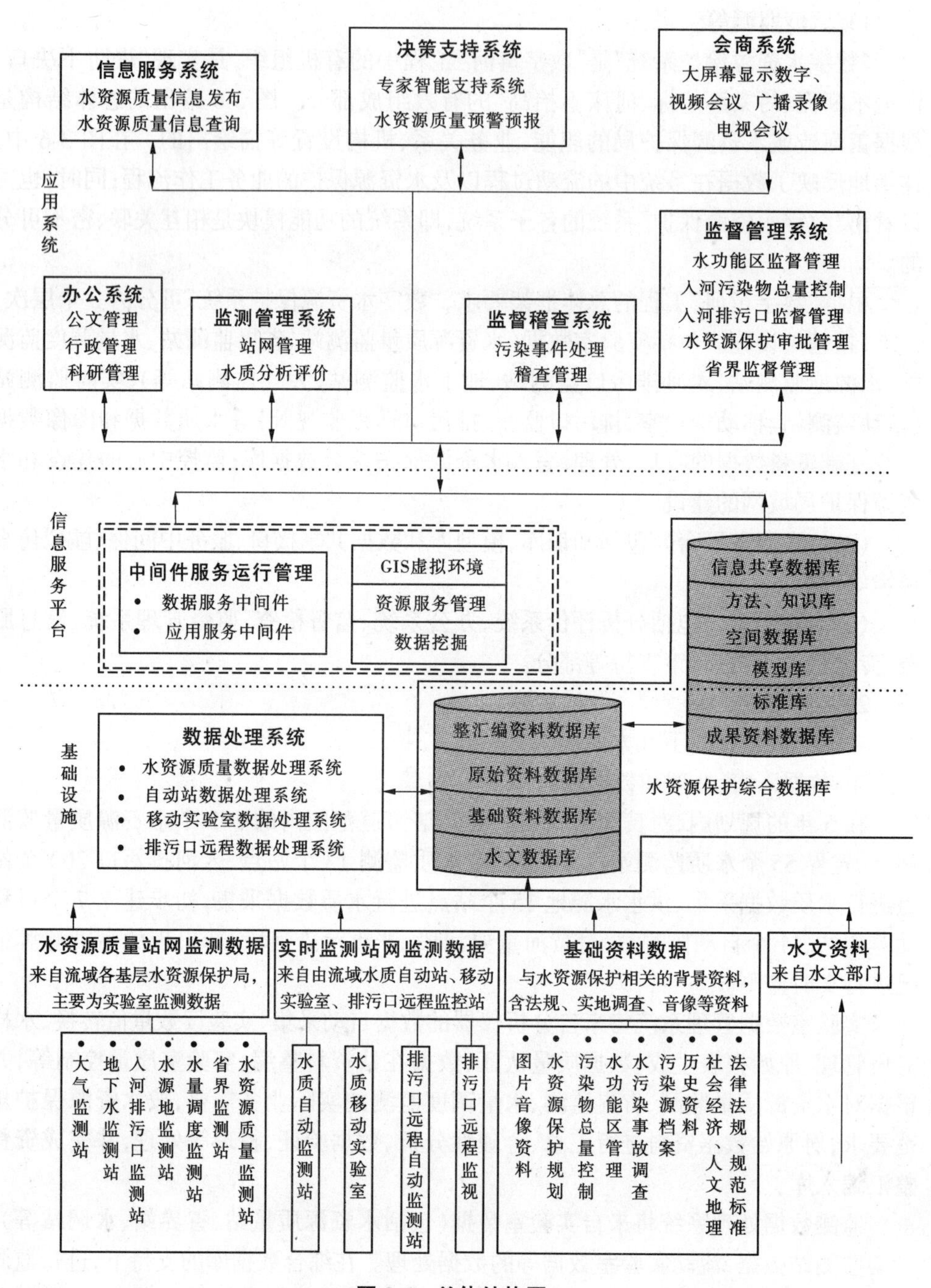

信息服务系统
水资源质量信息发布
水资源质量信息查询
决策支持系统
专家智能支持系统
水资源质量预警预报
会商系统
大屏幕显示数字、
视频会议 广播录像
电视会议
应用系统
监督管理系统
水功能区监督管理
入河污染物总量控制
入河排污口监督管理
水资源保护审批管理
省界监督管理
办公系统
公文管理
行政管理
科研管理
监测管理系统
站网管理
水质分析评价
监督稽查系统
污染事件处理
稽查管理
信息服务平台
中间件服务运行管理
数据服务中间件
应用服务中间件
GIS虚拟环境
资源服务管理
数据挖掘
信息共享数据库
方法、知识库
空间数据库
模型库
标准库
成果资料数据库
基础设施
数据处理系统
水资源质量数据处理系统
自动站数据处理系统
移动实验室数据处理系统
排污口远程数据处理系统
整汇编资料数据库
原始资料数据库
基础资料数据库
水文数据库
水资源保护综合数据库
水资源质量站网监测数据
来自流域各基层水资源保护局，
主要为实验室监测数据
实时监测站网监测数据
来自由流域水质自动站、移动
实验室、排污口远程监控站
基础资料数据
与水资源保护相关的背景资料，
含法规、实地调查、音像等资料
水文资料
来自水文部门
大气监测站
地下水监测站
入河排污口监测站
水源地监测站
水量调度监测站
省界监测站
水资源质量监测站
水质自动监测站
水质移动实验室
排污口远程自动监测站
排污口远程监视
图片音像资料
水资源保护规划
污染物总量控制
水功能区管理
水污染事故调查
污染源档案
历史资料
社会经济、人文地理
法律法规、规范标准

图 3-6 总体结构图

测、水量调度监测等不同业务、不同服务对象、不同技术要求，进行不同数据处理分析，并将成果提供给有关部门使用，以满足业务生产上的需要。

水资源保护综合数据库是可供多个应用系统共享的数据库，主要包括有水质监测数据库、文件资料数据库、图形信息数据库等。

ⅱ 信息服务平台

信息服务平台的主要功能是：①为流域水质的监督管理和信息的共享化服务；②支持各种通信网、硬件、操作系统和应用软件；③能够进行分层管理、逐级管理和传递信息；④提供开放的接口标准，支持第三方软件的接入。

信息服务平台主要由计算机网络、水资源保护综合数据库、综合信息查询系统等组成，在GIS和虚拟现实技术的辅助下，为水资源保护决策支持过程、信息发布和日常业务运行管理以及社会化的数据共享提供技术手段。

ⅲ 水资源保护应用系统

该系统是“数字水资源保护”的重要组成部分，是水资源保护业务工作实现信息化、自动化的关键。水资源保护应用系统主要功能就是全面提高现代化管理的效率和效能，加速黄河水资源保护管理科学化、信息化和数字化进程，提高流域水资源保护综合管理能力，使流域监督管理充分体现权威、公正、全面和准确、快速、及时的效能。

水资源保护应用系统主要功能包括水质目标和总量控制的双控制管理、取水许可水质监督管理、重大水污染事件调查监督及跨辖区水污染纠纷协调管理、黄河干流重点河段水质预警预报、黄河流域供水水源地保护监督管理、黄河干流重点区域内源污染监督监控、实施黄河流域重点地区地下水保护监督管理、黄河水量调度水资源保护管理；同时，另外还包括水质分析评价、办公管理、信息服务、专家会商、决策支持等功能。

第四章　流域水资源可持续利用

第一节　可持续发展理论与水资源可持续利用问题

一、可持续发展理论

(一)可持续发展的定义

要分析流域水资源可持续利用概念的内涵和外延,需要首先研究什么是可持续发展。

近年来,可持续发展的思想已为人们所熟悉,对可持续发展概念的研究引起了人们的广泛兴趣,导致可持续发展概念的定义也五花八门,概括起来有以下五个方面的定义。

(1)自然属性的定义。1991年,国际生态学联合会和国际生物科学联合会举行关于可持续发展问题的专题研讨会。该研讨会将可持续发展定义为:“保护和加强环境系统的生产和更新能力。”即可持续发展是不超越环境系统再生能力的发展。从生物圈概念出发,可以认为可持续发展是寻求一种最佳的生态系统以支持生态的完整性和人类愿望的实现,使人类的生存环境得以持续。

(2)社会属性的定义。1991年,世界自然保护联盟、联合国环境规划署和世界野生生物基金会共同将可持续发展定义为:“在不超出维持生态系统承载能力之情况下,改善人类的生活品质”,并且提出人类可持续生存的9条基本原则。在这9条基本原则中,既强调了人类的生产方式与生活方式要与地球承载能力保持平衡,保护地球的生命力和生物多样性;同时提出了人类可持续发展的价值观和130个行动方案,着重论述了可持续发展的最终落脚点是人类社会,即改善人类的生活质量,创造美好的生活环境。这份颇为世人关注的报告认为,各国可以根据自己的国情制定各不相同的发展目标。

(3)经济属性的定义。该定义认为,可持续发展的核心是经济发展。如把可持续发展定义为:在保护自然资源的质量和其所提供服务的前提下,使经济发展的净利益增加到最大限度。还有学者提出,可持续发展是:今天的资源使用不应减少未来的实际收入。当然,定义中的经济发展已不是传统的以牺牲资源与环境为代价的经济发展，而是“不降低生态环境质量和不破坏世界自然资源基础的经济发展”。经济学家皮尔斯还提出了以经济学语言表达的可持续发展定义：“当发展能够保证当代人的福利增加时，也不会使后代人的福利减少。”

(4)科技属性定义。实施可持续发展，除了政策和管理因素之外，科技进步起着重大作用。没有科学技术的支撑，就无从谈起人类的可持续发展。因此，有的学者从技术选择的角度扩展了可持续发展定义，认为：“可持续发展就是转向更清洁、更有效的技术，尽可能接近零排放或密闭工艺方法，以此减少能源和其他自然资源的消耗。”还有学者提出：“可持续发展就是建立极少产生废料和污染物的工艺或技术系统。”他们认为污染并不是工业活动不可避免的结果，而是技术水平差、效率低的表现。主张发达国家与发展中国家之间进行技术合作，缩小技术差距，提高发展中国家的经济生产力。同时，建议在全球范围内开发更有效地使用矿物能源的技术，提供安全而又经济的可再生能源技术，来限制导致全球气候变暖的二氧化碳的排放，并通过适当的技术选择，停止某些化学品的生产与使用，以保护臭氧层，逐步解决全球环境问题。

(5)挪威前首相布伦特兰夫人的定义。布伦特兰夫人曾主持由21个国家的著名专家组成的联合国世界环境与发展委员会，在其里程碑式的宣言《我们共同的未来》中，系统地阐述了人类面临的一系列重大经济、社会和环境问题，提出了可持续发展概念。这一概念在最一般的意义上得到了广泛的接受和认可。该定义是：“既满足当代人的需求，又不对后代人满足其自身需求的能力构成危害的发展。”该定义包括两个关键性的概念：一是人类需求，特别是世界上穷人的需求，即“各种需要”的概念，这些基本需要应被置于压倒一切的优先地位；二是环境限度，如果它被突破，必然影响自然界支持当代和后代人生存的能力。衡量可持续发展的主要指标有经济的、环境的和社会的，这三方面缺一不可。

(二)可持续发展的基本思想

可持续发展并不否定经济增长，尤其是欠发达国家的经济增长，但需要重新审视如何实现经济增长。要达到具有可持续意义的经济增长，必须审视使用能源和原料的方式，力求减少损失、杜绝浪费并尽可能不让废物进入环境，从而减少每单位经济活动造成的环境压力。既然环境退化的原因存在于经济过程之中，其解决办法应该也只能从经济过程中去寻找。目前急需解决的问题是研究经济上的扭曲和误区，站在保护环境，特别是保持全部资本存量的立场上去纠正它们，使传统的经济增长模式逐步向可持续发展模式过渡。

可持续发展以自然资源为基础，同环境承载能力相协调。“可持续性”可以通过适当的经济手段、技术措施和政府干预来实现，其目的是减少资源的耗竭速率，使之低于资源再生速率。如设计出一些动力机制，引导企业采用清洁工艺和生产非污染产品,引导消费者采用可持续消费方式并推动生产方式的改革。废物总会产生,但每单位经济活动所产生的废物数量可以减少。如果经济决策中能够系统地考虑环境影响,可持续发展是可以实现的。相反,如果处理不当,则环境退化的成本非常巨大,甚至可能抵消经济增长的成果。

可持续发展以提高生活质量为目标,同社会进步相适应。单纯追求产值的经济增长不能体现发展的内涵。经济增长一般被定义为人均国民生产总值的提高,而单纯使人均实际收入提高,未能使社会和经济结构发生进化,未能使一系列社会发展目标得以实现,就不能承认其为发展,就会出现所谓"没有发展的增长"。

可持续发展承认自然环境的价值。应当把生产中环境资源的投入和服务计入生产成本和产品价格之中,并逐步修改和完善国民经济核算体系,即"绿化"GNP。为了全面反映自然资源的价值,产品价格应当完整地反映三部分成本:资源开采或获取的成本;开采、获取、使用有关的环境成本(环境净化成本和环境损害成本);由于当代人使用了某项资源而不可能为后代人利用的效益损失,即用户成本。

(三)可持续发展原则

(1)公平性原则。可持续发展所追求的公平性原则包括三层意思:一是本代人的公平,即本代人之间的横向公平性。可持续发展要满足全体人民的基本需求,以及给全体人民机会以满足他们要求较好生活的愿望。当今世界的现实是一部分人富足,而另一部分人特别是占世界人口1/5的人处于贫困状态。这种贫富悬殊、两极分化的世界,不可能实现可持续发展。二是代际间的公平,即世代人之间的纵向公平性。要认识到人类赖以生存的自然资源是有限的,本代人不能因为自己的发展与需求而损害人类世世代代满足需求的条件——自然资源与环境,要给世世代代以公平利用自然资源的权利。三是公平分配有限资源。目前的现实是,占全球人口26%的发达国家消耗的能源、钢铁和纸张等,却占全球的80%。

(2)可持续原则。可持续性是指生态系统受到外界干扰时能保持其生产率的能力。资源与环境是人类生存与发展的基础和条件,离开了资源与环境人类的生存和发展就无从谈起。资源的永续利用和生态系统可持续性的保持是人类持续发展的首要条件。可持续发展要求人们根据可持续性的条件调整自己的生活方式,在生态允许的范围内确定自己的消耗标准。

(3)共同性原则。鉴于世界各国历史、文化和发展水平的差异,可持续发展的具体目标、政策和实施步骤不可能是惟一的。但是,可持续发展作为全球发展的总目标,所体现的公平性和可持续性原则则是共同的,并且要实现这一总目标,必须采取全球共同的联合行动。从广义上说,可持续发展的战略就是要促进人类之间及人类与自然之间的和谐。如果每个人在考虑和安排自己的行动时,都能考虑到这一行动对其他人(包括后代人)和生态环境的影响,并能真诚地按共同性原则办事,那么人类内部及人类与自然之间就能保持一种互惠共生的关系,也只有这样,可持续发展才能够实现。

(4)需求性原则。传统发展模式以传统经济学为支柱,所追求的目标是经济的增长,主要通过国民生产总值来反映。它忽视了资源的代际配置,根据市场信息来刺激当代人的生产活动。这种发展模式不仅使世界资源环境承受着前所未有的压力而不断恶化,而且人类的一些基本物资需要仍然不能得到满足。而可持续发展则坚持公平性和长期的可持续性,要满足所有人的基本需求,向所有的人提供实现美好生活愿望的机会。

人类需求是由社会和文化条件所确定的,是主观因素和客观因素相互作用、共同决定的结果,与人的价值观和动机有关。人类需求系统分为基本需求子系统、环境需求子系统和发展需求子系统。基本需求是指维持正常的人类活动所必需的基本物质和生活资料;环境需求是指人们在基本需求得到满足后,为了使自己的身心更健康、生活更和谐所需求的条件;发展需求指在基本需求得到满足以后,为了使生活更充实和进一步向高层次发展所需要的条件。应该指出的是,人类需求因子常常交织在一起。

由上可知,可持续发展的内涵极其丰富。就其社会观而言,主张公平分配,既满足当代人又满足后代人的基本需求;就其经济观而言,主张建立在保护地球自然系统基础上的持续经济发展;就其自然观而言,主张人类与自然和谐相处。这些观念是对传统发展模式的挑战,并为人类谋求新的发展模式和消费模式,从而为新的发展观形成奠定了基础。

二、水资源可持续利用问题

流域水资源可持续利用涉及流域水量和水质两个方面。本章主要从水质角度研究流域水资源可持续利用问题。

流域水资源系统是流域范围内全部生物和物理环境的统一体,即流域空间内生物和非生物成分通过物质的循环、能量的流动和信息的交换而相互作用、相互依存所构成的一个生态学功能单位。

随着社会经济的不断发展,流域水质恶化问题日益突出,水资源供需矛盾日趋加剧,实现流域水资源可持续利用的困难越来越大。

以黄河为例,实现黄河流域水资源可持续利用所面临的突出问题有:①水资源供需矛盾突出,下游断流问题严重;②中游地区严重的水土流失,尚未从根本上得到治理;③河水含沙量大,下游河床持续淤积抬高;④水污染严重。

从水资源管理的角度,黄河水利委员会为实现黄河流域水资源可持续利用做了大量的工作,其中包括:①加强水资源规划工作,提出黄河可供水量分配方案;②全面实施黄河取水许可制度;③编制下游配水计划,实施长距离调水;④制订水量调度方案和办法,加强黄河水量实时调度;⑤加强对黄河水资源的监测保护;⑥高度重视黄河断流情况,加强基本工作研究。

以上工作对黄河流域水资源可持续利用起到了一定的促进作用。然而,要实现黄河流域的水资源可持续利用,仅仅依靠上述工作是不够的。必须有正确的研究方法(如模型黄河和数字黄河),必须依靠经济、法律、技术、政策等综合手段,必须处理好重大项目建设的环境影响问题,必须有广泛的参与。

第二节　流域水资源可持续利用的评价

一、流域水资源质量及评价

流域水资源质量,指流域水资源的总体或某些要素对流域尺度内的生物的生存和繁衍以及人类社会经济发展的适宜程度,包括流域水资源综合质量和各种生态环境要素的质量。流域的生态环境质量,是人们制定开发利用流域资源、发展流域经济、控制流域污染、保护流域水资源具体计划和措施的主要依据。

流域水资源质量评价,指根据环境(包括污染源)调查与监测资料,应用各种评价方法,对一个流域的生态环境质量做出的评定与估价。按环境要素,可分为单要素评价、联合评价和综合评价三种类型。单要素评价是对反映流域水资源特点的多个要素,一个要素一个要素地进行评价。联合评价是对两个以上环境要素联合进行评价,例如,地面水与地下水的联合评价,土壤与作物的联合评价,地面水、地下水、土壤与作物的联合评价等。联合评价可以反映污染物在当地各环境要素间的迁移、转化特征,反映各个环境要素质量的相互关系。综合评价是流域整体生态环境的质量评价,通常是在单要素或联合评价的基础上进行的,通过综合评价从整体上全面反映一个流域水资源的质量状况。

流域水资源质量的综合评价与流域水资源质量单项评价的主要不同点在于:综合评价是将某一流域水资源体系看成一个整体,即一个环境基本单元,在考虑它的功能的同时,突出其中某一项或某几项的主要污染问题,将其与生物的生存和繁衍以及防治对策作为主要的研究目标,进行总体的流域水资源质量评定。

流域水资源质量综合评价包括现状评价和预测评价。一般现状评价包含历史状况的分析评价,现有问题及其主要矛盾所在,并提出可能的防治措施。预测评价可分为战略预测和战术预测。所谓战略预测就是将所研究的流域水资源基本单元的发展规模、资源利用和保护等问题,从流域水资源保护的角度提出科学依据。战术预测是在流域内一个或数个大型工程特别是水工程设施建设之前,所进行的环境影响事前评价。其一般任务是,根据当地的自然条件和工程规模、性质、生产工艺水平及预计排污状况等资料,对工程将带来的可能影响进行研究、作出预测估计,并制定尽可能完善的预防公害和环境破坏的对策。

二、流域水资源质量评价的内容和程序

(一)评价内容

(1)流域自然环境和社会环境背景的调查分析。流域自然环境为流域水资源提供了物质基础,自然环境条件又决定了对流域污染物质的输送、稀释扩散和净化能力。显然,自然环境背景对流域水资源质量有显著的制约作用。因此,在进行流域水资源质量评价工作时,首先必须对自然环境背景进行调查。

自然环境背景的调查内容,包括流域内的地层组成、地质构造、岩性、水文地质、工程地质条件、环境水文地质条件、地貌形态、水文、气象、土壤、植被、珍稀动植物物种,等等。

社会环境背景的调查内容,包括流域内的土地利用,产业结构、工业布局,主要厂矿企事业单位和居民点的分布(人口密度及其空间分布),国民经济总产值及在行业部门间的分配,市政及公共福利设施,重要的政治、经济、文化、卫生设施及位置,环境功能区、各功能区的位置,近期和远期的环境目标,等等。

(2)污染源的调查与评价。污染源是造成流域水资源污染、导致流域水资源质量下降的根源。为了找出流域水资源质量变化的原因,确定导致流域水资源污染的主要污染物,解释流域水资源质量的时空变化,必须对污染源进行调查和评价。通过调查和评价,可以确定主要污染源和主要污染物,为评价因子的确定提供依据。

(3)流域水资源质量的监测和评价。对组成流域水资源的各个要素开展实地监测,根据监测结果作出评价。评价时先进行单要素的质量评价,然后再进行全流域水资源的综合质量评价。

各要素中污染物浓度的时空分布取决于众多的因素。为了搞清污染物浓度的时空分布及其原因,在监测时,除对各要素中污染物的浓度组织实地监测外,最好对主要的影响因子也同步监测。如在进行水质监测时,除对主要水污染源的源强监测外,对河水的流速、流量、泥沙含量等也进行同步监测;进行大气化学监测时,除对主要大气污染源的源强监测外,对风向、风速、大气扩散能力等也进行同步监测。这样做不仅可以正确解释监测的结果,而且可以根据污染源的源强预测未来浓度的变化,验证

预测模式,求取预测参数等。

(4)环境污染生态效应的调查。环境污染生态效应指对植被、农作物、动物和人群健康的影响。可以通过社会调查、现场踏勘或实地采样化验等方法查清环境污染的生态效应,最终为划分各要素和全流域水资源质量等级提供依据。

调查了解或监测评价的内容包括植被,农作物的一般伤害症状、长势、产量,植物体内污染物质的含量等;对于动物、人群,则主要了解多发病、常见病、流行病、特异病症、生育状况、畸形、怪胎、体内敏感器官或组织中污染物质的含量等。儿童对环境污染较为敏感,故其生长发育和健康指标也常作为生态效应调查的内容。

(5)流域水资源质量研究。主要研究流域水资源质量的时空变化和影响因素及污染物在流域水资源各要素中的迁移转化规律和分配,建立相应的数学模式。研究环境对污染物的自净能力,确定环境容量,为制定污染物的排放标准和流域水资源质量标准提供依据。

(6)污染原因及危害分析。从城市规划布局、土地利用、人口数量、资源消耗、产业结构、工业选型、生产工艺与设备等宏观决策方面来寻找污染的原因,以便为彻底根治提供决策依据。

污染危害主要指对生态环境的破坏、对人群健康的影响及由此造成的经济损失。通过污染危害的分析,一则可以教育人民,使人人都来关心环境,爱护环境;二则促使领导对治理早下决心,为流域环保治理的投资决策提供依据。

(7)综合防治对策研究。针对流域水资源质量问题,应进行综合防治对策的研究。综合防治对策包括从流域水资源区划和规划入手,调整流域的产业结构、工业布局和功能区划分,确定环保投资比例和重点治理项目;从流域水资源管理入手,制定有关环境保护的法令、法规,按流域功能区划分环境容量,确定各项目污染物的流域水资源质量标准和污染物排放标准,以及控制排放、监督排放的各项具体管理办法;从环境工程入手,制定流域重点污染源的治理计划和各污染源的治理方案、经费概算和效益分析。最后,根据提出的综合防治对策进行流域水资源质量预测。将预测的结果和流域水资源目标相对照,如果满足目标值的要求,则综合防治对策通过,组织执行。否则,就要修改对策。如此往复,直到满足流域水资源目标为止。

(二)流域水资源质量评价程序

(1)流域水资源质量现状评价程序。流域水资源质量综合评价并无一个固定的模式和程序,它因评价区域的特点、所关心的主要问题的不同而有所差异。综合国内流域水资源质量评价的实际情况及要求,可将图 4-1 所示的工作程序作为流域水资源质量现状评价的参考。当然,针对所研究对象的具体情况与要求,工作的侧重点及工作程序可以有所调整和取舍。

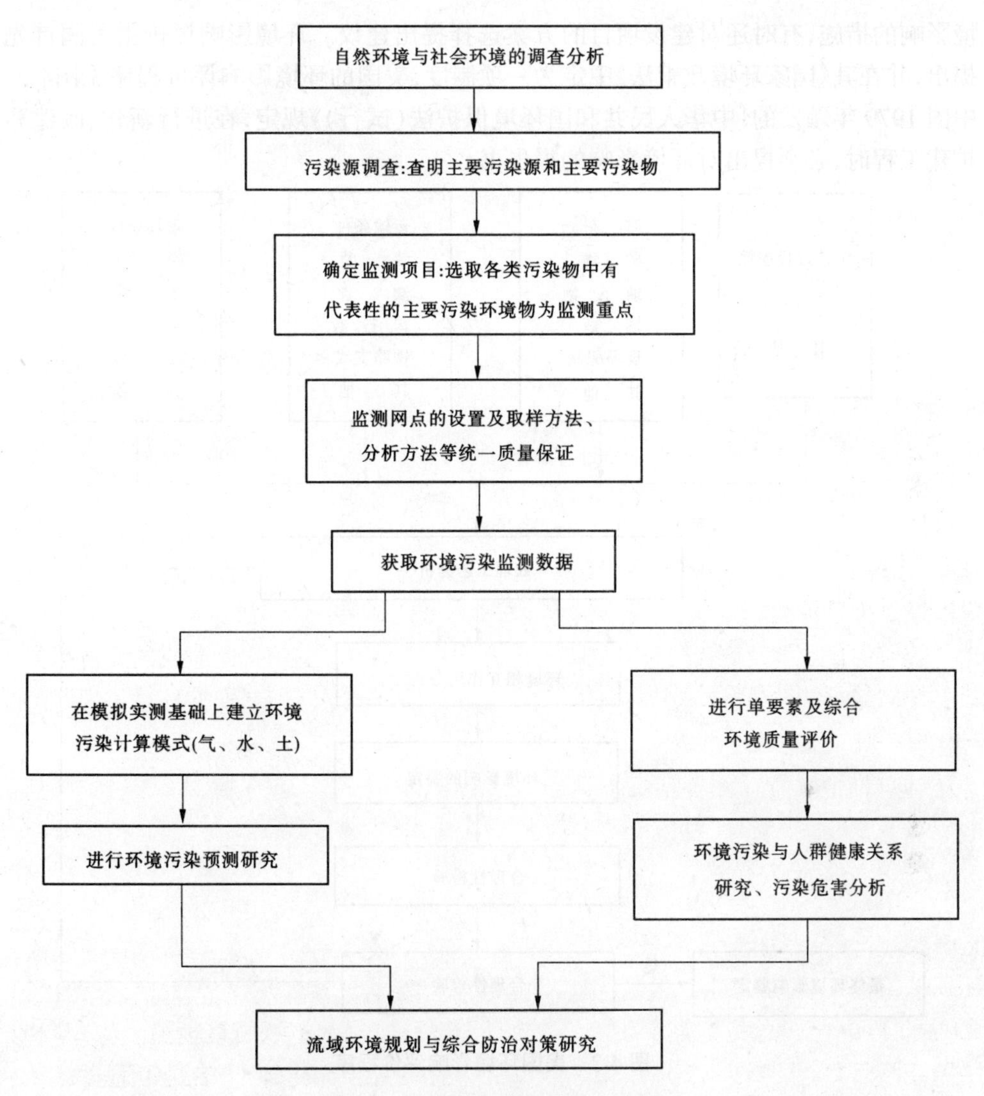

图 4-1　流域环境质量现状评价程序

(2)流域水资源影响评价程序。环境影响评价是在一项人类活动未开始之前,对它将来在各个不同时期所可能产生的环境影响(流域水资源质量变化)进行的预测与评估,其目的是为全面规划、合理布局、防治污染和其他公害提供科学依据。其主要内容包括:分析该项目环境影响的来源,调查该项目所在地区的环境状况,定量或定性地预测该项目在施工过程、投产运行及服务期满后等各阶段对环境的影响,最后在前述工作的基础上对实施与执行此项目做出全面评价和结论,并提出减少或预防环境影响的措施，有时还对建设项目的方案选择提出建议。环境影响评价由美国首先提出，并在其《国家环境政策法》中定为一项制度，美国的环境影响评价程序见图4-2。中国 1979 年颁发的《中华人民共和国环境保护法（试行）》规定，在进行新建、改建和扩建工程时，必须提出对环境影响的报告书。

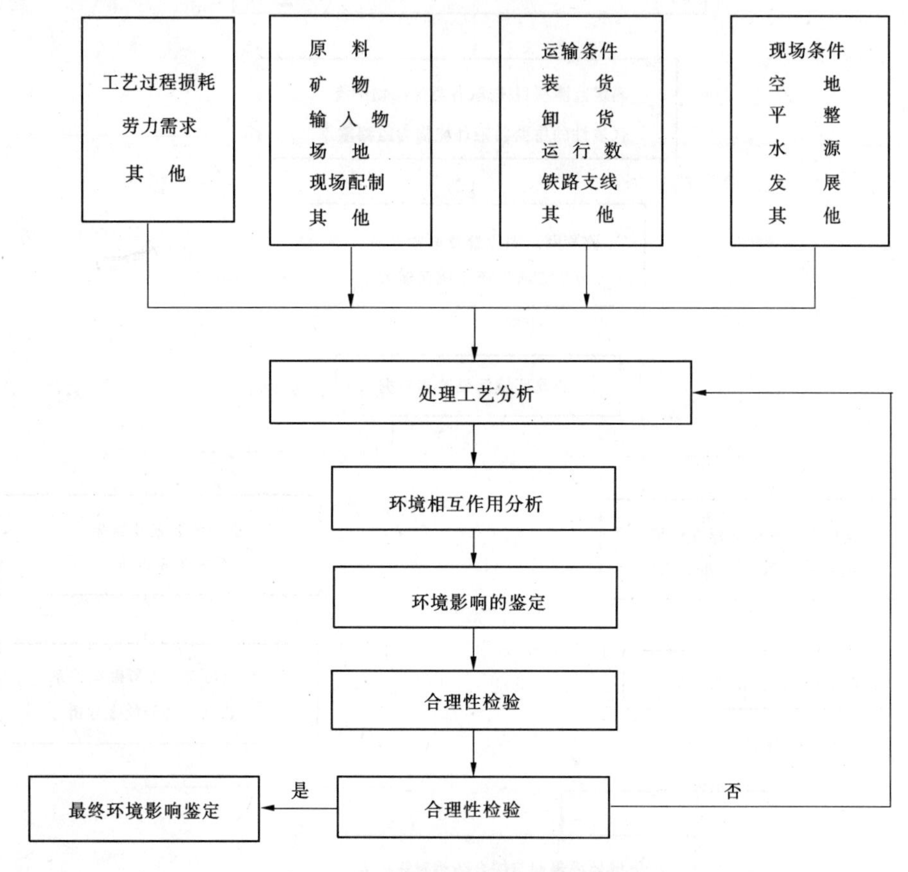

图 4-2　美国环境影响评价程序

根据环境影响评价工作的目的与要求，其程序大致可分为三个阶段：第一阶段即预评阶段，首先确定计划建设项目是否需要进行详细评价，若不需要，就可发施工执照直接进行开发；第二阶段是认为需要做详细评价时，开始准备初步评价报告书，即根据当地自然条件和工程规模、性质、生产工艺水平和预测排污状况等资料，提出工程将会带来的可能影响的预测估计；第三阶段是最后报告，在这一阶段，将初步评价报告书发给有关评价机构征求意见，据此作出修改，并写出最后报告书，认为无问题即发给施工执照。

三、流域水资源质量评价要素与评价因子的选择

(一)评价要素的选择

就一评价对象而言,流域水资源质量的要素是多方面的,例如大气、水体、食物、土壤、社会生活等。在进行评价要素选择时,应根据评价目的、目标及条件,以不遗漏主要评价要素为原则,使评价结果能较客观地反映评价流域的生态环境质量特征及规律。

如以控制污染为主要目标,则应抓住与人体健康、生存条件等有关的要素,并力求突出其中的主要问题。若以保护、利用和开发风景旅游区为主要目标,则应抓住环境美学质量要素,例如自然景观美、建筑艺术美、人文景观美、环境气氛美等诸要素。

但是,在一项综合评价中,往往兼有多方面的目标。此时,则应同时包含有关的环境要素,以满足评价目的与要求为原则。

(二)评价因子的选择

评价因子包含多方面,如感官的、物理的、化学的、生物的、社会的、精神的,等等。感官的如恶臭、浑浊物;理化的如粉尘石、重金属等;生物的如水生藻类、底栖动物等。在评价时,应抓主要的、综合性的因子。

一般来说,评价因子要根据评价的目的而选择,即要能说明流域水资源的变化规律。应考虑的基本原则如下:

(1)根据评价的对象和目的选择。评价的对象和目的不同,要求的流域水资源质量亦有所差异。例如对同一水体,当作为游览水体和饮用水源分别进行评价时,所选择的评价因子就不同。前者除了选择与人体健康有关的微量有毒元素外,应重点选择反映感官性状好坏的参数与影响感官性状的参数作为评价因子。后者则应主要选用与人体健康有关的参数,如大肠杆菌、水的硬度和毒理学指标等。

(2)根据区域生产有害污染物的排放特点选择。流域内不同地区的工、农、商、交通、医疗等部门的结构、布局、数量、规模等均有不同,对环境释放出来的有害物质也不相同。例如一般的教育区和工业区的主要排放物不同;位于不同地区的不同工厂(如水泥厂和化工厂等)排放的主要有害污染物也是不同的。因此,只有从污染源中选择评价因子,才能体现这一地区流域水资源质量优劣的真实性和改造控制环境的可靠性。

(3)应尽量选择国家规定的监测项目。我国相继提出了一系列流域水资源污染监测项目和标准,这些标准都是从毒性的大小、对人体健康的危害程度以及对环境的影响情况等多方面来考虑制定的。当评价一个特定的环境时,应尽量选择国家有关监测项目和标准,不仅使评价有所规范,而且使得有关参数有标准可循,利于比较,使

评价的质量准确而有效。

在有些情况下，所必须选择的评价因子并没有国家规定的标准。此时，也可根据本地区情况，以确定不同数据所反映的环境状况，定出标准。

显然，上述原则也是单项环境质量评价应加以考虑的。就综合流域水资源质量评价而言，概括起来，选择评价因子的限制条件是：在评价地区内，所选择的评价因子应能表达本地区生态环境受到的影响程度；在评价方法上能解决定量化问题，以便解决评价函数和确定权值。

有关流域水资源质量评价因素和评价因子的确定，参见《水利水电工程环境影响评价规范》(SDJ 302—88)和《江河流域规划环境影响评价规范》(SL45—92)，此处不再详述。

第三节 流域水资源可持续利用研究方法论

在实现流域水资源可持续利用的过程中，必然会遇到方法论问题。在正确的方法论指导下，可以收到事半功倍的效果；反之，在错误的方法论指导下，则事倍功半，甚至相反的效果。

近年来，随着科学技术的不断发展，方法论研究的新成果也层出不穷。从系统论、控制论和信息论，到耗散结构理论、突变论和协同论，以及综合集成分析、混沌分析、分形分析、神经网络分析、模糊分析等各种不确定性分析等，令人眼花缭乱。此处不对这些新的具体方法进行研究，所要研究的是最基本的方法论问题，主要包括实证分析、规范分析、定性分析和定量分析。

方法论是指处理问题和从事活动的方式，它构成了我们完成一项任务的一般途径和路线，而不是告诉我们如何完成任务的具体细节。学习方法论的主要理由是，它为形成新的可靠的认识提供了一种已经受过时间检验并已被证实的手段，而这些被积累起来的、不断扩大的、具有可靠性的认识便构成了“科学”。真正理解并掌握基本的方法论精髓，对实现流域水资源可持续利用是大有裨益的。尤其在当今时代，在各种新思想层出不穷、各种流派鱼目混珠的情况下，强调这些基本的方法论更加重要。

需要说明的是，本节所分析的方法论主要源于成熟的经济学方法论，这些经济学方法论已在众多经济领域取得了成功，同样也在流域水资源可持续利用领域起着重大的作用。

一、实证分析和规范分析

(1)实证分析。流域水资源可持续利用的实证分析是作出与流域水资源可持续利用有关的假定，分析并预测与流域水资源有关的行为后果。它力求说明“是什么”的问题。或者说，它回答这样的问题：如果作出了某种选择，它将会带来什么样的后果。

流域水资源可持续利用的实证分析是有一定的前提的，因此有关流域水资源可持续利用的行为的假定非常重要，分析和预测都是在这种假定的前提下进行的。例如，“如果A引起B，那么B就引起C”，或者“如果其他一切条件不变，有了D，就必然出现E”等，就是实证分析的基础命题。至于A、B、C、D、E的出现是“好事”还是“坏事”，则不在讨论之列。实证分析不回答是否应作出某种选择的问题。

(2)规范分析。流域水资源可持续利用的规范分析是以一定的价值判断作为出发点，提出与流域水资源可持续利用有关的行为标准，并研究如何才能符合这些标准。它所力求说明的是“应该是什么”的问题。或者说，它回答这样的问题：为什么要作出这样的选择，而不是作出另一种选择？

价值判断对规范分析是非常重要的。例如，A引起C、B引起D，C与D相比，C是“好的”、D是“不好的”，所以A和B相比，A是“好的”、B是“不好的”。换而言之，规范分析要研究的是A、B、C、D是非善恶之分。

(3)实证分析和规范分析的比较。实证分析是一种对流域水资源可持续利用过程的判断，它是在既定的假定下进行的。它可以通过各种方式检验由此得出的结论是否正确。规范分析则是伦理判断，它并不是先检验流域水资源可持续利用的过程，而是先检验假定本身，并通过对假定的检验，再对流域水资源可持续利用过程作出判断。

实证分析和规范分析都与目标问题有关。流域水资源可持续利用的目标是分层次的，越是高级的目标越具有规范性；目标层次越低，越具有实证性。因此，实证分析和规范分析并不矛盾。它们在各自的领域内，用不同的方法进行研究，其结果应当是互相补充的。

实证分析大都是与事实相关的分析，而规范分析则和价值有关。前者试图回答“是什么”的问题，而后者要解决的问题在于回答“应该怎样”。换言之，“是”和“应该是”之间的区分、事实和价值之间的区分、想像中的关于世界的客观性的论述和对世界的带有主观性的叙述之间的区别，共同组成了实证分析和规范分析的判别条件。据此，描述流域水资源可持续利用究竟是如何运行的，或人们行为的结果是什么的学问便被称之为实证分析，而那些充满激情的赞美或诋毁(“应该”或“不应该”)某种运行机制或人们的行为的做法，则往往被贴上规范分析的标签。

严格讲，将实证分析仅仅归结为恪守“是什么”的原则，多少是有些欠妥当的。在究竟什么是“实证分析”这个问题上，专家们各持己见。不过，“实证分析”所蕴含之内容，要比“是什么”宽泛得多。它对“是什么”问题的回答，应建立在下述三项原则或准则上：第一，原则上的可检验性；第二，在逻辑上能够自圆其说，说得绝对些，至少是那种同义反复的东西；第三，进而具有解释性。

对于把事实和价值、实证与规范相对立的“二分法”的做法，提出怀疑或反对的大有人在。一些经济学大师断言，所有的自然科学和社会科学的方法论，从整体上说都属于实证分析。

其实，任何人在进行实证分析时，总持有一定的价值判断标准。他选择这样的事实加以分析而抽掉其他的一些问题，这本身已隐含了价值判断。规范分析同样也离不开实证分析，规范分析要有说服力，就必须使自己植根于实证分析的基础之上，它实质上是纳入了一定的价值标准的更带有建议性的实证分析。实证分析和规范分析是难以截然分开的。

综上所述，可以得到下面几点结论：第一，“是”与“应该是”，或事实与价值，是交织在一起的。第二，从逻辑上讲，对事实的描述先于价值形成，尽管在现实中由于价值取向和意识形态以及未来不确定性的缘故，“是什么”并不总能完全把握。第三，虽然先入为主之见总在进行干扰，但刻意追求实证分析的纯洁性已将干扰减弱到最低限度，仍不失为一种科学精神。第四，实证和规范之间并不存在无法跨越的鸿沟，对事实的描述可以也必须过渡到“应该如何”上来，或以后者为归宿，因为人类面临的是选择手段以期实现目标，要选择就不能没有标准。最后，在分析中打算彻底清除价值取向或意识形态的做法是不足取的，因为实证和规范两者是互补的。由此看来，兼顾两者的中庸倾向，似应成为我们寻求的目标。

二、定量分析和定性分析

就流域水资源可持续利用研究而言，定量分析与定性分析是相辅相成的两种研究方法。定量分析是定性分析的前提和基础，而定性分析只有建立在翔实的定量分析基础之上，才能揭示出事物的本质与特征。关于定量分析与定性分析的关系问题，集中体现在如何看待数学的应用问题。

有的学者认为，当前西方社会科学发展的趋势不是数学化，而是从政治学、哲学这样更广泛的角度来分析问题。不少学者对社会科学如经济学的日益数学化提出了质疑，例如，有批评说经济学中过分地应用数学也许是要掩盖对经济学的无知。美国著名经济学家、诺贝尔经济奖获得者里昂惕夫曾批评道：“专业经济学杂志连篇累牍充满着数学公式，诱使读者从一组或多或少似乎是真理实则完全任意的假定得出精确的、用数字表示但又不符合实际的理论结论。”毋庸置疑，重视经济问题中的社会与政治因素的确是近年来西方经济学发展的一个特征。但经济学中数学运用得越来越多、越来越高深却是主流,套用一句流行的话来说,在经济学中“数学不是万能的,但没有数学是万万不能的”。

总之,经济学的数学化对于完善经济学的表述形式、增加经济学的分析工具,无疑具有重要的进步意义。然而,如果把过多的资源用于追求徒有其表的精致形式而无视现实中种种棘手的问题,那将至少是资源的错误配置。如果把经济学的形式化作为回避现实经济生活中错综复杂的关系,尤其是非经济因素、经济因素的关系的手段,那将是对经济学进步的反动。在没有一套具有现实意义的、切实可行的经济理论作基础的情况下,在没有认清包括与经济密切相关的非经济因素、经济因素和经济各因素自身之间关系的情况下,从过分的数学形式主义中是不会得到比智力游戏更多的东西的。

第四节 流域水资源可持续度的概念和计算

目前关于可持续发展状况的评价方法可归纳为两类:一是采用多指标建立指标系统来评价可持续发展,二是采用单一指标即系统指标来评价可持续发展。对这一问题的研究,国内外大都停留在概念提供或定性分析上,缺乏量化的理论和方法。如何建立一个物理意义明确,并能精确计算,以多指标为基础的单一评价指标,是目前可持续发展研究中仍未解决好的问题。

本节以陈守煜创立的工程模糊集理论为基础,指出流域水资源系统可持续利用是时间维上的模糊概念,提出用相对隶属度表示的衡量可持续利用状况的系统指标——可持续度的定义及计算方法。

一、流域水资源系统可持续度的模糊集概念

模糊性是人类思维和客观事物普遍存在的属性之一。基于这一客观事实,为弥补目前流域水资源系统可持续利用评价方法忽视模糊性的缺陷,以便能得到符合流域水资源系统发展客观状况的评价结果,可以应用模糊数学隶属度概念定量描述复杂水资源系统可持续利用状况。

流域水资源系统“可持续利用”是时间维上的模糊概念。在时间维上,流域水资源系统可持续利用的边界不清晰。对应于某一时间,作为评价对象的某一流域水资源系统,其可持续利用的程度可用隶属度来表示,也就是采用隶属度来描述拟评价的复杂性。

流域水资源系统可持续利用状况在不同时间的中介过渡,以精确的数学语言表达流域水资源系统可持续利用概念的模糊性。

(1)绝对隶属度。当有评价可持续发展的绝对指标值时,可以采用绝对隶属度来描述复杂水资源系统的可持续发展状况。

定义1:设时间论域 U 上的一个可持续发展模糊概念 $\underset{\sim}{A}$。分别赋予处于共维差异的中介过渡段的两个端点(称极点)以0和1两个数。在0到1的数轴上构成一个[0,1]闭区间数的连续统。对于 U 中的任意元素 u 或 $u \in U$,都在该连续统上指定一个数 $\mu_{\underset{\sim}{A}}^{0}(u)$,称为 u 对 $\underset{\sim}{A}$ 的绝对隶属度。映射

$$\mu_{\underset{\sim}{A}}^{0}: U \rightarrow [0,1]$$

$$u \propto \mu_{\underset{\sim}{A}}^{0}(u)$$

称为 $\underset{\sim}{A}$ 的绝对隶属函数。

(2)相对隶属度。当没有评价可持续利用的绝对指标值时,例如可持续利用状况的评价主要是在一定区域、一定时间范围内,对若干个评价对象进行可持续发展状况排序时;或仅有适合一定区域、一定时间范围内的评价指标标准值时,可以采用相对隶属度来描述流域水资源系统可持续利用状况。

定义2:在定义绝对隶属的连续统上建立参考系,使其中的任两个点为参考坐标上的两极,赋予参考系的两极以0和1的数,并构成参考系[0,1]数轴上的参考连续统。对于 U 的任意元素 u 或 $u \in U$ 都在该参考连续统上指定一个数 $\mu_{\underset{\sim}{A}}(u)$,称为 u 对 $\underset{\sim}{A}$ 的相对隶属度。映射

$$\mu_{\underset{\sim}{A}}: U \rightarrow [0,1]$$

$$u \propto \mu_{\underset{\sim}{A}}(u)$$

称为 $\underset{\sim}{A}$ 的相对隶属函数。

二、可持续度的定义及计算方法

定义3:称对模糊概念"可持续利用"的相对隶属度为可持续度。

在评价某一流域水资源系统可持续利用状况时,根据影响流域水资源系统可持续利用的多个指标的实际测量值,以衡量这些指标的可持续利用程度的标准值为比较依据,计算可持续度。如前所述,可持续利用状况可用隶属度来表示。当有各评价指标的绝对可持续利用标准值时,可以计算绝对隶属度来表示可持续利用状况。但是,各评价指标的绝对可持续利用标准值一般不存在,或尽管存在但因人们认识水平的限制而难以达成共识。实践中,经常出现的是没有评价指标的绝对可持续利用标准值,这时可计算相对隶属度来表示可持续度。

设待评价的 n 个流域水资源系统 X,有 m 个指标如水资源利用率等构成计算 X

的可持续度的指标集,每个指标的实测值为

$$X = \begin{bmatrix} x_{11} & x_{12} & \cdots & x_{1n} \\ x_{21} & x_{22} & \cdots & x_{2n} \\ \vdots & \vdots & & \vdots \\ x_{m1} & x_{m2} & \cdots & x_{mn} \end{bmatrix} = (x_{ij})$$

根据指标与可持续利用之间呈正相关或负相关两种情况,采用不同的属性规格化公式。当呈正相关时,取参考连续统上相对隶属度为 0 的左极点对应于 $x_{i\min}$,相对隶属度为 1 的右极点对应于 $x_{i\max}$。$x_{i\min}$、$x_{i\max}$分别为可持续利用评价标准的最小、最大值。介于 $x_{i\min}$与 $x_{i\max}$之间的指标 x_{ij},相对隶属度可按下式确定

$$r_{ij} = \frac{x_{ij} - x_{i\min}}{x_{i\max} - x_{i\min}}$$

相反,呈负相关时,相对隶属度可按下式确定

$$r_{ij} = \frac{x_{i\max} - x_{ij}}{x_{i\max} - x_{i\min}}$$

将实测值指标矩阵应用前面两式规格化,得规格化矩阵

$$R = \begin{bmatrix} r_{11} & r_{12} & \cdots & r_{1n} \\ r_{21} & r_{22} & \cdots & r_{2n} \\ \vdots & \vdots & & \vdots \\ r_{m1} & r_{m2} & \cdots & r_{mn} \end{bmatrix}$$

取规格化矩阵的两个极点为 $\vec{y} = (1,1,\cdots,1)$与 $\vec{g} = (0,0,\cdots,0)$作为构建求解可持续度的目标函数的比较基准。

求解可持续度是在 m 个指标论域中进行的,设 m 个指标的权重为 $w_1, w_2, \cdots, w_m$,并满足归一化条件。权重的确定,可采用陈守煜提出的指标权重确定的模糊二元对比方法。设第 j 个流域水资源系统对极点 $\vec{y} = (1,1,\cdots,1)$的相对隶属度为 $u_{(j)}$,根据余集定理,对另一极点 $\vec{g} = (0,0,\cdots,0)$的相对隶属度为 $1 - u_{(j)}$。于是各评价对象与两个极点的差异可分别用加权广义距离

$$D_{yj} = u_{(j)} \left\{ \sum_{i=1}^{m} (w_i(1 - r_{ij}))^p \right\}^{2/p}$$

$$D_{gj} = (1 - u_{(j)}) \left\{ \sum_{i=1}^{m} (w_i r_{ij})^p \right\}^{2/p}$$

表示,p 为距离系数。为了确定 $u_{(j)}$,建立目标函数

$$\min F(u_{(j)}) = D_{yj}^2 + D_{gj}^2$$

令 $F(u_{(j)})$对 $u_{(j)}$的导数为 0,解得评价对象 j 的可持续度为

$$u_{(j)}=\frac{1}{1+\left\{\frac{\sum_{i=1}^{m}[w_i(r_{ij}-1)]^p}{\sum_{i=1}^{m}(w_ir_{ij})^p}\right\}^{2/p}}$$

当仅对某一个流域水资源系统进行评价时,即只计算一个流域水资源系统的可持续度时,仍然可采用以上各式,此时 $j=1$。

第五章　流域水资源可持续利用的支撑体系

第一节　实现流域水资源可持续利用的经济学视野

从经济学的角度考虑,要实现流域水资源可持续利用,必须合理分配流域水资源。如何实现流域水资源的有效配置,不外乎市场调节和政府干预两个手段。

一、市场调节中的市场失灵

在市场经济体制下,正常运作的市场是流域水资源在不同用途之间和不同时间上有效配置的有效机制。但是,市场的正常运作是有条件的,主要包括:流域水资源的产权是清晰的;所有稀缺水资源必须进入市场,由供求关系来决定其价格;完全竞争;人类行为没有明显的外部效应,公共产品数量不多;不存在短期行为、不确定性和不可逆决策。如果这些条件不能满足,市场就不能有效地配置水资源。大多数流域水资源恶化和水资源低效使用是由于市场机制不健全、市场机制扭曲,或根本不存在市场。就流域水资源管理来说,最严重的市场失灵包括以下六个方面。

(一)产权不安全或不存在

主流经济学认为,市场机制正常发挥作用的基本条件是明确定义的、专一的、安全的、可转移的和可实行的,涵盖所有资源、产品、服务的产权。产权是有效利用、交换、保存、管理资源和对资源进行投资的先决条件。

一般来说,在市场经济中,产权必须明确定义,否则就会引起法律纠纷,使所有权产生不确定性,从而打击人们对资源投资、保存和管理的积极性。

产权必须是专一的或排他的,即如果某人拥有某资源的产权,他人对同一资源就不应具有同样的产权。多重产权会打击所有者对资源投资、保存和管理的积极性。如果两个理性的人共同拥有一块水塘,可能出现的情况是谁也不愿投资,因为如果一位投资,另一位合伙所有者会分享投资的成果。共同投资的前提是所有的所有者对投资的形式、投资量等达成协议,合伙者的数量越多、交易费用越大,合伙者达成协议的可能性越小。

产权必须安全。如果存在政治经济上的不稳定,如果产权随时可能被剥夺,定义再明确、再专一的产权也是不安全的。在这种情况下长期投资是不可能的。

产权还必须是可实行的。即使是明确定义的、专一的、安全的，如果不能实行，对合理利用资源仍然毫无作用。例如，国家宣布大片森林资源属于国有，如果难以有效实行，只有说说而已，对保护森林资源并没有多大作用。

最后，产权还必须在法律上是可转移的。如果不能转移，就会打击所有者投资和保护资源的积极性。如果所有权不能转移，所有者就可能不愿进行长期投资。而且，有效的市场机制要求稀缺资源能够自由地投向最有效的用途，而产权的自由转移是保证这一点的途径。

(二)无市场、薄市场和市场竞争不足

首先，我们很多资源包括水资源的市场还根本没建立起来，或根本不存在。这些资源的价格为零，因而被过度使用，日益稀缺。其次，有些资源的市场虽然存在，但价格偏低，只反映了劳动和资本成本，没有反映生产中资源耗费的机会成本。毫不奇怪，价格为零或偏低时，资源会被浪费。我国一些地区的地下水和灌溉用水是无价的，因而被大量浪费。

由于某些原因，一些资源的市场上，卖者和买者的数量很少，从而他们之间的竞争很弱，我们把这种市场叫做薄市场。薄市场也是一种市场失灵。有效市场应具有卖者和买者众多、产品比较单一、进入市场障碍较少的特点。如果竞争者太少，市场竞争就是不完全的。竞争不完全的其他原因包括基于法律或政治原因的进入障碍、高信息成本、市场规模狭小。

(三)外部效应

外部效应是企业或个人的行为对其他企业或个人的影响。外部效应造成私人成本和社会成本的不一致，外部效应可以是好的也可以是坏的。好的外部效应如流域上游农民种树，保持水土，下游农民得到灌溉用水，但上游农民没有积极性一定要这样做。坏的外部效应的例子是，上游乱垦滥伐对下游的种植、灌溉、运输和工业产生很多坏的影响，造成洪水泛滥和水土流失。这对下游居民和社会都是成本，但上游居民不承担这一成本，停止垦荒和伐木反而会减少他们的纯收益，上游居民之间的竞争关系也不允许单一上游居民单独承担社会成本，只有全体上游居民都承担这种成本，单一的上游居民才不会在竞争中失败。因此，政府必须干预，制定对所有上游伐木者同样的标准和激励机制，使他们都承担这一成本。另一个坏的外部效应的例子是上游农民使用农药，影响下游渔民的捕鱼活动。政府可以禁止使用农药。但是，如果水稻减产的损失超过渔业增产的收益，这样做就会减少社会总福利。解决办法是把农药的用量减少到一定水平，在这个水平上，农药使用的边际收益等于其边际成本。这个边际成本不仅包括生产成本，还包括环境成本。

市场机制能否自然地产生上述结果呢？回答是：除特殊情况外，不能。因为环境成本在市场关系之外。有效市场的一个基本假设是经济活动主体通过它们对价格的影响相互发生联系，技术关系被排除在外。一个例外是，如果技术关系是私人外部效应，市场可以考虑这种技术关系。例如，如果只有一个农民和一个渔民，其中之一可以买下另一方，形成一个联合企业，使总利润超过两人分开时的利润。或者，渔民可以“贿赂”农民减少农药的用量，农民可以“贿赂”渔民让渔民接受一定量的污染。以上任何一种情况下，社会福利都得到了改善。

然而，当参加交易的个体数量增多时，市场越来越难以将外部效应内化。损失由很多人分担，对每一个人就不那么重要，也不容易分清责任。交易成本也提高了，把很多人组织在一起达成协议的成本是很高的。市场机制有效作用的前提是交易费用很小，如果交易费用超过通过市场解决问题的收益，就没有必要求助于市场了，可能就需要政府干预。

(四)公共物品

与外部效应相联系的是公共物品，公共物品是只有外部效应的产品。个体对公共物品的消费取决于该公共物品向社会提供的总量。与私人物品不同，个体对公共物品的消费不影响其他消费者对同一公共物品的消费。虽然公共物品的生产包含失去其他产品生产的机会成本，但公共物品的消费没有机会成本。例如一个人对路灯灯光的消费并不影响其他人对路灯灯光的消费。

公共物品的另一个特性是供给的不可分性，为一个消费者生产公共物品就必须为所有消费者生产该物品。在许多情况下，个体不管付钱与否都不能从公共物品的消费中被排除出去，即使这种排除是可能的。例如一座桥，不让一部分人过河是可能的，但是这样做违反了帕累托最优(它要求穷尽一切使一个人变好而不使其他人变糟)，因而是不应该的。没人能够或应该被排除，消费者就不会为消费公共物品而付钱。消费者不付钱，私人企业赚不了钱，就不愿意提供公共物品。因此，自由市场不能提供公共物品，或者提供过少的公共物品和过多的私人物品，这也成为政府干预的理由。

环境所提供的服务包含很多公共物品，例如干净的水、环境的质量、物种多样性等。使外部效应内化的服务也是公共物品，因为不能把任何人排除，这些物品最好由政府提供。某些情况下也可由非政府组织通过捐赠来提供公共物品。另一方面，环境污染包括流域水污染可以被看做是坏的公共物品。

(五)交易费用

市场正常运转是有成本的。交易费用是交易中取得信息、互相合作、讨价还价和执行合同的费用。通常，交易费用同市场交易的好处相比是微不足道的；然而，当交易费用超过交易收益，或买者和卖者太少时，市场就难以建立。没有明确界定的产权,市场不能建立;有了明确界定的产权,如果交易费用很高,也不能保证市场一定能够建立。

同样,建立和执行产权也有成本。如果这些成本高于产权带来的收益,产权和与之相联系的市场也不会产生。例如,为了通过建立产权保护渔业资源,一种可能的方案是把茫茫大海分给渔民,但这样做成本太高,不可行。在一些情况下,找到外部效应的来源和大家都同意的解决办法成本也很高。有时,政府运用其权力把外部效应内化的成本比市场低,这是政府存在的原因之一。

(六)不确定性和短视计划

自然资源保护涉及未来,而未来存在不确定性和风险。不确定性和风险的区别在于,不确定性是指不知道可能结果出现的概率;风险是指知道可能结果出现的概率。一个行为的结果如果不止一个,就存在不确定性。不确定性影响很多部门,资源部门受的影响更大。一般来说,不确定性使人们对自然资源的开发更加保守,这有利于资源的保护。

自然资源的保护和可持续利用意味着为未来利益牺牲当前消费。因为人们偏好当前消费,未来利益被打折扣,特别高的贴现率可能意味着不保存某一资源。一般用利率作为贴现率,高利率和低的资源增长率可能使某一物种灭绝。如果利率确实反映社会在时间上的选择,本不必大惊小怪,但市场利率如不反映社会真正的时间选择,就应引起注意。

二、政府干预和政府失灵

在市场失灵的情况下,可能需要政府干预。市场失灵是政府干预的必要条件,但不是充分条件,因为还可能出现政府失灵。

(1)政府干预。在某些环境问题上需要政府干预是因为市场失灵,市场失灵意味着对一些环境产品和服务很难建立起市场或者使市场正常运作。在市场失灵的情况下,政府干预成为一个可能的解决办法。但是,市场失灵是政府干预的必要条件而不是充分条件。政府干预成为必要,还需要两个条件:第一,政府干预的效果必须好于市场机制的效果;第二,政府干预所得到的收益须大于政府干预本身的成本,即计划、执行成本和所有由于政府干预而加于其他经济部门的成本。

(2)政府失灵。政府干预的失败,称做政府失灵。政府干预往往不能改正市场失灵,反而会把市场进一步扭曲。其中的原因如下:

• 改正市场失灵很少是政府干预的主要目标。其他目标,例如国家安全、社会平等、宏观调控等可能是政府的主要目标。

• 政策干预常有未预料到的副作用。

• 政策作用的对象是有理性化的活人，政策的效果取决于人们对政策的反应。有些政策（例如补贴和旨在限制进口与竞争的保护）由于影响人们的预期和财产价值而产生利益集团，这些利益集团对政策产生影响，并使改变这些政策在政治上变得困难。

• 不同的政府政策干预相互影响，使激励机制发生扭曲。

• 与环境无关的政府政策往往比环境政策对环境的影响大。例如，对资源投资的补贴和最低工资刺激了对森林的过度开发。这样，环境恶化不仅是市场失灵的结果，也是政府政策扭曲激励机制的结果。

政府失灵可以分为以下四种类型：

(1)把原来可以正常运作的市场机制扭曲。

(2)有些政府干预在其他方面是成功的，但是对环境产生外部效应。例如，对特定化肥的补贴有助于鼓励农民选择高产作物品种，但是对土壤和水资源的确有长期不良影响。

(3)政府干预的结果比市场失灵的结果更糟。市场失灵并不保证政府干预一定更好，有时政府不做比做更好，做得不对比不做更糟。

(4)当市场失灵需要政府干预(收益大于成本)时，政府却没有干预。

政府失灵既包括需要干预时没有干预，也包括不需干预时干预。

总之，环境破坏往往是由人们的行为造成的。在市场可以正常运作的情况下，市场机制是有效配置资源的手段。在市场不能正常运作的情况下，出现市场失灵。市场失灵是环境恶化的原因之一，市场失灵为政府干预制造了借口，但政府干预并不一定比市场失灵更好，政府干预的挫败是政府失灵。政府失灵是环境恶化的又一个重要原因。

三、具体的经济手段

利用经济手段实现流域水资源可持续利用，就是要按照环境资源有偿使用原则，通过市场机制将环境成本纳入各级经济分析和决策过程，促使污染、破坏环境资源者从全局利益出发选择更有利于环境的生产经营方式，同时也可以筹集一笔资金，由政府根据需要加以支配，以支持清洁生产技术的研究开发、区域环境综合整治以及重点污染源的治理等，从而改变过去那种无偿使用环境资源、将环境成本转嫁给社会的做法，实现环境、经济与社会的可持续发展。

可持续发展的经济手段主要有征收环境费制度、环境税收制度、财政刺激制度、排污权交易制度以及环境损害责任保险制度等。

(一)征收环境费制度

环境费是指根据环境资源有偿使用的原则,由国家这一所有者授权的代表机构,向开发、利用环境资源的单位或个人,依照其开发、利用量以及供求关系所收取的相当于其全部或一部分价值的货币补偿,它总体上分为开发、利用自然资源的资源补偿费以及向环境中排放污染物、利用环境纳污能力的排污费两种。目前,这两种形式的环境费在中国均已确立,但仍需进一步完善。

(1)资源补偿费。《中华人民共和国森林法》(1984)规定,“全民所有制单位营造的林木,由营造单位经营并按照国家规定支配林木收益”。《中华人民共和国土地管理法》(1986)规定,“国家依法实行国有土地有偿使用制度”,“国有土地和集体所有的土地的使用权可以依法转让”。《中华人民共和国水法》(1988)规定:“对城市中直接从地下取水的单位,征收资源费;其他直接从地下或者江河、湖泊取水的,可以由省、自治区、直辖市人民政府决定征收水资源费。”资源补偿费的确立,对提高自然资源的利用效率、促进自然资源的保护与改善起到了积极的作用。随着市场经济体制的确立,其功能将逐步加强,但原有法律实施的缺陷也日趋明显:一方面,收取资源补偿费的范围狭小,许多国有自然资源基本处于任意、无偿使用状态;收取的费用远远低于资源本身的价值,无法通过供求关系反映出其稀缺性。这就使得自然资源利用效率低下,浪费严重,导致生态环境破坏与退化,进而加剧了环境污染。另一方面,现实中苦乐不均的现象十分严重。由于管理上的缺陷,能收到资源补偿费的多是开发自然资源的国有大中型企业,如矿山、冶金企业等,而浪费最严重的小型企业(主要是乡镇、村办和私人企业),由于量多面广,往往鞭长莫及。这不仅违背了保护自然资源的初衷,而且造成了市场竞争的不平等。

针对上述情况,一方面,应当扩大资源补偿费的征收范围(包括自然资源的范围和开发、利用者的范围),提高收费标准,使其能够反映出资源稀缺程度和实际价值;另一方面,必须加强对资源补偿费征收工作的管理,特别是严格审批程序,强化征收环节,保证把应收的资金收上来。同时,结合国家产业政策,对国家鼓励的行业以及保护、利用自然资源成绩突出的企业,实行减、免收费和奖励,既不损害本来就相对薄弱的原材料产业发展,又能从总体上提高自然资源的利用效率。

(2)排污收费。排污收费是目前世界各国在环境保护中较为通用的一种经济手段,是“污染者负担”原则的具体体现,也是使环境问题外部经济内部化的一种方法。

中国现行的征收排污费制度是在20世纪70年代末、80年代初制定的。除《中华人民共和国水污染防治法》规定的排污收费、超标准排污征收超污费外,总的说来实行的是超标排污收费制度,即只是对超过规定标准排放水污染物者收费。这一制度对控制污染物的产生与排放、促进排污单位加强经营管理、节约和综合利用资源、治理污染和改善环境等发挥了一定的作用，但它仍是计划经济条件下以资源分配、无偿使用为主要特点的产品经济在环境保护中的具体体现。排污者只要不超标排污，就可无偿使用环境纳污能力资源，很大程度上造成了资源浪费和环境污染。在市场经济条件下，经济利益与竞争成为社会关系的联系纽带，必须提高环境资源利用效率以及要求社会公众摈弃“环境资源无价值”的传统观念，而遵循有价、有偿使用原则。否则，经营者仍会逃避防止、减少和治理污染的责任。既造成环境资源的浪费，又使治理投入多、排污少的经营者与治理投入少、排污多的经营者处于不平等的竞争状态，造成“鞭打快牛”的低效率。此外，随着经济的迅速发展，环境污染压力越来越大，仅排污单位排放的未超标部分的污染物就侵占了大部分的区域环境容量甚至已经超过了该区域的环境容量。在这种情况下，如果仍然只对超标排污者收费显然已无法保证和改善环境质量，远远不能满足环境与经济协调发展的要求。

综上所述，变现有的超标排污收费制度为达标排污收费、超标排污加倍收费并予以处罚制度是十分必要的。即凡向环境中排放污染物的企事业单位、国家机关、个体经营者均须按照国家或地方的收费标准，根据其所排放污染物的种类、数量、浓度、危害性等缴纳排污费。超标排污属违法行为，除加倍收费外，应当给予警告、罚款、吊销排污许可证、责令停产或部分停产、责令限期治理等行政处罚。加倍收费的倍数根据超标情况以及污染物危害大小等因素，在收费标准中作出规定；行政处罚决定则由环保机关依法作出。

排污收费、超标罚款并加重收费，是世界许多国家如美国、日本、德国、挪威、荷兰等通行的做法，它们的成功经验值得借鉴。此外，《中华人民共和国水污染防治法》中排污收费、超标排污征收超标准排污费制度的成功运作，也表明变目前的超标排污收费制度为排污收费制度是可行的。

应该说，中国现行的污染物排放标准是规范企业等排污行为的强制性的制度安排。根据《中华人民共和国标准化法》的规定，强制性标准必须执行，对违反者要处以罚款甚至追究刑事责任。而现行环境法只要求超标排污者缴纳超标排污费，即不认为超标排污系违法行为。这不仅违反了标准化法的规定，造成法律制度体系内部的不协调，而且导致许多排污者宁愿缴纳标准排污费也不积极治理污染。此外，现行环境法规定，对投入生产或使用时未达到建设项目环境保护管理要求(包括达到污染物排放标准)的新建、改建、扩建项目，可以依法处罚。这就出现了建设项目投入生产或使用时超标排污视为违法并予以处罚，而投产后超标排污则只征收超标准排污费、不违法也不受处罚的自相矛盾的境况。

现行的《中华人民共和国标准化法》、《中华人民共和国药品管理法》、《中华人民共和国产品质量法》、《中华人民共和国食品卫生法》等法律中分别规定，对违反强制性标准、药品标准、保障人体健康与人身财产安全标准、卫生标准的单位和个人予以处罚，即都实行超标违法原则。同样，在环境法中实行超标违法并予以处罚后，也不会超过一般企业的承受能力，不会出现处罚面过大、执法困难的局面。原因是国家污染物排放标准是根据国家环境质量标准及国家经济技术条件制定的，其中针对重点污染源或产品设备的专项标准是根据国家一般治理水平（即最佳实用技术）而制定的，是在充分收集环保部门、行业主管部门以及生产企业的污染物排放监测数据的基础上，确定技术可行、经济合理的标准值。总之，实行排污收费、超标违法的原则是必要的和可行的。

目前，环保领域正经历着由浓度控制向总量控制的过渡，即浓度控制与有条件的总量控制并存。结合企业的实际承受能力和区域环境的具体特点，引入排污收费、超标违法并加重收费的制度应遵循灵活处理、区别对待、逐步到位的原则。一般地，凡实行总量控制的区域、污染物，新建、扩建的污染源应立即实行该制度。而现有污染源则要根据国家产业的政策、企业自身的经济技术条件等，规定一定的宽限期。凡实行浓度控制的区域、污染物，侧重于实行超标排污加重收费制度，并可责令限期治理；新建、改建、扩建的污染源应立即实行超标排污加重收费，而现有污染源则应逐步提高收费标准。应合理调整污染物排放标准与各污染源的排污总量指标，最大限度地保证公平。应规定将一定比例的排污费用于补助重点污染源治理和为治理污染者提供其他经济刺激，加重收费的幅度不应过大等。

（二）环境税收制度

（1）环境税。环境税是国家为了保护环境与资源而凭借其主权力对一切开发、利用环境资源的单位和个人，按照其开发、利用自然资源的程度或污染、破坏环境资源的程度征收的一个税种。它主要有开发、利用自然资源行为税和有污染的产品税两种。前者如开发、利用森林资源税，开发、利用水资源税；后者如含铅汽油税等。纳税人分别是开发、利用自然资源者或生产、使用有污染的产品者；课征对象分别为开发、利用自然资源的行为和有污染的产品；而计征依据分别为开发利用、破坏自然资源的程度以及有污染的产品对环境的污染、危害程度。开发、利用或破坏自然资源程度大的行为和对环境的污染、危害程度严重的产品的税率高、税赋重；反之，则税率低、税赋轻。对于有利于环境资源的行为、产品，则按照减轻损害的程度进行税收减免。可见，环境税的主要功能在于调节人们开发、利用、破坏或污染环境资源的程度，而不是为国家聚敛财富。

在许多发达国家，环境税早已广为运用。受传统产品经济的影响，中国的环境税收政策基本上是空白。目前对煤、石油、天然气、盐等征收的资源税以及城镇土地使用税等，主要目的是调整企业间的级差收入，促进公平竞争，而不是促进环境资源的合理利用与保护,因而并非真正意义上的环境税。

(2)环境费与环境税的关系。环境费与环境税之间的关系,类似于购买商品时对付的价款(因取得商品所有权而在于支付)和缴纳的消费税(国家调节消费行为、促进社会公平的手段)之间的关系,支付环境费是因为从国家获得了环境资源(包括环境自净能力资源)的所有权、特别是使用权;而缴纳环境税则是国家对开发、利用、破坏、污染环境资源的行为进行调节的需要。可见,环境费与环境税是具有本质区别的两个概念。但二者可以并行不悖,而且实践中多是将二者结合起来,由国家授权的代表机构征收,而不是像理论中那样将它们区分开来。

实施环境税是一项复杂的系统工程,应针对国家的主要环境问题,分期分批地履行。目前,应首先对含硫燃料征收硫税,对严重危害环境的产品征收污染产品税。这不仅有利于资源和能源的可持续利用与环境的改善,有利于履行国际公约,也可作为环境基金的一个来源(环境税具有专项税收性质,同环境费一样,只能用于环境保护),同时也是强化环境管理、实施宏观调控的重要手段。

(三)财政刺激制度

财政补贴对环境资源的影响很大。不适当的政策性补贴,如因能源价格偏低而提供的补贴会导致浪费严重,利用效率低下,不利于技术进步,加重了环境资源的污染与破坏,背离了可持续发展目标,因此应逐步调整;而帮助修建污水处理厂等基础设施,向采取污染防治措施以及推广环境无害工艺、技术的企业提供赠款、贴息贷款等财政信贷刺激,则是鼓励企业防治污染,使“污染大户”的企业达到环境标准的重要途径。为了加强中央对地方、环保机关对企业在环境保护方面的宏观调控能力,有必要建立分级管理的环境基金。该基金由中央或地方环保投资、环境费、环境税、环境贷款、外国或国际组织的环保赠款等组成,由环保部门会同国家有关部门统筹安排使用。中央基金主要用于帮助无害工艺、技术及设备的研究、开发与推广,帮助地方修建环境基础设施等,从而提高地方执行国家环境政策的积极性;地方基金除修建环境基础设施、进行环境综合整治外,还可用于环境无害工艺、技术、设备的研究、开发与推广,以及帮助治理重点污染源等。

(四)排污权交易及其他

市场条件下,环境纳污能力作为一种十分稀缺的特殊自然资源和商品,是国家所有的财富。在实行总量控制的前提下,政府通过发放可交易的排污许可证,将一定量的排污指标卖给污染者,实质上出卖的是环境纳污能力。环境资源的商品化,可促使污染者加强生产管理并积极利用先进的清洁生产技术,以降低能源、原材料的消耗量,减少排污量,从而达到降低成本的目的。同时,节余的排污指标可以用于扩大生产规模或有偿转让,这就提高了环境资源的利用率,促进了环境质量的改善。可见,政府严格控制下的排污权交易市场，应是市场体系的一个特殊组成部分，是实现可持续发展的一种有效方法。在排污权交易市场中，同一集团下属的不同企业、不同集团不同行业的企业，甚至包括环保组织均可作为市场的主体。

一般认为，排污权交易主要是通过建立合法的污染物排放权利，并允许这种权利像商品那样买入和卖出进行排放控制。其做法一般是：政府机构评估出使一定区域内满足环境要求的污染物最大排放量，并将最大允许排放量分割成若干规定的排放量，即若干排污权。政府可以用不同的方式分配这些权利，如公开竞价拍卖、定价出售、无偿给予等，并通过建立排污权交易市场使这种权利能合法地买卖。在排污权市场上，排污者从其利益出发，自主决定买入或卖出排污权。总的权利是以满足环境要求为限度的，因此不管这些权利如何分配，环境质量和环境标准都会是统一的。

排污权交易将市场机制引入污染控制中。如果排污者消减其排污量，他的余额就可以出售获利，因此可以刺激排污者发明或利用新的更经济的处理技术和方法，这样社会治理环境的总费用就会减少。效益差、污染严重的排污者在市场竞争中将处于不利地位。环保团体也可购买排污权，从而阻止排污者使用这部分权利，这将使环境质量高于环境标准。

排污权交易的理论和实践主要是在美国发展起来的。1990 年《美国清洁空气法修正案》应用了基于市场的控制策略，在控制 SO_2 排放上实施了排污权交易，并取得了成功。其所花费用只有采取逐厂控制措施所需费用的一半。另外，排污权交易不仅可在不同公司之间进行，也可在不同地区进行，同时企业还可把实际排放和允许排放的差量存在银行中。

构筑可持续发展的经济手段，除了上面提到的环境费、环境税、财政刺激、排污权交易外，还有押金制、执行鼓励金、环境损害责任保险等。押金制是指对可能造成污染的产品加收一份押金，当把这些潜在的污染物送回收集系统而避免了污染时，即退还这份押金。限于篇幅，对这些手段不再详细论述。

第二节　流域水资源可持续利用的技术因素

一、技术进步与流域水资源保护

技术进步为改善流域生态提供了极大的潜力。按照生态经济理论，应把生态学的整体、协调、循环、再生的原理应用到工农业建设及自然资源管理中，即从国家经济建设的整体利益出发，协调生产、加工、需求各部门之间的关系，通过多级的循环利用，充分发挥物质的生产潜力，并化废为宝，使新产品不断增加，保持自然活力的物质不断得到补充，把经济效益、生态效益和社会效益列为评价一切建设项目的准则，这一科学设想在世界上不少国家进行了试行并已获得成功。

生态农业是以生物措施与工程措施相结合的生态环境治理为出发点的农业，还包括农业结构优化、用地养地、农业残留物的综合利用等方面；是与环境协调发展的农业，包含有保护自然的内容。因此，生态农业是可持续发展的农业。

20世纪60～70年代的绿色革命，常规育种技术的突破，使世界粮食作物的单位面积产量有了大幅度的提高，这对于改善营养水平、提高或保持人均粮食水平起了重要作用。目前世界上尽管高产品种的最新研究成果尚待进一步的突破，但在改进高产作物品种，提高水稻、小麦、玉米抗病害、虫害和抗不良环境的能力，减少化肥和农药使用，维护环境生态平衡方面，世界范围内的农业科学家和技术人员已获得了显著成就。从这个意义上说，绿色革命仍在继续。在人口激增的情况下，广种薄收和传统农业只会带来生态危机，进而影响流域水资源的可持续发展。

高新技术产业能够为流域水资源保护提供强有力的技术支持，是实现可持续发展的重要一环。高新技术支持环境保护产业的内容概括起来有以下四大类：

(1)用于大气、水体、噪声和振动、固体废弃物和光、热、放射性等污染监测所需的仪器和装备。

(2)用于水体污染防治、大气污染的防治、噪声和振动控制、固体废弃物处理、废弃物综合利用等所需设备与装置。

(3)环境工程及新技术。

(4)生态工程及新技术，主要包括有改善农业生态、工业生态、城镇和流域生态建设，土壤保护、野生生物保护而采用的工程和技术。

可以说，环保产业既包含了属于第一产业的生态工程，又包含了属于第二产业的技术装备，还包含了第三产业的各类服务，是横跨国民经济各部门的一种产业。在发达国家，这种产业的经营是很成功的。

二、清洁生产和生态农业

(一)清洁生产

1.清洁生产概述

清洁生产是人类环境保护认识上的一个飞跃和对环境保护实践的科学总结。要保持中国经济的持续、稳定发展，就必须摈弃过去那种高消耗、高投入的粗放型经济的发展模式，大力推行清洁生产，走技术进步、提高经济效益、节约资源的集约化的道路。

(1)以末端控制为主的环境保护策略已不适应时代要求。我国环境保护事业经过20余年的发展,已经形成了较完整的环境保护法律、法规体系,并建立了以八项环境管理制度和措施为基本内容的一整套有中国特色的环境管理体系。但这一环境管理体系的主导控制策略侧重在生产和生活活动与环境的交互界面上,把保护环境的人力、物力、财力大多放在了生产过程的末端污染排放的处理和处置上。从中国环境保护的实践来看,以排放标准为依据的排污收费制度所支持的污染控制政策主体,无疑是正确的。但是,由此而导致的把末端处理处置作为控制目标,在工业环境管理的实践中已经遇到了严重的挑战。主要存在以下问题:

• 治理投资和运行费用高而经济效益很小,污染控制的经济性差,给企业带来沉重负担,企业没有积极性。有的企业宁愿缴纳罚款,也不愿进行污染的治理。

• 资源得不到有效利用,一些本来可以回收利用的原材料厂,变成了“三废”被处理掉或者排入环境,造成浪费与污染。单纯依靠处理设施,往往不能从根本上消除污染,而只是不同介质间的转移,特别是有毒有害物质往往转化为新的污染物,形成治不胜治的恶性循环。

• 由于偏重末端治理,忽视全过程控制,把控制污染和生产过程割裂开来,因而使工业生产管理中的环境与生产两张皮的状况难以改变。

(2)中国工业的特点决定必须大力推行清洁生产,主要原因是:

• 我国正处在工业化加速发展的阶段,今后相当长一段时间内中国经济将保持较高的增长速度。工业的加速发展致使污染物排放量增加,如不采取有效的预防措施,新增工业污染和由此而产生的流域污染将会进一步加剧。

• 工业布局不合理。中国的工业企业80%集中在城市,特别是大中城市。20世纪50年代末到70年代中的一段时间里,由于忽视了城市整体规划和工业的合理布局,不少工业企业建在居民区、文教区、水源地、名胜游览区,因此加重了城市污染。

• 现有工业的总体技术水平还比较落后。由于原料加工深度不够,资源的利用率不高,单位产品的能耗大大高于发达国家水平。据统计,中国社会最终产品仅占原料总投资量的20%~30%,这是造成“三废”排放量大的重要原因之一。

• 工业结构中,重污染型行业占的比重较大,工业的结构性污染给流域水资源带来沉重负担,构成很大的威胁。另外,一些小型工业企业尤其是乡镇工业,如小化肥、小造纸厂,其工艺、技术落后,设备简陋,操作管理水平低,也造成了污染的蔓延。工业污染所占比重相当大,环境的污染70%来自工业,污染治理欠账较多。

(3)中国的资源特点决定要大力推行清洁生产。中国与工业发展相关的资源相对稀缺,需要通过清洁生产大力节约和综合利用资源。

水资源不足,在北方地区已成为社会经济发展的重要制约因素之一。全国缺水城市达300多个,日缺水量1 000万t以上,使工业生产和居民生活受到很大影响。

矿产资源保证程度下降，浪费严重。中国是世界上矿产资源总量比较丰富、矿种配套程度比较高的少数国家之一。但由于中国矿产丰欠不均，区域分布不平衡，贫矿、难选矿、综合矿和中小型矿多等原因，在现有的技术和经济条件下，可供开发利用的资源不足，保证程度呈下降趋势。据有关部门对40种主要矿产保证程度分析，目前已有10种供应不足，某些生产矿山的可采储量日趋枯竭，后备储量严重不足，严重制约着矿山开发规模与生产能力的发挥。

能源生产、消费结构以煤为主。

2.如何实行清洁生产

实行清洁生产主要包括以下几个方面。

(1)确定清洁生产的主要目标。科学规划和组织协调不同生产部门的生产布局和工艺流程，优化生产诸环节，由单纯的末端污染控制转变为生产全过程的污染控制，交叉利用可再生资源和能源，减少单位经济产出的废物排放量，达到提高能源和资源使用效率、防治环境污染的目的。

通过资源的综合利用、短缺资源的替代、二次能源的利用及节能、降耗、节水，合理利用自然资源，减少资源的耗竭。

减少废料和污染物的生成和排放，促进工业产品的生产、消费过程与环境相容，降低整个工业活动对人类和环境的风险。

开发环境无害产品(绿色工业产品)，替代或削减对有害环境的产品的生产和消费。

(2)用清洁生产进行工业结构和工业布局的调整。立足于现有基础，对加工工业进行联合改组和技术改造，调整产品结构、企业组织结构和行业结构，把整个加工业素质提高到一个新水平。对一些关键的产业，国家要制定发展规划和实行产业政策引导，促进经济与环境的协调发展。通过深化体制改革，放开产品价格，实行公开、公平、公正的市场竞争，推动优胜劣汰，促进资源合理配置。具体地说，有以下几项要求：

• 从节约能源和扩大建设两个方面，解决能源供应紧张的问题。为此，要制定一些新的节能政策，实施一批节能降耗示范工程，推广先进的节能技术，提高节能率。

• 跟踪世界工业技术发展情况，制定、调整、修订新的工业发展技术标准和技术政策；发布国内外新技术信息，引导企业采用新的工业技术，抓好基础机械、基础零部件、基础工艺的技术改造，提高工业设备的新技术水平。

• 加强对高新技术产业的规划，把高新技术产业的发展与传统产业的技术改造结合起来。

• 淘汰技术工艺落后、资金消耗高、严重污染环境、产品质量低劣的落后的生产设备，强化技术改造资金的投入，围绕生产技术和装备现代化问题，组织好科研和生产攻关，以及成熟科技成果的推广应用。

• 鼓励加工工业集中地区，特别是沿海经济发达地区，发挥智力资源多、技术层次高的优势，重点发展附加值高、技术含量高、能源和原材料消耗低的技术密集型产业和服务业。将能源和原材料消耗较高的工业项目，集中布局到能源充足、资源富集的地区。国家扶持资源富集但经济落后的地区加强基础设施建设，创造条件，促进资源的合理开发和综合利用。

• 提高累积效益，通过建设乡村小城镇，合理规划布局乡村工业，相对集中地发展乡村工业，以便于接纳大中城市扩散出来的技术、项目，形成与大城市工业的专业化分工，以及乡村工业彼此间的专业化协作。国家关于淘汰落后工艺设备的规定同样适用于乡村工业，以促进乡村工业技术档次提高，减少资源浪费和环境污染。

(3)加快清洁生产工业技术的开发和利用，加快制定符合中国国情的清洁生产标准、原则和有关法规。

清洁生产工业技术的开发和利用重点是无害环境技术，即与所取代的技术比较，是污染较少、利用资源的方式能够持久、废料和产品的回收利用较多、处置剩余废料的方式比较能够被接受的一种技术。为加快清洁生产工艺技术的开发和利用，要制定与中国目前经济发展水平和国力相适应的清洁生产标准、原则及相应的法规、经济手段。

有效的管理和监督是发挥清洁生产的必要保证。这里所说的管理和监督主要是指通过提高国民的法律、环境意识和改革现行管理体制中存在的一些不合理因素，并采取相应的经济、法律、行政等一系列有效手段，对从事各种生产活动的单位和个人进行引导和制约，使他们的经济活动与可持续发展的要求相适应，并自觉应用清洁生产的工艺技术。在提倡清洁产品的生产和无害环境技术的应用方面，我国尚没有一套完整规范和行之有效的管理办法，如何支持、鼓励、规范产品广告和说明、产品所用原料能否再生、对环境是否有害等问题还没有得到很好地解决。因此，在没有得到比较可靠保证的情况下，考虑到前期投入和以后的市场问题，从效益的角度出发，生产者对清洁生产和使用先进的无害环境技术难以表现出很大的热情。为此，完善清洁生产的有关法规标准、加强管理是发展清洁生产的一项紧迫任务。

(二)生态农业

近年来，生态农业发展较快，从生态户发展到生态村、生态县，其模式多种多样，有农牧结合、农果牧结合、农牧渔结合和农副结合等许多成功的经验。生态农业促进了土地资源、水资源和生物资源的合理利用，发展生产与保护环境相结合，以及社会效益、经济效益和生态效益协调发展的良性循环，是我国农业发展的成功之路。我国政府已作出要“继续搞好环境示范工程和生态试点”的决定，各地应认真贯彻执行。

节水农业(特别是在北方地区)是缓解流域水资源不足的根本出路。十分缺水的以色列，每立方米水的效益比我国高一倍以上。国内各地的实践经验同样显示了节水的巨大潜力：在井灌区，采用管道灌溉一般可节水30%，喷灌可节水30%～50%；在引水灌区，改大水漫灌为细流沟灌可节水20%，采用渠道防渗和田间配套工程可节水10%；在水源不足的北方地区，水稻田采用湿润灌溉法可节水65%，滴灌可节水80%。目前节水农业尚未大面积推广的原因，主要是缺乏投入和管理不善。

三、建立流域水资源信息实时传递及预报系统

(一)建立流域水资源信息实时传递和通讯系统

流域水资源信息，包括来水水情，即由来水区内的水文监测站发出的实时降水、河流水量变化和水质变化的信息，以及供水范围内用水信息，如工业、城市、农业等用水要求的变化，以及供水区内降水的监测及土壤墒情变化的实时信息等，都须及时传递到水资源调度管理及决策机关。为达到科学调度水资源的目标，要尽可能使这些信息的取得及传递达到自动化的水平。在初期未能达到全面自动测报时，也要保证各种信息以最快且现实可能的速度，采用半人工电传的方式，如利用有线或无线通讯设备及邮电网路传递到调度决策中心机构。对水文信息的传递，最好是利用建立起来的水文自动测报系统来进行。

水文自动测报系统，或称水文遥测系统，一般由在水文监测站上安装的传感器和控制设备、资料传递信道即通讯设备、接收站或接收中心的通讯和控制处理系统所组成。有些监测站是全部自动遥测且无人值守，这主要是降水观测和部分水位观测站。在我国，多数水文监测站是有人值守的，而作为自动测报系统中的水文站，同样应安装传感器及控制设备，以自动取得所需的测验参数。少数流量站也能自动收集流量信息，这主要是安装了超声波测流设备或电磁测流设备的站，但多数流量站的流量实测还要靠人力进行。在有些国家，如美国利用通讯卫星传递水情信息，并在多数水文监测站安装资料收集平台。地面通讯因常受到地形的阻碍，往往在监测站与接收中心之间需要设立一个或多个中继站以传递信息。

信息的传输制式通常有自报式及应答式两种。自报式即由监测站定时主动发送信息，也包括事先规定的当遥测参数达到某一限定数量时就立即向外发送数据的功能。应答式是监测站随时处于待命状态，一旦收到遥测中心发给该监测站的指令，就立即启动并向中心发送信息。

水文自动测报系统的技术问题有：

• 遥测及通讯设备的电源问题。因有些监测站远离城镇及村庄，需自备电源或

保证定期更换电池,或用太阳能蓄电池。有的监测站设在高山上,交通十分不便,为减少繁重体力劳动,研制寿命长及保险系数大的电源是很关键的,而测报设备的低耗灵敏也是十分关键的。

• 遥测系统中采取数据、存储及发送控制的电子设备,容易遭受雷电的干扰及破坏,防止雷电的设施及保护信息不使被抹零的装置研究,也必须予以充分重视。

流域水文自动测报系统的建设需要一定的资金及技术条件,但其经济效益却是非常显著的。在发展初期多用于初汛调度,但随着水资源的综合开发利用,为充分发挥水资源的多功能效益,及时的水资源信息带来的经济效益是十分可观的。在水资源调度中心,对于供水区内的用水需水情况也要及时掌握其变化现状以合理调整供水和配水量。

(二)流域水资源运行调度

水资源运行调度的基本原则与水资源规划中的调度问题基本一致,都是要经济、有效地利用水资源,使其发挥最大的经济效益和社会效益。但在运行调度中与规划阶段的调度设计最大的不同点,在于规划阶段所使用的水文资料系统是已知的,即使用历史水文实测资料进行分析,或利用基本已知历史水文资料的特性,用人工生成的方法所制造的人工水文系列进行分析。而在运行调度中以后将要发生的水文情况则属于未知的状态,且水资源系统包括来水、供水及其相应地区的具体情况,均是当时的实际情况而不是设计的情况,并且需要及时根据这些具体情况作出调度决策。在这种情况下,实时水资源信息及其预报就十分重要。

实时水文预报,又称实时联机水文预报,是把根据水文遥测系统传送来的信息数据,自动输入计算机进行处理,并按一定预报模型做出某地点某时的水情预报。通常实时联机预报的水文模型应具有实时修正功能,即具有实时追踪参数变化能力的自适应功能,并能对所接收信息中的随机干扰进行滤波,即从包含噪声干扰的信息中提取有用信息的功能,其中应用较广的有卡尔曼滤波方法。

第三节 流域水资源可持续利用的法制因素

实现流域水资源可持续利用,必须有完善的法律来引导、规范、保障和约束,否则,就会出现种种无序和混乱的状态。加强流域水资源可持续利用的法制建设,包括完备的立法、严格的执法、健全的司法监督体系,也包括进行法制教育,提高全民的法律意识和法律观念。

本节首先以调水工程对流域水资源可持续利用的影响为例,研究法制在流域水资源可持续利用中的建设问题。之后,重点研究有关流域水资源可持续利用的立法问题。

一、调水工程管理的法制问题

淡水资源在时间和空间分布上极不均匀,致使世界上许多干旱、半干旱地区的水资源供需矛盾更加尖锐。

在目前的科学技术条件下,各国解决缺水地区水量供需矛盾的主要途径有:建造水库、兴建调水工程、人工降雨和节约用水四种。

调水工程,特别是跨流域调水工程,是解决水资源地区分布不均匀和供需矛盾的一项有效措施,是促进缺水地区经济社会发展的重要途径之一。调水工程使两个以上的地区或流域耦合成为一个水资源大系统,它涉及到政治、法律、经济、社会和环境等许多方面,必须对其规划、决策、建设和运行管理各阶段进行科学管理,才能保证调水工程实现经济效益、社会效益和环境效益的良性互动,并获得最大的综合效益。

由于世界各国国情不同,各国对调水工程管理的方法也不完全一致。即使是同一国家,在其经济社会发展的不同时期对调水工程管理的方法也有差异。但从总体趋势看,近年来世界各国都十分重视法制建设在调水工程管理中的重要作用。

(一)调水工程及其对环境的影响和工程管理

1.调水工程的概念及分类

调水工程指在两个或两个以上的地区或流域系统之间,为调剂水量余缺,进而实现合理的水资源开发利用目标兴建的水利工程。按照地区水文分区方法划分,调水工程系统包括水量输出区、输水通过区和水量输入区三部分。从工程设施而言,调水系统一般包括水源工程(如蓄水、引水、提水各类工程),输配水渠道(或管道、隧洞和河道等)和渠系建筑物(含大量的交叉、节制和分水等建筑物),供水区内的蓄水、引水、提水等设施。确定这些工程的布局、规模、结构形式以及管理运行方法,都是非常复杂的决策问题。

根据调水的主要目标不同,调水工程可分为以下六类:

(1)以航运为主的调水工程,如我国古代的京杭大运河(公元前 486 年～公元 1293 年间兴建)。

(2)以灌溉为主要目标的调水工程,如我国的甘肃引大入秦工程(1994 年 10 月通水)、印度的大多数调水工程等。

(3)以供水为主的供水工程,如我国的山东引黄济青工程、广东东深供水工程等。

(4)以水电开发为主的水电开发工程,如澳大利亚的雪山工程、加拿大的魁北克调水工程等。

(5)综合开发利用工程,如美国的中央河谷工程,我国正在兴建的南水北调工程等。

(6)以除害(如防洪)为主要目的的分洪工程,如我国江苏、山东两省的沂沭泗水系洪水东调南下工程。

以上六类调水工程中,最后一类调水工程虽然也涉及到两个以上地区或流域的水量转移,但是,考虑到这一类工程主要是对水量调出区的防洪有利,而对水量调入区供水等方面的综合利用并无多大益处,且工程经济效益也主要是通过减少水量调出区灾害损失量进行计算的,不同于一般兴利意义上的调水工程,故不属本节的讨论范围。

2. 国内外调水工程建设概况

自古以来,世界上许多国家都十分重视调水工程的建设,兴建了一大批调水工程。

(1)国内调水工程建设情况。我国是世界上最早兴建大型调水工程的国家之一。调水工程历史构成了中国水利史以及中国历史的一个重要部分。例如,公元前255~前251年间,蜀守李冰修筑的都江堰,形成了“蜀人旱则借以为溉,雨则不遏其流。故记曰‘水旱从人不知饥馑。沃野千里,世号陆海,谓之天府也’”。再如,公元前246年,秦始皇命水工郑国引泾水开郑国渠入洛,约10年后渠成,“灌田四万顷”,故秦以富强,统一六国。还有,历史上著名的京杭大运河,全长1 700km,贯穿五大流域,曾在我国古代政治、经济、军事、交通、文化交流等方面起过重大作用。

新中国成立后,陆续建设了一些大型调水工程。例如,为解决香港地区淡水供应紧张问题,周恩来总理亲自审定了1964年2月动工的东深供水工程方案。还有,1961年开工、1966年全线通水的京密引水渠工程,将密云水库的水引入北京城区,全长102km,始于密云水库的调节池,流经密云、怀柔、顺义、昌平、海滨五个县(区),穿怀柔水库,过颐和园,在海淀区罗道庄与永定河引水渠汇合,构成北京市完整的供水系统。不过,改革开放前,由于我国经济发展和物质文化生活水平较低,决定了当时的资源供需矛盾并不十分尖锐。同时,由于国力有限,新中国百业待兴,致使至20世纪70年代末建设的大型调水工程较少。

中共十一届三中全会后,我国实行改革开放的政策,经济蓬勃发展。随着我国人口的增长、经济的发展和物质文化生活水平的提高,社会对水的需求量日益增长,水资源供需矛盾日趋紧张。我国水资源的分布与人口、土地、矿产资源的分布很不相适应,与经济发展水平也不协调,各地水资源供需不平衡,年际的差别很大,更加加剧了某些地区的水资源紧缺状况。为满足缺水地区人民生活和经济、社会发展的需要,建设大型调水工程已势在必行。此外,由于我国国力的不断增强,也使得建设大型调水工程成为可能。

改革开放后,我国已相继开工建设了一批大型调水工程,如引滦入津工程、引滦入唐工程、引大入秦工程、引黄济青工程、引黄入晋工程、引碧入连工程和东深供水二、三期工程等。这些大型调水工程满足了用水区人民生活和经济、社会发展的需要,促进了用水区经济、社会的发展。

20世纪90年代以来,我国大型调水工程建设步伐明显加快。1994年3月25日国务院第16次常务会议通过的《中国21世纪议程——中国21世纪人口、环境与发展白皮书》明确提出,在水利工程建设中要“兴建大型骨干水资源开发利用工程,实现跨地区或跨流域的水资源调配,这类大型骨干水资源开发利用工程,实现跨地区或跨流域的水资源调配,这类大型水利工程,在2000年前后估计开工兴建10～15项,如为解决京、津、河北西部和河南缺水的南水北调中线工程,解决太原市、大同市、朔州市缺水的引黄入晋工程,解决莱州、烟台市缺水的引黄入烟工程,解决秦皇岛市缺水的引青济秦二期工程,解决长春市用水的引松入长工程,解决大连市用水的引碧入连工程,解决沈阳、抚顺缺水的引浑济辽工程,解决深圳市缺水引水工程和第三期东深引水工程,解决乌鲁木齐市用水的引额济乌工程,解决呼和浩特市缺水的引黄济呼工程和解决宁波市缺水的白溪水库和引水工程等”。1996年全国人大通过的《中华人民共和国国民经济和社会发展“九五”计划和2010年远景目标纲要》也明确提出,“下个世纪前10年,集中力量建设一批对国民经济和社会发展具有全局性、关键性作用工程。主要是,继续建设长江三峡、黄河小浪底等大型水利枢纽工程,兴利除害,基本解决长江、黄河水患;着手建设跨流域的调水工程,缓解北方部分地区严重缺水的矛盾。”

(2)国外调水工程建设情况。由于各国国情不同,调水工程的建设情况也不相同。据不完全统计,有24个国家已建、在建和拟建的大型跨流域调水工程有160多项,遍布世界各个地区。这些跨流域调水工程的建设目的和技术特点各有不同,几个有代表性的国家的情况分别介绍如下。

美国。美国已建的跨流域调水工程有10多项,主要为灌溉和供水服务,兼顾防洪与发电,年调水总量达200多亿 m^3,其中规模最大的加州调水工程,年调水量52亿 m^3,调水总扬程达1 151m,居世界现有调水工程之首。目前美国较重要的调水工程还有:科罗拉多—大汤普森工程、煎锅—阿肯色河工程、中央河谷工程、中部亚利桑那工程等。

加拿大。加拿大已建调水工程的80%主要用于水电,1974年动工兴建的魁北克调水工程,引水流量1 590m^3/s,总装机容量达1 019万kW,年发电量678亿kW·h;17%的调水工程用于灌溉,其余为城市用水服务。但规划设计中的调水工程,却有60%主要用于灌溉,其余为水电开发工程。加拿大著名的调水工程有:邱吉尔河—纳尔逊河、奥果基河—尼比巩河、魁北克调水工程等。

澳大利亚。为解决内陆的干旱缺水,澳大利亚在1949～1975年间修建了第一个调水工程——雪山工程。该工程位于澳大利亚东南部,运行范围包括澳大利亚东南部2 000km² 的地域,通过大坝和山涧隧道网,从雪山山脉的东坡建库蓄水,将东坡斯诺伊河的一部分多余水量引向西坡的需水地区。沿途利用落差(总落差760m)发电供首都堪培拉和墨尔本、悉尼等城市民用和工业用电。总装机374万kW,每年可提供灌溉用水74亿m³,其总的指导思想是发电及反调节水量用于灌溉。雪山工程总投资9亿美元,主要工程包括16座大坝,7座电站,2座抽水站,80km的输水管道,144km的隧道。

法国。法国为了满足灌溉、发电和供水需要,于1964年动工兴建了迪郎斯—凡尔顿调水工程。该工程于1983年建成,设计灌溉面积6万hm²,年发电量5.75亿kW·h,并供150万人饮水。此外,法国还有勒斯特—加龙河等调水工程。

前苏联。前苏联已建的大型调水工程达15项之多,年调水量达480多亿m³,主要用于农田灌溉。规划中的调水工程较多,前苏联有100个研究所进行了调水工程的方案与技术研究,特别是花了20多年研究和规划"北水南调"工程,包括6条调水线路,规模宏大,设计远景最大调水总量达5 620亿m³,初期计划年调水量820亿m³,输水线路总长达10 400km,计划灌溉面积约4 000万hm²。这些工程中较著名的有:伏尔加—莫斯科调水工程、纳伦河—锡尔河调水工程、库班河—卡劳斯调水工程、瓦赫什河—喷什河调水工程、北水南调工程等。

印度。印度的调水开始于灌溉调水,已完成的工程有:恒河区(在拉贾斯但比卡尔区,1929年竣工),灌溉面积24万hm²;北方邦拉姆刚加河拉姆加坝南部各区,灌溉面积60万hm²;巴克拉楠加尔区,灌溉面积160万hm²;纳加尔米纳萨加尔,灌溉面积80万hm²;通加巴德拉,灌溉面积40万hm²,调水灌溉给这些地区带来了生机,产生了巨大的效益。

巴基斯坦。巴基斯坦已建成的"西水东调"工程是平原地区采用明渠自流引水的一项典型调水工程。该工程由印度河向东部调水,年调水量148亿m³,主要为灌溉服务,兼顾发电。

同传统的调水工程相比,现代调水工程的结构形式和工程规模都发生了巨大的变化,除由单用途、单目标向多用途、多目标方向发展外,还由近距离、小规模发展为远距离、大规模,由自流型发展为提水型、自流和提水相结合的混合型,由渠道输水发展为管道输水、渠管结合输水等类型。

值得注意的一个问题是,与发展中国家正热衷于建造大型调水工程形成鲜明对比的是,一些发达国家正在对调水工程建设采取越来越审慎的态度,以避免因考虑不周建设大型调水工程导致严重的生态环境问题，甚至有些地方在“回归自然”的口号影响下，研究将已有的调水工程毁掉后能否使环境恢复原有的自然平衡等问题。

3. 调水工程的影响

建设调水工程，干预了自然界的原有平衡。在调水工程的建设和运行管理阶段，势必对水量调出区、输水通过区和水量调入区的经济、社会和环境产生影响。这些影响包括：有利的和不利的；直接的和间接的；短期的和长期的；暂时的和积累的；一次的和二次的；明显的与潜在的；可逆的与不可逆的；等等。

以调水工程对环境的影响为例。一般来说，适宜于生态平衡的调水，对环境影响可望较小，但大型调水工程对环境影响内容十分广泛，有正有负。由于水是自然环境的重要组成物质，也是最活跃的环境因子之一，调水改变水平衡与水文循环势必会引起环境的变化。

调水对环境产生有利影响的实例如下：

(1)解决“调出水地区”易遭洪灾威胁问题。伊拉克底里斯—萨萨尔湖—幼发拉底调水工程，大大减少了调出水地区洪水灾害，而且在萨萨尔湖蓄水后，其附近地区尤其是贝吉周围，沙丘的形成和移动速度已极大地减缓了，从而有效地保障了人民生命财产免遭损失。

(2)挽救地区性生态危机。前苏联北水南调等工程，除供工农业用水外，还可缓解里海水位下降而引起的生态环境恶化。里海地区的环境与工业直接受里海水位的严重影响，但从 20 世纪 30 年代以来，里海水位已下降了 2.5m，矿化度从 16%增加到 35%；里海流域目前每年缺水 600 亿 m^3。另外，咸海流域是主要灌溉农作区，需水量很大，但目前供给水量只能满足其所需量的 1/5，因为在过去的 15 年中，咸海水位已下降 7m 多。如能获得外流域调水，可避免水位再下降 8～11m 之危。

(3)调入水地区获得多种效益。由于调水目的不同，调入水地区受益也不尽相同。有的航运获得了联通，形成了联网航运系统，如捷克斯洛伐克的多瑙河—奥得河—易北河调水工程；有的发展了灌溉，增加了农牧业活动和谷物肉类的产量，如印度的萨尔达—萨哈雅克调水工程，使格拉河—恒河平原每年增加灌溉 60 多万 hm^2；有的兼供工业用水，增建了新工厂，发展了生产，如加拿大的迪芬克湖—奎伯尔河调水工程；有的利用发电兼灌溉，如澳大利亚的雪山调水工程，就利用其落差建设了 7 座水力发电站，其总装机达 374 万 kW，年发电量达 50 多亿 kW·h；有的改善了生态环境，如前苏联的中亚和哈萨克的沙漠，由于调入了大量水，部分地区已变成繁茂绿洲。

调水对环境产生不利影响的实例如下：

(1)破坏调出水地区生态环境。如前苏联北水南调工程，以亚洲地区 8 条流入北冰洋河流的总水量 15 000 亿 m^3 作为设计依据，调出总水量的 1%～3%，看上去调水量似乎不多，结果竟造成原流入喀拉海的淡水量和热量减少，影响了喀拉海水温、积水、含盐量、海面蒸发以及能量平衡；还将导致极地冰盖扩展增厚，春季解冻时间推迟，地球北部原本短暂的生长季节，也将再度缩短半个多月，西伯利亚大片森林遭到破坏，风速加大，春雨减少，秋雨骤增，严重影响了农业生态环境；同时也使北冰洋海域通航条件变差，大马哈鱼等渔产量减少，而且还将潜在地影响着当地乃至全球的气候。上述不利影响中的间接、长期和诱发等因素一时不易被人察觉，但弊害极大。另外，仅以调水水量而言，如设计不当，特别是遇到枯水年时，势必影响调出水地区的用水。

(2)输水渠系两岸面临土壤次生盐碱化和沼泽化威胁。如巴勒斯坦的西水东调工程中有三条灌溉渠，总长 663km，引水流量 1 493m^3/s，系自流引水，其水位平均高出两岸 1m，由于渗漏，每年输水渠线有 45 亿 m^3 水流入地下，使地下水位不断抬高，并造成两岸各数百米宽地带沼泽化；同时由于排水不畅，使区域水进出极不平衡，导致土地渍涝、土壤盐碱化、肥力遭破坏和粮食减产，每年影响 24 000hm^2 的耕地。另外，调水干渠还易遭受沿岸城镇排放污水侵袭，导致污水外运。

(3)影响河床稳定。若利用原河床调水，势必增加流量和流速，由此导致河床推移物的流失、泥沙冲刷等，引起河床不稳定。如巴基斯坦调水工程，由于在天然河道中设置了拦河闸，致使大量泥沙沉淀，河床淤高，使河滩地高出两岸地面 1～2m，影响了河道的自然排水能力，同时也阻断了地面排水出路。

(4)疾病危及调入水地区。应该说疾病传播是调水工程最大的不利影响。在调水过程中，某些有毒有害物质在不同地域因冲而减或因淤而增，长期饮用污染水，就有发生各种病的可能。特别是有害元素、病毒、病菌的沿途传播，可使地方病、伤寒、痢疾、霍乱等得以蔓延。如美国芝加哥密执安湖调水工程是最早(1892 年始建，1919 年输水，年输水量 90 亿 m^3)和最有争议的跨流域调水工程之一。原因是，1948 年芝加哥受到了流行性伤寒的侵袭，是密执安湖的供水管道进口附近受到污染所致。

据报道，美国很多调水工程实施后，传播着一种脸板蚊，曾使脑炎猖獗一时。在远东一些调水工程中，则曾蔓延传播了日本乙型脑炎的蚊子。在非洲一些调水工程中，曾给“调入水地区”传播了大量疟蚊。

南非奥兰治河调水工程沿途取水都用于灌溉和生活，随着农业的发展，血吸虫的宿主——钉螺和人口密度相应增加，扩大和加重了血吸虫病的发病率。

4. 调水工程的管理

为了从政治、工程技术、经济、社会和环境等方面对调水工程进行统一规划和合理调度，使工程获得巨大经济、社会和环境效益，必须加强对调水工程的管理。

政府对调水工程管理是指国家在调水工程中执行管理职能和实行任务的途径。按其内容和对调水过程中各方当事人施加影响的性质、方式可以划分为:行政方法、经济方法、法制方法、思想政治方法等。这些方法各有特点,起着不同的作用,相辅相成,互相补充,都是政府对调水工程管理所不可缺少的。

(1)行政方法。调水工程管理的行政方法,是指依靠行政组织,运用行政手段,按照行政方式来管理调水工程。具体地说,就是依靠各级行政机关或经济机关的权威,采用行政命令、指示、规定和下达指令性计划等,按照行政系统、行政层次、行政区划来管理调水工程。其主要特点是以鲜明的权威和服从为前提,具有强制性。

行政方法对调水工程管理来说是必要的,它是执行管理职能的一个根本手段。调水工程的管理活动无论作为社会生产的客观要求,或作为一定生产关系的体现,它本身就带有权威的性质。没有一定的权威和服从,管理职能就无法实现。

行政方法是以国家政权的权威为后盾,运用行政命令、指示、规定等经济外的强制手段来组织、指挥、监督调水工程的各项活动的。但它并不等于强迫命令、个人专断、官僚主义和瞎指挥,也并不否定经济利益或者完全不顾经济利益。科学的行政方法,是建立在客观规律基础上,符合和反映客观规律的。

需要注意的是,在现代调水工程的管理中,既不能没有行政方法,也不能不适当地扩大用行政方法的管理范围,更不能滥用行政方法,甚至单纯依靠行政手段去管理,而要根据调水工程的不同情况把行政方法限定在必要的范围之内,依法行政,使其符合客观规律的要求。

(2)经济方法。调水工程管理的经济方法是相对于行政方法而言的,是指依靠经济组织,运用经济手段,按照客观经济规律的要求来管理调水工程。具体地讲,就是运用一系列与价值相关的经济利益范畴,作为经济杠杆来组织、调节和影响调水活动,促进调水工程的发展。

经济杠杆是经济方法的主要组成部分,包括价格、税收、信贷等经济杠杆。经济杠杆作用广泛,运用灵活,有效性强,是组织调水活动、调节调水过程的经济利益、推动调水工程顺利发展的有效手段。

(3)法制方法。本节将在后续内容中详细论述。

(4)思想政治工作。思想政治工作是社会主义国家进行国民经济管理的一种重要方法。在我国,思想政治工作历来是执政党动员群众、组织群众、教育群众完成各项任务的强大思想武器。思想政治工作的方法主要包括:说服教育、以理服人;言传身教,榜样示范;坚持灌输,正面教育;注意特殊矛盾,做好后进转化工作;经常注意思想动向,把工作做在前头等。思想政治工作对于处理与调水工程有关的水事纠纷和移民安置等工作非常有效。

(二)调水工程管理的法制建设

调水工程管理的法制建设,包括完备的立法、严格的执法、健全的司法监督体系,也包括进行法制教育,提高有关各方的法律意识和法制观念。

1.立法

立法是法制建设最重要的内容之一。在一定意义上讲,调水工程管理的立法历史可谓源远流长。如我国远在西汉时就有《水令》。元帝时,南阳太守制定农田灌溉《均水约束》,刊石于田边令人遵守。可以说,我国历史对每一稍大的调水灌渠、运河几乎都有技术管理、行政管理、用水管理和生产管理等各项规定,不过有分有合,或简或繁而已。

与调水工程管理有关的立法主要包括三类:水法;环境保护的立法;固定资产投资管理的立法。从法律效力层次上看,以上三类立法又分别包括不同权力立法主体的立法。以水法为例,国家的水法包括宪法相关条款、全国人大制定的《中华人民共和国水法》等法律、国务院制定的行政法规、水利部等制定的部门规章、地方人大制定的地方法规、地方政府制定的规章等;美国的水法包括联邦水法和州水法等。

(1)国内水法制建设情况。1949年中华人民共和国成立时,就把兴修水利、防洪防旱等水利事业规定在共同纲领中。中央人民政府下设水利部,开始建立水管理的各项制度。1958年,水利与电力两部合并,成立水利电力部,针对当时水利建设存在的问题,水利电力部发布了《关于加强水利管理工作的十条意见》,这是新中国成立后最早的水管理规范。“文革”期间,水利法制建设受到严重破坏。总体上讲,实行改革开放之前的水法制建设受计划经济体制的影响,尽管也取得了一些成绩,但成效不显著。

“文革”结束以来,在1979年起的国民经济新的调整时期,水利工程全面消除“左”的影响,开始从狭义的水管理,过渡到广义的水管理上来。1981年明确提出,要把水利工作的着重点转移到管理上来,并开始加强立法工作,颁布了许多单行法规。1984年,在水资源日益紧缺的形势下,正式提出水利工作要从为农业服务为主,转到为社会经济全面服务的“大水利”方向。与此同时,开展了水资源的调查评价、供需预测、调度分配以及江河流域的综合规划。自1978年酝酿起草《中华人民共和国水法》以后,1985年,在全国水资源协调小组的领导下,由国务院各有关部门和单位联合成立水法起草小组,于1985年底提出水法(送审稿),1987年经国务院通过后,报送全国人大常委会,1988年,经全国人大常委会审议通过,正式颁布,于1988年7月1日开始实施。水法的颁布,标志着我国的水管理,包括调水工程的管理,进入法制轨道。

(2)国外水法制建设情况。国外水法的发展,大体经历习惯水法、传统成文法和现代水法三个阶段。

古代的水法开始是不成文的，称习惯水法。习惯水法可分为三种类型。

第一种类型是历史习惯和乡规民约。比如，土地相邻之间的排水、引水、用水关系，大多遵循历史习惯或者乡规民约。第二种类型是在一些宗教国家，处理水事关系的共同准则，体现在宗教的经典和教规、教义中，如伊斯兰的宗教经典，不仅是处理一般水事关系的依据，它还明确规定，要珍惜水、节约水，保持水的清洁。第三种类型，如非洲一些国家，土地归部族、村社公有，它的水源也由部族、村社管理。

水法发展的第二阶段，就是成文的传统水法。国外传统水法的代表，体现在罗马法系、大陆法系和英美普通法系的民法中。它的特点是既承认水的公有，比如，对于可通航的江河，归社会公有；同时，在一定范围内，又把水权从属于土地权。土地所有者或使用者对依附于土地的水资源或者流经土地的水资源，拥有占有或者优先使用的权利，即所谓的"河岸权"。

第二次世界大战以后，随着经济的发展和人口的增长，传统水法已不能适应社会发展的需要，现代水法越来越具有共同发展的趋势。其主要共性内容有：

• 水的公有制。加强政府对水的管理与控制，提倡一切水都为社会所有，公共使用或直接归国家管理。在西班牙、北美和以色列的水法中，水的公共性是重要内容。法国和英国的水法也都体现了这种内容。在前苏联和东欧一些国家的水法中，明确规定水资源为国家所有。

• 开发利用与保护相结合。水法必须既能保证水资源的保护而又不妨碍水资源的开发。水资源的开发利用与控制污染、维持生态平衡同样被重视。许多国家的水法都体现"谁污染，谁承担责任"这个原则。

• 减少水的有害影响。

• 对地表水、地下水和大气水进行综合管理。

• 实行用水许可与水权登记制度。

• 征收水费和水资源税。

2. 执法

执法是指政府机关依照行政执法程序，贯彻执行和调水工程有关的法律法规。调水工程的行政执法包括三层含义：

(1)依法行政。政府行政机关对调水工程管理所进行的一切活动必须根据法律的授权，没有法律授权或者超越法律的授权，其行为是无效的，可以被撤销；行政行为的内容必须符合法律，不能与法律相抵触；行政行为必须按照法定程序进行，否则将同样视为无效行为。

(2)依法管理。行政机关必须通过法律进行管理；法律没有规定的，行政机关应该制定行政法规和规章；凡法规规定了有关处理程序的，行政首长必须遵守。

水管理按其业务可分为:水资源调查评价、规划,水资源开发利用和保护,用水管理,水域、水工程的管理与保护,防汛抗洪等。随着这些方面水行政法规的逐步完善,依法管理应寓于日常业务工作之中。

(3)违法处置。对违法者按照法律或行政法规行使行政处罚;按照法律程序,依法实施强制执行,凡违反治安管理条例的,提请公安机关进行治安处罚;对触及刑律的,提请法院追究刑事责任。

3.司法

我国调水工程管理的司法包括两个方面,一是行政司法,即水行政机关按照行政司法程序进行行政调解,或行政仲裁,或进行行政复议,以解决相应的水事纠纷行为;二是人民法院对水事诉讼的审判。调水工程有关水事纠纷的司法必须公正。水行政司法必须依法司法,不受其他机关、社会团体和个人的非法干预。人民法院对水事诉讼案件依法独立行使审判权,不受行政机关、社会团体和个人的干涉。

4.法制教育

法制教育的目的是提高全民的法律意识,这在市场经济欠发达的国家和地区尤为重要。法律意识是社会意识的一种特殊形式,是人们关于法律现象的思想、观点、知识和心理的总称。需要特别强调的是,法制意识是全民的法制意识,包括主体立法主体、行政执法主体、司法主体、社会主体、公民和市场经济主体、执政党的法制意识等。

调水工程管理中法制建设的作用主要有以下几点:

(1)引导作用。法律是由国家最高权力机关按照立法程序制定的,并由国家行政机关、司法机关来保证执行,具有国家强制力和普遍的约束力,体现着统治阶级的意志,对于建设调水工程起着引导作用。

(2)规范作用。调水过程中的法律作为人们的行为准则,调整和规范着与调水工程有关的当事人的行为,规范着政府和市场主体的行为,它规定了什么样的事是合法的,或者是法定必须执行的;还规定了什么样的事是非法的,必须禁止的。如《中华人民共和国水法》规定:“任何单位和个人引水、蓄水、排水,不得损害公共利益和他人的合法权益”,以及普遍适应美国西部水法的调水必须遵守的“无侵害规则”等,均规范着调水工程的建设行为。

(3)保障作用。法律在调水工程管理的保障作用主要表现在保障调水工程各方当事人的地位平等、意志自由和正当权益。《中华人民共和国宪法》第九条明确规定:“国家保护自然资源的合理利用”,《中华人民共和国水法》规定:“国家保护依法开发利用水资源和防治水害的各项事业”,使得依法建设的调水工程的合法权益能得到保障,从而促进调水工程建设的良性发展。

在对待法制建设在调水工程管理中的作用这一问题上,需要注意到,在反对一种错误认识的同时要防止和反对另一种错误认识。我们既应看到法制建设的重大作用,也应看到这种作用的局限性。调水工程管理中的法律是用以调整有关水事关系的,但它并不是调整水事关系的惟一手段,除法律外,还有行政、经济、政治、道德以至文化等其他手段。尤其是在我国,法律是我国社会主义社会中的一种社会规范,但它并不是惟一的社会规范。因此,在充分肯定法制建设在调水工程管理中的重要作用的同时,也应清楚地认识到,法制建设不是万能的。

二、流域水污染防治的法律规定

水污染,通常是指水体因某种物质的介入而导致其化学、物理、生物或者放射性等方面特性的改变,造成水质恶化,影响水的有效利用,危害人体健康或者生态平衡的现象。从法律意义上说,水污染则是指水体因某种物质的介入使该水体水质劣于其适用的水环境质量标准的现象。水体被污染后,能够造成各种危害。

一是对人体健康的危害。水体被污染后,人直接饮用含病菌病毒或者寄生虫的水,会造成霍乱、伤寒痢疾、传染性肝炎等疾病的蔓延。人饮用了被有毒有害化学物质污染的水之后,会直接引起中毒事故,危害人的健康甚至生命。人们长期食用被汞、镉等重金属污染的水体中的水产品,会对人体健康造成慢性危害。

二是对工业生产的危害。水污染会使一些工业产品质量降低,影响产值,甚至会直接使一些工业生产无法正常进行。

三是对农业生产的危害。用污水灌溉农田,一般具有增产效果,但是如果污水中含有重金属、酸、碱、盐和其他有毒有害物质就会对农业生产造成危害。污水中的有害物质被植物所吸收,会影响农产品的质量,间接对人体健康造成危害,有的农产品甚至会因重金属污染而不能食用;有的耕地会因含盐工业废水的污染而荒芜;有的污水会直接造成农作物的枯萎、腐烂、死亡,使农作物减产甚至颗粒无收。

四是对渔业的危害。水污染会破坏鱼类的产卵场或阻断鱼类的洄游路线,使鱼的质量下降、生长率降低,甚至会造成鱼类的畸形;严重的水污染,会使鱼类大量死亡,甚至会造成整个水域内鱼虾绝迹。

五是其他危害。水污染还会降低水的可利用性,使水资源不足的矛盾加剧;堵塞航道,影响航运;腐蚀船舶和水中建筑物,促使维修费用增加;破坏景观,影响旅游业的发展和人们的娱乐与体育活动。

我国水污染防治的法律、法规和规章对水污染防治的原则、制度、措施等做出了全面具体的规定,其主要内容包括以下几个方面。

(一)关于水污染防治原则的规定

水污染防治作为环境保护的一个重要方面,除了适用环境法的基本原则外,还有其自身特殊的管理原则,其中主要包括:

(1)水污染防治与水资源开发利用相结合原则。水污染的形成除了与水污染物排放的多少有关外,还与水的开发、利用、调度有很大关系。对水资源的不合理开发、利用、调节、调度,会在很大程度上加剧水污染。因此,为了有效地防治水污染,必须处理好水污染防治与水资源开发利用的关系,把水污染防治与水资源的开发利用和保护管理有机地结合起来。为此,《中华人民共和国水污染防治法》第九条明确规定:“国务院有关部门和地方各级人民政府在开发、利用和调节、调度水资源的时候,应当统筹兼顾,维护江河的合理流量和湖泊、水库以及地下水体的合理水位,维护水体自然净化能力”。《中华人民共和国水法》中也有关于“在水源不足地区,应当限制城市规模和耗水量大的工业、农业的发展”的规定。这些规定都体现了水污染防治与水资源开发利用相结合的原则。

(2)水污染防治与企业的整顿和技术改造相结合原则。我国的水污染,有很大一部分是由于企业布局不合理和采用的技术、设备落后造成的,那么,要有效地防治水污染,就必须合理规划工业布局,对企业进行技术改造,通过提高水的重复利用率减少废水和污染物的排放量。为此,《中华人民共和国水污染防治法》在第十一条要求“国务院有关部门和地方各级人民政府应当合理规划工业布局,对造成水污染的企业进行整顿和技术改造,采取综合防治措施,提高水的重复利用率,合理利用资源,减少废水和污染物排放量”。

(3)严格保护生活饮用水原则。生活饮用水与人民的日常生活密切相关,一旦受到污染,就直接危害人民的身体健康和生命安全。因此,对生活饮用水必须严格保护。在我国水污染防治的法律、法规中便充分体现了这一原则。《中华人民共和国水污染防治法》在第二十条不仅规定了饮用水水源保护区制度,而且还规定了禁止在保护区内从事可能污染生活饮用水体活动的严厉措施,并授予国务院对生活饮用水源的保护做出具体规定。该法还在第二十一条规定了在生活饮用水源受到严重污染紧急情况下的强制性应急措施制度。在《防止拆船污染环境管理条例》、《对外经济开放地区环境管理暂行规定》等法规中也有关于严格保护饮用水源的规定。国家环境保护局、卫生部、建设部、水利部、地质矿产部还联合发布了《饮用水源保护区污染防治管理规定》,对饮用水源的保护做出了全面具体的规定。

(二)各级人民政府水污染防治职责

为了使各级人民政府担负起保护水环境、防治水污染的责任,《中华人民共和国水污染防治法》规定了各级人民政府在水污染防治方面的职责。其中地方各级人民政府需要承担的职责包括：将防治水污染纳入计划的职责，合理调度水资源、维护水体自净能力的职责，合理规划工业布局的职责，将保护城市水源和防治城市水污染纳入城市建设规划、加强城市水环境综合整治的职责等。县级以上人民政府有制定本行政区域的水污染防治规划、规定特别保护水体保护区并加以特殊保护、责令限期拆除或者限期治理在生活饮用水地表水源一级保护区内的排污口、责令造成水体严重污染的排污单位限期治理的职责等。省级人民政府有对特定水体实施重点污染物排放总量控制制度、对特定企业实施重点污染物排放量的核定制度、依法划定生活饮用水地表水源保护区的职责等。另外，省、自治区、直辖市人民政府还可以决定中央和省、自治区、直辖市人民政府直接管辖的企业事业单位的限期治理。

（三）关于水污染防治的监督管理体制的规定

水污染防治是一项涉及面极广的工作，专靠某一部门去管或者全部分散去管，都是无法达到保护水环境的目标的。为了便于对水污染防治的监督管理，我国法律规定了统一监督管理与分工负责相结合的管理体制。各级人民政府的环境保护行政主管部门对水污染防治实施统一监督管理；各级交通部门的航政机关对船舶污染实施监督管理；各级人民政府的水利管理部门、卫生行政部门、地质矿产部门、市政管理部门、重要江河的水源保护机构，结合各自的职责，协同环境保护部门对水污染防治实施监督管理。另外，经济综合主管部门负责淘汰严重污染水环境的落后生产工艺和设备的监督管理；渔政监督管理机构负责渔业污染事故的调查处理；县级以上地方人民政府的农业管理部门和其他有关部门负责防止不合理施用农药、化肥造成的水污染。

（四）关于水污染防治管理制度的规定

为了防治水污染，《中华人民共和国水污染防治法》除了有环境影响评价、“三同时”排污申报登记、征收超标排污费、限期治理、现场检查、污染事故报告和通报、污染威胁应急等污染防治管理制度规定外，还针对水污染防治的特点，规定了一些管理制度。其中主要有：

(1)流域水污染防治规划制度。流域水污染防治规划是按照法定程序制定的对流域水污染防治进行总体安排的书面文件。其内容通常包括水质功能规划、水质目标规划、污染物排放总量控制指标规划、污水治理规划和相应的水污染防治措施等。该制度是水污染防治法修改新增加的一项制度，目的是要加强对流域水污染的防治。国家确定的重要江河的流域水污染防治规划，要由国务院环境保护行政主管部门会同计划主管部门、水利管理部门等有关部门和有关省、自治区、直辖市人民政府编制，报国务院批准；其他跨省、跨县江河的流域水污染防治规划，根据国家确定的重要江河的流域水污染防治规划和本地实际情况，由省级以上人民政府环境保护部门会同水利管理部门等有关部门和有关地方人民政府编制,报国务院或省级人民政府批准;跨县不跨省的其他江河的流域水污染防治规划由该省级人民政府报国务院备案。县级以上地方人民政府,应当根据依法批准的江河流域水污染防治规划,组织制定本行政区域的水污染防治规划,并纳入本行政区域的国民经济和社会发展中长期和年度计划。经批准的水污染防治规划是防治水污染的基本依据,具有法律效力,不得随意修改和变更。如果需要修订已批准的规划,需要经原批准的机关批准。

对于流域水污染防治,除了制定和实施水污染防治规划外,从淮河流域水污染防治开始,国家正逐步形成一种对流域水污染防治的综合管理制度。这一制度主要由流域水污染防治目标、监督管理机构、有关人民政府的职责、特殊的管理制度和措施等组成。

(2)水污染物排放总量控制和核定制度。水污染物排放总量控制是指在一定时期内,根据经济、技术、社会等条件,采取向水污染物排放源分配水污染物允许排放量的形式,将一定空间范围内水污染源排放的污染物数量控制在水环境质量容许限度内而实行的一种污染控制方式。它是针对水污染物浓度控制中存在的缺陷,在污染源密集状况下无法保证水环境质量目标的实现而提出的一种污染控制方式,是比浓度控制更先进和更有效的污染控制方式。修订后的《中华人民共和国水污染防治法》第十六条规定了水污染物排放的总量控制制度。总量控制制度适用的范围是水污染物达标排放仍不能达到国家规定的水环境质量标准的水体;其总量控制的对象是重点污染物,即影响水环境质量目标实现的污染物;实施总量控制的决定权在省级以上人民政府。

与水污染的总量控制制度相联系的是水污染物排放量的核定制度,即在实行总量控制的区域内,各个水污染源排放水污染物的数量由有关管理机关加以审核确定的制度。这一制度实际上就是许多国家所实行的水污染物排放的许可证制度。

(3)征收排污水费制度。在我国,排污收费适用的对象通常是超过污染物排放标准的污染源。但是,在水污染防治方面,与一般的排污收费不同的一点是,对不超过水污染物排放标准的污染源也要征收排污费,实际工作部门通常称其为排污水费。排污水费通常按排放污水的数量征收。

(4)划定饮用水源保护区制度。饮用水源保护区是为保护饮用水的水质而在饮用水源周围划出的采取措施加以特别保护的一定区域,可分为饮用水地表水源保护区和饮用水地下水源保护区。在同一保护区内,又划分为一级保护区、二级保护区和准保护区。不同级别的保护区域内,有着不同水质要求和防护措施要求。在生活饮用水地表水源一级保护区内,禁止从事旅游、游泳和其他可能污染生活饮用水水体的活动,禁止新建、扩建与供水设施和保护水源无关的建设项目,禁止向该区域内的水体排污水；对于在该区域内已设置的排污口，应由县级以上人民政府，按照国务院规定的权限，责令限期拆除或者限期治理；在生活饮用水源受到严重污染，威胁供水安全等紧急情况下，环境保护部门应当报经同级人民政府批准，采取强制性的应急措施，包括责令有关企业事业单位减少或停止排放污染物。生活饮用水地表水源保护区的划定权属省级以上人民政府。

(5)城市污水集中处理制度。城市污水是城市地区范围内的生活污水、工业废水和径流污水的总称，它通常由城市管渠汇集排入水体或者通过城市污水处理厂处理后排入水体。城市污水具有排放地点集中、排放量较大、污染物成分复杂等特点，如果分散处理，不仅经济上不合理，而且处理效果较差。因此，各国环境立法都较重视城市污水的集中处理。我国虽然早已认识到城市污水集中处理的优越性，但却由于各种条件的制约，一直未能建立起完善的城市污水集中处理制度。在法律中由于未明确城市污水集中处理费用的负担问题，从而使得一些已建成的城市污水处理厂也难以正常运转。1996年修改的《中华人民共和国水污染防治法》明确提出"城市污水应进行集中处理"，要求国务院有关部门和地方各级人民政府必须把保护城市水源和防治城市水污染纳入城市建设规划，建设和完善城市排水管网，有计划地建设城市污水集中处理设施，加强城市水环境的综合整治。为了保证污水集中处理设施的正常运行，该法规定城市污水集中处理设施按照国家规定向排污者提供污水处理的有偿服务，收取污水处理费用，向城市污水集中处理设施排放污水、缴纳污水处理费用的，不再缴纳排污费。

(五)关于水环境标准的规定

水环境标准也是整个环境标准体系的一个组成部分，是水污染防治法中的技术规范。它包括水环境质量标准、水污染物排放标准、水环境基础标准、水环境方法标准、水环境样品标准。1996年修改的水污染防治法，规定了总量控制制度，那么，在今后的水环境标准中还应有总量控制标准。这种标准在性质上属于污染物排放标准。在《中华人民共和国水污染防治法》的实施中，经常涉及的是水环境质量标准和水污染排放标准。

水环境质量标准，是指为保护人体健康和水的正常使用而对水体中污染物和其他物质的最高容许浓度所作的规定。它是表明水环境质量好坏的指标，也是判定水体是否被污染的尺度。

我国的水环境质量标准由多个标准组成，目前主要有《地面水环境质量标准》、《渔业水质标准》、《饮用水卫生标准》、《农田灌溉水质标准》等四个标准。

《地面水环境质量标准》依据地面水水域使用目的和保护目标，将地面水体分为五类：一类水体主要适用于源头水、国家自然保护区；二类水体主要适用于集中式生活饮用水水源地一级保护区、珍贵鱼类保护区、鱼虾产卵场等；三类水体主要适用于集中式生活饮用水水源地二级保护区、一般鱼类保护区及游泳区；四类水体主要适用于一般工业用水区、人体非直接接触的娱乐用水区；五类水体主要适用于农业用水区及一般景观要求水域。如果同一水域兼有多类功能的，依最高功能划分类别；有季节功能的，可分季划分类别。不同类别的水体，适用不同的污染物标准值。在该标准中共列出了水温、pH 值、溶解氧、化学需氧量（COD）、生化需氧量（BOD）等 30 项指标。放射性指标应执行《辐射防护规定》（GB8703—85）的规定。

对于渔业水体，应当适用《渔业水质标准》。该标准中有 33 个指标，最突出的是比《地面水环境质量标准》多了一些农药的指标，这些指标也严于《地面水环境质量标准》中的三类水体要求。

对于生活饮用水取水点，应当适用《饮用水卫生标准》。该标准中有感官性和一般化学、毒理学、细菌学、放射性等 4 类 35 项指标。其水质要求基本上相当于《地面水环境质量标准》中的二类水体。

按照灌溉水的用途，《农田灌溉水质标准》把农业灌溉用水水质要求分为两类。一类水适用于把工业废水或城市污水作为农业用水的主要水源，并长期利用的灌区；二类水适用于把工业废水或城市污水作为农业用水的补充水源而实行清污混灌轮灌的灌区。该标准中共列了 22 项指标。

水污染物排放标准，是国家为保护水环境而对人为污染源排出废水的污染物浓度或总量所作的规定。我国的水污染物排放标准由国务院环境保护行政主管部门制定，省、自治区、直辖市人民政府对执行国家水污染物排放标准不能保证达到水环境质量标准的水体，可以制定严于国家水污染标准的地方水污染排放标准。凡是向有地方水污染排放标准的水体排放污染物的，应当执行地方水污染物排放标准。我国目前已颁布了许多水污染物排放标准，其中最常用的是《污水综合排放标准》。该标准按地面水域使用功能要求和污水排放去向，把向地面水水域和城市下水道排放的污水分为三级。有些污水的排放须执行其他污染物排放标准。例如，船舶在允许排放污水的水域排放污水，应执行《船舶污染物排放标准》；医院污水的排放，除执行《污水综合排放标准》外，还应执行《医院污水排放标准》的规定。

（六）水质管理

水环境保护工作的中心任务是依据法律，加强管理，向污染宣战。我国颁布的《中华人民共和国环境保护法》、《中华人民共和国水污染防治法》、《中华人民共和国海洋环境保护法》等，是进行水质管理的依据。

《中华人民共和国水污染防治法》规定：

（1）一切单位和个人都有责任保护水环境，并有权对污染损害水环境的行为监督和检举；

(2)禁止向水体排放油类、酸类、碱液或者剧毒物；

(3)禁止将含有汞、镉、砷、氰化物、黄磷等可溶性剧毒废渣向水体排放、倾倒或者直接埋入地下；

(4)禁止向水体排放工业废渣、城市垃圾及其他废弃物。

1989 年 4 月第三次全国环境保护会议重申：决不容忍水体污染继续发展下去。一切不合排放标准的污水必须经过治理后才允许向公共水体排放。一切污染水环境的大中小型企业，都要自觉地对人民负责，采取断然措施，限期治理，以求达到排放标准。要禁止产生大量污水而又不进行污水处理的新建企业上马。要彻底清查整顿小造纸、小硫磺、小印染、小炼焦、小电石、小高炉等污染河流、湖泊、水库和土地的小型企业和乡镇企业，责令限期采取治理措施。无法治理或无力治理的，各地要根据情况，毫不犹豫地关、停、并、转。即使是减少工业产值也要在所不惜。城镇政府要对生活污水的治理负责。在一切水资源被严重污染的地方，都必须在治理整顿的过程中，通过几年的努力，使被污染的河流、湖泊恢复基本面目，达到国家规定的各类水质标准。

《关于防治水污染技术政策的规定》中对于按流域、区域综合防治水污染，对于城市污水治理和对于防治工矿企业和乡镇企业污水等方面都详细地作了规定。例如：要重点保护饮用水水源，严防污染；厉行计划用水、节约用水的方针；控制农业面污染，合理使用化肥，积极发展生态农业，研究和使用高效、低毒、低残留的农药，并发展以虫治虫、以菌治虫等生物防治病虫害技术，以防止和减少农药(包括农田排水)对水体的污染；积极开发和研究高效、低能耗和能源部分自给的人工生物处理等城市污水处理技术和工艺流程，以节约投资、降低维护费和运行费；对地理环境合适的城市，尤其在中、小城镇和干旱、半干旱地区，应首先考虑采用荒地、废地、劣质地以及坑塘淀洼，建设多种形式的氧化塘污水处理系统；在有条件的城市，应发展氧化塘与其他人工处理相结合的处理系统，以提高处理效果，降低能耗，并开展综合利用；对工矿业和乡镇企业要重视调整工业结构和布局，防止由于工业布局和结构不合理而造成水环境污染；在缺水地区和水污染相当严重的城市以及对外经济开放地区、旅游区，工业建设应禁止建设用水量大、污染型的工业项目；积极开展和采用无废或少废、不用或少用水、节约资源的工艺、技术和生产设备，采用低毒或无毒原料代替有毒原料，以压缩污染物或工业废水的产出量和排放量。

(七)关于水污染防治措施的规定

除了关于水污染防治管理制度的规定外，《中华人民共和国水污染防治法》还规定了防治水污染的各种措施。

一是综合性水污染防治措施。其中主要包括:合理调度水资源,维护水体自然净化能力,合理规划布局,综合利用资源,减少废水和污染物的排放;划定保护区,保证特殊用水水体的水质;禁止新建严重污染水环境的小型企业。

二是防治地表水污染的措施。主要包括:控制新建排污口;禁止从事某些污染水体的行为;要求某些可能污染水体的行为必须采取防污染措施,并使废水达标排放;要求县级以上地方人民政府的农业管理部门和其他有关部门,应当采取措施,指导农业生产者科学、合理地施用化肥和农药,控制化肥和农药的过量使用,防止造成水污染。

三是防止地下水污染的措施。主要包括以下几方面:

(1)禁止某些可能污染地下水的行为,如禁止企业事业单位利用渗井、渗坑、裂隙和溶洞排放和倾倒含有毒污染物的废水、含病原体的污水和其他废弃物,禁止企业事业单位在无良好隔渗地层使用无防止渗漏措施的沟渠、坑塘等输送或者存储含有毒污染物的废水、含病原体的污水和其他废弃物。

(2)要求某些可能污染地下水的行为采取防污染措施,如在开采多层地下水的时候,如果各含水层的水质差异大,应当分层开采;对已受污染的潜水和承压水,不得混合开采;兴建地下工程设施或者进行地下勘探、采矿等活动,应当采取防护性措施;人工回灌补给地下水,不得恶化地下水质。

(八)关于法律责任的规定

水污染防治法规定的法律责任,包括行政责任、民事责任和刑事责任三种。行政责任和刑事责任与普通的环境法律责任的形式、构成条件适用对象等基本上相同;民事责任有两种责任形式,一是排除危害,二是赔偿损失。不过,民事责任的免责条件除了不可抗拒外,还有第三人责任和自我致害的免责规定。即水污染损失由第三者故意或者过失所引起的,第三者应当承担责任。水污染损失由受害者自身的责任所引起的,排污单位不承担责任。

三、美国的水污染控制法律

早在19世纪,美国由于工业和城市化的迅速兴起,大量未经处理的废水被排入通航水体。但那时,工业污染尚未构成社会发展的主要威胁,排入水体的主要是生活废水。随着以后工业废水中含对人体有害物质的增多,出现了一些公害问题,从而引起了社会的关注。当时,美国尚不存在水污染控制方面的成文法规。惟一能解决公害问题的地方是法院。法院在解决这些纠纷时,一般应用普通法的侵权原则,为受害者提供补救,如损害赔偿或下达停止侵害的命令等,以制止因不合理使用水资源而对他人造成损害。受害人想向法院提起诉讼的根据主要有两个:一是河岸权的自然流动原则;二是河岸权的合理使用原则。自然流动原则是指下游沿岸人有权要求来自上游的水其水质不降低,水量不减少。也就是说,上游人用水不应改变水质和水量。合理使用原则指的是沿岸人必须合理使用河水,不得损害其他沿岸人的利益。然而,法院在处理这类案时往往指出,下游人不能对水质要求过高,要求太高会完全限制上游人的用水权。

(一)美国的水污染控制立法

1.早期联邦立法时期(1899~1956年)

美国最早的一部关于水污染控制的成文法是1899年制定的《河流与港湾法》,其目的是保证通航水体畅通无阻,禁止向通航水体投弃影响通航的废弃物。该法规定,向通航水体排放废弃物必须取得美国工程兵团签发的许可证。但是,该法规规定的许可证制度并未得到真正的实施。因为当时的废水排放还没有对河流和港湾构成大的威胁。直到20世纪50年代,水污染问题日趋严重并引起了公众的关注,美国工程兵团才开始使用该法规定的许可证来制止污水排入通航水体。事实上,美国联邦政府在1948年以前对水污染控制的权力仅限于通航水体。水污染控制的主要职责是由州和地方承担。直到1948年通过了《联邦水污染控制法》(简称1948年法)才扩大了联邦政府在水污染控制方面的权限,其中包括向州和地方提供水污染控制研究的奖金和技术援助。该法还规定了联邦政府可以对污染行为者提起法律诉讼,然而,它的重点放在城市污水处理上。《联邦水污染控制法》在1956年进行了第一次修改,增加了联邦政府向州和地方修建污水处理厂的拨款,并规定了对污染行为者提起诉讼的具体程序。此外,还规定了增加各州水污染控制研究资金和培训专门人才的经费等条款。

2.向水质标准过渡(1956~1972年)

1956年,美国国会通过了《水质改善法》(简称1956年法)。该法的核心是制定水质标准。该法要求各州制定其辖区内跨州通航水体的水质标准,并制定出切实可行的实施计划。该法进一步确认各州对水污染控制的责任,它标志着美国的水污染控制开始向综合控制方向发展。此时,司法诉讼只作为解决水污染问题的最后手段。

建立水质标准在美国水污染防治方面起着非常重要的作用,是美国现代水法中的奠基石。这里,建立水质标准指的是两个方面:划分水体用途,如分饮用水、娱乐水或渔业水等;根据水的用途、水体标准及实施计划提交美国环保局批准。如果美国环保局建议该州修改其标准和计划,如不修改,美国环保局可以为该州制定具体的标准和计划。

3.制定水质目标和排放技术标准(1972年至今)

美国于1972年再次修改了《联邦水污染控制法》,并改名为《清洁水法》(简称

1972年法），确立了国家水质目标，即污染零排放目标。该法还规定了最佳实用控制技术和经济上可行的最佳可得技术等排放技术标准，建立了许可证制度，同时还规定了实施该法的各种制裁措施。这些规定和措施，标志着美国对水污染的法律控制进入了新的阶段，这个时期的水污染控制法与以往的水法相比，发生了一个根本性的转变，即从单纯的对河流使用的保护走向对水生态系统的整体保护，并走向了有目标的控制和管理。

1977年美国再次修改了《清洁水法》，加强了对有毒物质的控制，规定了有毒物质的排放必须达到经济上可行的最佳可得技术标准，常规污染物的排放必须达到最佳常规控制技术。此后，《清洁水法》又于1980年、1981年、1985年和1987年进行了多次修改。1987年的修正案规定了新联邦计划：于1991年结束联邦对州的拨款，从拨款走向贷款，并制定了对非点源排放的限制。

为了保证联邦《清洁水法》的实施，美国环保局颁布了一系列相应的行政法规。此外，联邦与水污染控制和水资源保护有关的法律还有《安全饮水法》、《国家港湾调查、研究与恢复法》、《风景河流法》、《鱼类及野生生物协调法》和《沿海地区管理法》等。各州和地方也制定了地方性的水污染控制法规。这些法律和法规形成了美国的一整套水污染控制及水环境保护的法律体系。

（二）美国现行的《清洁水法》

在美国的水污染控制及水环境保护的法律体系中，联邦《清洁水法》是核心。它充分体现了美国现行水法的水污染控制政策，其实施对地表水的水质改善起到了重要的作用。该法由两个核心部分组成：一是确立了联邦水法的目的和国家水质目标；二是建立了实现水质目标的管理体系。

1. 确立水法的目的和国家水质目标

1972年的《清洁水法》明确规定："恢复和保持国家水体原有的化学、物理和生物特性。"同时，该法还规定了国家的水质目标："到1985年消除向国家通航水体排放污染物。"为了实现这一目标，还规定了一个过渡目标，即"到1983年，水质达到能保持鱼类、贝类及其他水生物的繁殖和可供人们娱乐的标准"。

虽然该法确立的水质目标现在看起来是极不现实的，但确立国家目标对制定污染控制措施及其实施起到了十分重要的作用。

2. 建立实现国家水质目标的管理体系

1972年的《清洁水法》的另一主要内容是建立了美国水污染控制的管理体系，这一体系是以控制点源向国家通航水体排放污染物为中心的管理体系。它主要包括以下几项措施：

（1）排放控制技术标准。美国水污染防治法体系中的标准可分为水质标准、排放控制技术标准、有毒污染物排放标准和地方标准。

1972 年的《清洁水法》规定的是排放控制技术标准，排放控制技术标准是对污水排放前的处理控制技术提出限制条件，只有符合这些限制条件的才允许排放，以此达到控制排放的目的。《清洁水法》对不同类型的污染物提出不同的排放前的处理技术，同时还规定了实现这些处理技术标准的不同时间限制。

《清洁水法》规定，到 1977 年所有的点源污染排放必须达到最佳实用技术，1984 年所有污染物的排放要达到经济上可行的最佳可得技术。1977 年修改的《清洁水法》又进一步规定：常规污染物的排放，必须在 1984 年 3 月 1 日前实现最佳常规控制技术，并且在 1984 年到 1987 年间实现经济上最佳可得的技术，后来修改的《清洁水法》要求达到上述标准的期限不得超过 1989 年 3 月 1 日。

20 世纪 80 年代之后，这种命令式控制的管理措施受到了很多批评，评论家们认为应该制定一些经济刺激措施，鼓励企业促进污染控制，经济措施将比“命令式控制”的措施有效。

(2)许可证制度。许可证制度也就是《清洁水法》中规定的“国家消除污染物排放制度”。任何向地表水排放污水的，只有获得许可证的才可进行排放。《清洁水法》明确规定了许可证的申请程序和具体内容。许可证的作用在于把法律规定的标准转化为排污者必须遵守的具体排放限制条件。因此，它是与排放控制技术标准紧密配合实施的一项重要措施。许可证还规定了排放者应遵守的监测和报告义务。《清洁水法》还规定，当违反许可证条件时，环保局和公民个人均可向法院提起诉讼，追究其法律责任。

(3)联邦拨款。为了实现《清洁水法》提出的零排放目标，需要修建大量的城市公共污水处理厂和大力开展科学研究和人员培训工作。为此，“1972 年法”和“1977 年法”连续增加联邦对修建城市公共污水处理厂和对开展各种研究和开发项目的拨款。《清洁水法》规定了要大力支持和资助对污染效应如何运用经济刺激措施、总量控制方法和减少用水量及热污染控制等方面的研究。“1977 年法”还规定，建设城市污水处理厂采用技术革新和实用技术的，联邦在拨款时将给予特别的优惠。

(4)对一些特殊污染物的特别措施。

(5)法律制裁。进入 20 世纪 90 年代之后，非点源的污染问题和饮用水污染引起了广泛的公众关注。1996 年美国修改了《安全饮用水法》。该法主要规定了新的和更加严格的防止饮用水污染的措施，其中包括建立新的水源保护管理体系和要求自来水厂向公众提出有关水源和水质的报告等。该法取消了要求环保局每 3 年将 25 种化学品纳入管理的规定，取而代之的是要求环保局加强对化学品的研究、成本效益分析和信息收集。该法还设立了一项新的 10 亿美金的饮水周转基金。

然而,美国在进入20世纪90年代以来有一种趋向,认为美国的环境法过多和过于复杂,给企业造成了很大经济负担。有的法规过于严格,实施起来十分昂贵又无必要。美国环境保护局已开始对其所颁布的规章进行审查。在水污染控制方面,美国环保局在1997年简化了一些程序和取消了一些不必要的规定。其中包括简化和取消一些过时的许可证程序,减少一些不必要的监测和报告等要求,调整国家的主要饮用水的规定,以及加强预处理项目和水质规划管理。

总而言之,美国的水污染控制立法是较完备的。但光有相对完备的立法是不够的,还必须确保这些法律切实可行。这就要求不断地摸索和改进,并充分考虑相应的经济刺激措施和各种鼓励企业、公共团体和个人的自愿措施等。美国的水污染和水保护的法律还正处在这样一个不断发展和完善的过程中。

第四节　制度与流域水资源可持续利用

制度建设对流域水资源可持续利用至关重要,这种重要作用已为经济学界所认识。本节在简要分析水权制度与流域水资源可持续利用关系之后,通过介绍贝加尔湖流域的森林政策、亚马孙河流域开发制度安排及黄河流域水资源管理三个实例,分析制度与流域水资源可持续利用的关系。

一、水权制度与流域水资源可持续利用

以1993年诺贝尔经济学奖获得者诺斯为代表的新经济学史派以产权制度为核心,从纵横两个方面,为我们描述了世界经济发展的历史演进,得出了“产权明晰是社会发展的制度前提”的结论。

为取得制度绩效,中国水权制度正在发生受市场经济制度驱动的制度变迁。如何正确理解社会主义市场经济制度下的经济理性,避免对经济理性狭隘理解而造成水权制度困惑,并结合中国水权制度的具体情况对现有的水权制度变革,建立一套科学的水权制度,以促进水资源高效率的供给和配置,进而实现流域水资源可持续利用,是目前中国流域水资源可持续利用管理所面临的一个重大课题。

建立明晰的水权制度,不仅可以提高人们水行为的市场效率,优化水资源配置,还可以降低水行为外部性的影响。考虑到水环境与资源问题的产生主要是由外部性因素所致,建立明晰的水权制度还能够在一定程度上遏制水环境恶化与水资源耗竭的加剧。

(一)水权制度的经济学基础

1.水权制度是水资源供给和配置的基础

主流经济学认为,市场机制正常作用的基本条件是明确的、专一的、安全的、可转移的和可实行的涵盖所有资源、产品和服务的产权。产权是有效利用、交换、保存、管理和对资源进行投资的先决条件。依据主流经济学的基本理论不难发现,在市场经济体制下市场机制通常是实现水资源在不同用途之间和不同时间上配置的有效机制,而水权明晰是市场机制正常发挥作用的必要条件。史坦雷(Stanley Crowford,1990)在研究水权制度在美国西部水资源有效配置中的重要作用后,得出如下结论:通过以水权制度为核心的法律机制运作,水变成了金钱;这种运作,必须经过法律的裁定和证实,必须有明确的产权归属,必须能商品化。这一结论用水资源管理的实例对主流经济学的理论进行了实证。

2.水权制度安排是在经济理性指导下完成的

社会经济增长和发展的决定因素是可利用的自然资源禀赋和人们行为的合理化(W·刘易斯,1955)。水资源作为一种重要的自然资源,其自然禀赋和人们水行为的合理化无疑是促进社会经济增长和发展的一个重要决定因素。尤其是进入21世纪以来,随着社会经济的不断发展,社会对水的需要急剧增加,供需矛盾日益加剧,水资源已成为许多国家和地区社会经济增长和发展的瓶颈,如何高效率地供应和配置水资源已成为目前许多国家和地区社会经济增长和发展过程中面临的难题。

水资源的自然禀赋和人们行为的合理化都是水权制度安排的内容和价值目标。水权制度的功能或者推动或者阻碍经济增长和发展,关键在于水权制度是否作出了有利于经济增长和发展的制度安排。

作为一种社会游戏规则的水权制度,是为决定人们在水资源管理过程中的相互关系而人为设定的一些制约,是在一定的经济理性指导下制定的。经济理性是有关影响制度选择效率的经济观点和理论总和。从中国目前的情况看,构成水权制度选择的经济理性主要有水资源的公有制理论、国家水资源永久主权论和劳动价值论。

(1)水资源的公有制理论。社会主义公有制理论是中国目前包括水权制度在内的一切自然资源产权制度的基础。依据水资源公有制理论,中国做出了水资源所有权主体单一化的安排。《中华人民共和国宪法》第九条规定:“矿藏、水流、森林、山岭、草原、荒地、滩涂等自然资源,都属于国家所有;由法律规定属于集体所有的森林和山岭、草原、荒地、滩涂除外。国家保护自然资源的合理利用,保护珍贵的动物和植物。禁止任何组织或者个人用任何手段侵占或者破坏自然资源。”按照宪法的总体规定,《中华人民共和国水法》更加具体地规定了中国的水权制度包括3层含义:第一,水资源属于全民所有;第二,农村集体经济组织所有的水塘、水库中的水属于集体所有;第三,国家保护依法开发利用的水资源活动。

(2)国家水资源永久主权论。国家基于主权对其领土内自然资源的永久拥有和支配是国际公法的铁律。各国对其国际边界以内的陆地上以及在其管辖范围内的海床及其底土中和上水域中的一切自然资源,拥有不可剥夺的永久主权权力。每个国家都有权采用它认为对宏观世界的发展最有利的经济和社会制度。显然,水资源的永久主权是一国经济增长和发展的自决权,是一国政治和经济独立的"宪法性权力"。对水资源拥有永久主权是中国现行制度的政治基础。

(3)劳动价值论。劳动价值论是中国水权制度选择的经济学基础。依据劳动价值论可以发现,水资源在自然存在时是无价值的,但却是价值的承担者。当水资源作为所有权客体被用来交换时,其他商品或媒介物的价值就会表现在水资源身上,使之价值化和资本化。水资源进入市场进行交易的基础是对水资源的垄断性支配,产权制度在交易中起决定性作用。

(二)水权制度的发展和现状

1.水权制度发展过程

如前所述,考察水利发展史不难发现,水权制度大体经历了习惯水权、传统水权和现代水权3个阶段。

2.水权制度发展和水资源开发利用实践相辅相成

从人类水行为的历史中不难发现,尽管每个时代确定水资源财产权的依据不同,但建立明晰的水资源财产权关系是实现水资源优化配置的基础。特别是第二次世界大战以来,随着水资源供需矛盾的日益紧张,有一套明晰的现代水权已成为各国优化配置水资源即水行为合理化的基础。

人类开发利用水资源活动的不断深入也会促进水权制度的不断发展和完善。西汉以前的中国古代社会是没有水权成文立法的。西汉时,随着古代劳动人民开发利用水资源的能力不断增强,出现了《水令》,标志着中国最早的水权成文立法。此后,伴随着水资源开发规模和范围的扩大,关于水权的立法不断完善,如元代已有农田灌溉的《均水约束》。再后,针对建设的稍大的调水灌渠和运河,有关水权的立法越来越完善。

从新中国成立起至"文革"结束,中国建立了一套适应计划经济体制要求的水权体系。实行改革开放后,中国水管理工作发生了重大变化,适应了社会主义市场经济对水利建设的新要求。水利工作从为农业服务为主转到为社会和经济建设全面服务。伴随着水利事业的蓬勃发展,依法治水逐渐成为社会主义市场经济体制下水管理的基本内容。1988年1月,全国人大常委会审议通过了《中华人民共和国水法》,并于当年7月1日开始实施。

3. 中国水资源产权管理现状分析

中国现行的水权制度强调水资源的国家所有权,主要体现为国家的管理权和调配权。在实施水资源的国家管理权时,《中华人民共和国水法》规定:“国家对水资源实行统一管理与分级、分部门管理相结合的制度。”在实施水资源的国家调配权时,《中华人民共和国水法》规定:“任何单位和个人引水、蓄水、排水,不得损害公共利益和他人的合法权益。”

通过大量调查研究,我们发现中国现行的水权制度存在以下主要问题。

(1)对指导水权制度安排的经济理性误解导致限制水权流动。水资源的社会主义公有制理论,并不代表中国向市场经济渐进的现阶段,水资源只能实行单一的公有制。对水资源实行多种所有制与多元经济并存是克服中国严重存在的水资源浪费和污染的根本性制度措施。通过水资源在法律制度上公共产权和私人产权的结合性安排,可使中国水资源产权制度绩效大于制度成本。水资源单一公有制的改变,可以使水资源进入市场的同时,培育出能进行博弈的产权主体,真正发挥市场机制的作用,进而为未来社会最终过渡到水资源单一公有制提供物质基础。

国家水资源永久主权并不等同于国家水资源所有权。在坚持水资源永久主权的前提下,可以将水资源推向市场,实现水资源的市场供给。要实现水资源的市场供给,政府供给退出是前提。政府供给退出不仅可以使水资源产权主体多元化,使厂商成为水资源所有权的主体,从而为市场高效供给奠定基础,也可以避免或减少政府设租和寻租的机会,保证水权利的公共选择。当然,为应付如严重的干旱、洪水、水污染等紧急状态与突发事件,政府对特定的水资源的供给也是必需的。

劳动价值论并不代表水资源无价。由于误解劳动价值论,中国对水资源产权作出了阻碍水资源价值实现的制度安排。从法律上禁止水资源的市场交易,限制水权流动,特别是禁止水资源所有权的流动,使水资源的价值无从表现,更谈不上向合理化、高效率方面流动。

现行水权制度不合理性的直接表现之一,是政府部门在水资源管理中存在的设租和寻租现象。

(2)水资源财产权不明晰。在中国,无论是全民所有还是集体所有的水资源,都存在着投资主题不清,产权需要界定的必要性。以集体所有的水资源为例,农村集体经济组织所拥有的水塘和水库中的水属于集体所有,此处的“集体”究竟是些什么人,非常模糊。因为当初建设水塘和水库的资金来源历经时代变迁已很不清楚,即投资主体是谁很难确定,有时竟找不到具体的投资主体。多年来,许多农村水塘和水库是靠群众的义务工或群众集资或政府“以工代赈”或乡镇政府投资办起来的,当初并没有账目可查,这些水塘和水库所形成的资产找不到真正的主人。

(3)水商品化程度低。水资源进入市场进行交易的基础是对水资源的垄断性支配,中国现行水权制度的不合理导致水资源的商品化程度低。由于天然水资源在自然赋存时是无价值的,水资源的价值是通过交易由对价物转化来的,水商品化程度低导致水资源的价值自然没能通过交易得到应有的实现。

(4)水权交易缺乏可操作的条件。水资源财产权不明晰和水资源国家管理权不统一,导致了中国水权交易难以操作,影响了水资源的优化配置。

(三)社会主义市场经济体制下新型水权制度的基本设想

根据经济学的基本理论,结合现阶段中国社会主义市场经济的特点,我们设想的中国水权制度是“一个体系,两个层次,多种形式”。

1.一个体系

中国幅员辽阔,水事关系复杂,为保证国家对宝贵的水资源能有效管理,发挥水资源促进社会经济增长和发展的应有作用,必须保证全国一盘棋,才能实现国家对全国水资源的统一、有序管理,避免人们水行为的混乱和无序。这就要求中国的水权制度必须是一个完整的、有机的、动态的体系。

在国家的水权系统中,必须强调以下两个方面:

(1)水资源行政管理权的统一性。

(2)建立明晰的水权关系。政府要充分认识到水权界定是中国社会主义市场经济中一个尚未解决的问题。水权未能界定,产权交易即使十分必要,也无法操作。同时,水权模糊也会为水资源的优化配置增添阻力,这种情况已在中国近年来建设和准备建设的调水工程中出现。

2.两个层次

两个层次是指区分水权体系中的天然水资源和水商品两个层次。

在天然水资源层次上,严格执行1998年国务院重新明确的水行政主管部门负责统一发放取水许可证并征收水资源费。使用水资源的任何单位和个人都必须向水行政管理部门申请取水许可证并缴纳水资源费。在这一层次上,除面临着水资源费低、征收难等问题外,还要明确政府供给和市场供给的水资源的范围划分,明确市场供给的水权交易中水行政管理部门如何引入市场机制,使解决水资源有限性和不断增长的消费之间的冲突不完全靠行政管理的方式,结合采用使冲突在竞争和博弈中得到解决的方式。此外,在这一层次上,也存在明确水权问题,如本节前面提到的农村集体经济组织所拥有的水塘和水库中的水属于集体所有,此处的“集体”究竟是些什么人。

在商品水市场,如通过供水工程的供水、自来水厂供水、矿泉水和纯净水等市场,由于水产品凝结了人类社会的一般劳动,天然水变成了商品水,也就有了价值。供水工程的项目法人自然也就是其管辖的商品水水权的拥有者。考虑到目前水利工程的立项、设计、建设、运行管理、归还建设贷款的本息并承担项目风险,项目法人要履行其责任,就必须拥有商品水的水权并能在国家政策法规的指导下按市场规律进行水权交易。以中国目前的情况看,要真正做到这一点还有不小难度。

3.多种形式

多种形式是指在促进水商品化所采用的具体方式上,应不拘形式,灵活多样。政府要采取切实措施,创造具有可操作性的水权交易条件,以尽快实现水利产业化。水行政管理部门要学会并善于利用市场机制来优化中国的水资源配置。

二、前苏联贝加尔湖流域的森林政策

贝加尔湖作为世界上最深并且储存量最丰的淡水湖,因其生物多样性而有重大的科学和人文价值。伐木活动导致了土壤侵蚀和沉积作用,而木材加工业又引起了有害废水的污染。1958～1968年的10年间,约有150万 m^3 木材沉于河底及湖底,有些河段累积的木材厚达3～4m。木材腐烂,耗尽了水中的氧气。加上泥沙淤积和其他污染,使湖泊的鱼类存量蒙受巨大损失。当地的一种名叫奥姆尔(Omul)的鱼,不能自然产卵,必须靠人工培育才可延续。其他鱼种也面临增长率降低、产卵量减少的问题。污染也是导致淡水海豹死亡的原因。

20世纪70年代的植树计划(项目)以及禁止利用河流输送木材的法令,对恢复贝加尔湖起到了一定作用。一些地区已经停止伐木活动,但是,伴随来自农用化肥、动物粪便和杀虫剂的排放以及工业废水的排放(特别是两家纸浆和纤维素厂依旧向湖里排放废水)仍然会影响贝加尔湖的环境。贝加斯克(Baikalsk)的造纸厂废水一直受到公众以及政府的注意。从70年代到80年代,尽管采取了大量的净化措施,贝加斯克造纸厂每天仍要消费40万 m^3 的水并排放23万 m^3 的废水。根据1987年中央委员会部长会议的决定,已经逐步实施取消重污染工艺的计划,这一计划包括控制贝加尔湖周围地经济发展的对策、捕鱼及海豹捕猎的配额,以及降低工业排放的目标等。

三、亚马孙河流域开发政策

巴西和亚马孙河流域的其他国家,在谋求发展的过程中,被亚马孙河这一巨大的宝藏缚住了手脚。工业化国家出于利益考虑,希望把这一地区原封不动地保护起来,使之成为一片巨大的自然保护区。他们的考虑自然有着重要原因,亚马孙河森林是地球上30%氧气的原产地,它如同一个大的过滤器,使5亿辆汽车能够继续耗用矿物燃料,大大有益于减轻温室效应。

但发达国家的建议遭到了所有亚马孙河流域国家和人民的一致拒绝。北半球国家保持着优越的生活方式和近乎奢靡的消费模式，却要求不发达国家承担环境上的责任，无异于在生态上推行殖民主义。发达国家工业社会浪费着大量能源，进口的石油主要被用于个人交通和家庭取暖。而在发展中国家，石油却是农业机械化和化肥生产的保障。专家指出："十加仑汽油只是西方一个普通公民一个月内驱车兜风所耗费的数量，但它却足够生产一个成人生存所需的粮食。"发达国家在这样的巨大反差下，要把一项坐享其成的生态建议强加给亚马孙河流域的人民，引起了人们普遍的反感。

这种强烈的情绪使当地政府在决策时产生了某种程度上的逆反心理。由于没有彻底放弃掠夺式开发该地区自然资源的主导发展模式，因此有20多年森林遭到了严重破坏，亚马孙河流域损失了30万～40万 km^2 的森林。

(一)巴西政府在发展决策中的失误

(1)认为亚马孙河流域可吸收农村的流动人口。这些人本是因为巴西南部地区实行农业现代化和东北部地区坚持不合时宜的土地所有制结构而流离失所的。

(2)决定支持大规模发展畜牧业，尽管这与亚马孙河流域的自然条件很不适应。

(3)开发亚马孙河流域的矿藏以减轻债务负担。

(4)搬迁亚马孙河流域的居民，使他们沿特意修建的道路居住。

(5)在马瑙斯免税区建立一个大工业中心。

上述政策产生的恶果使社会与环境付出了代价：自然资源遭到破坏，人们生活条件恶化，贫民区林立，传染病盛行。把亚马孙河看做是一片蕴藏着无数的矿产、水力和植物资源的经济疆域的神话破灭了。人们看到的是，一旦森林遭到砍伐，这里本不肥沃的土山便很快受到侵蚀。如果继续无计划地开采矿藏，修建大坝，任凭混乱的移民、大规模滥砍滥伐的行为发展下去，科学家预言亚马孙河流域将变成一片沙漠。

可喜的是，巴西政府接受了教训，修正了原有政策，并采取了一些有益措施。为了更加合理地利用森林的自然产品，巴西政府建立起了求助割胶农民的"采掘保护区"，将地区发展纳入长期规划中，进行生态发展的尝试。巴西政府在确保土著居民权利方面做了许多工作，并专门为25万土著人划出了安居和生产活动的土地，使他们不至沦为探险者与殖民者的受害人。这些努力无疑说明了巴西促进生态发展的战略目标，但这一目标的实现却并非易事，有待更进一步的努力。

(二)有关国家应协调观念，保护利用自然资源

应该说，生物工程为热带国家开辟了巨大的实现目标的可能性。生物量的生产得到加强，获取产品的范围随之扩大，一个新的以植物为基础的工业文明脱颖而出。对于亚马孙河流域的国家而言，在持续利用再生资源的基础上建立一种新型的文明，不仅可能而且是必要的。但目前生态工程方面的专利却被作为发达国家谋利的手段,发展中国家实施生态发展战略遇到了强大的障碍。这将成为也许是历史上最大的决策失误之一。亚马孙河流域森林对于整个人类的生存都有着至关重要的意义,倘若工业化国家不缓和他们在专利和知识产权问题上的立场,对获取科学技术采取比较开放的形式,那么在巴西和其他拉美国家不顾一切的发展中受害的,将不仅仅是发展中国家自身。当巴西确定科学的发展决策时,工业化国家同样应该做出明智的决策。彼此协调的发展应建立在以下共同观念之上:

(1)本着同时代人团结的道义原则,促进更大的社会正义,将发展看做是一种建立在公平分享所有物质基础上的文明。

(2)本着为后代人着想的道义原则,自我发展应与自然相协调,而不要凌驾于自然之上。

(3)寻求一种不限于商业利润的经济效率,进而实现上述两项目标,因为追求利润往往不考虑生态和社会代价。

在这样的观念指导下把国际合作广泛开展起来。西方发达国家进一步设法改善拉美国家的经济环境与贸易条件,减轻其外债,使之得以发展。同时,拉美国家的有关研究人员也应加强合作,设法对热带森林生态系统加深认识,从而达到控制再生资源利用循环和促进发展的目的。当然,开发亚马孙河流域这一战略决策所面临的诸多问题,其规模堪与这片辽阔地域的规模相比。

开发亚马孙河流域的计划是一个系统工程,决策方案的议定需要进行多维度的思考。罗马俱乐部成员奥里奥·贾里尼指出,效益的递减将使这一地区发展缺乏动力。必须承认,亚马孙河流域只有坚持生态发展的道路,才能避免效益递减状况的出现。要实现生态发展的目标,巴西其他地区的政策应同样进行变革。土地改革和农业政策改革将减轻亚马孙河流域所面临的移民压力,而在亚马孙河流域以外大规模植树造林的计划又将对森林资源的保护起到积极作用。圣保罗大学高级研究所草拟的《FLORAM 计划》建议 30 年内耗费 200 亿美元,在亚马孙河流域之外造林 2 000 万 hm^2。

其实,把目光再投向亚马孙河流域,我们会发现当地的生态和文化条件并非是简单同一的,社会多元化与生物多元化广泛存在着。因此,解决这一全球性问题的具体决策又必须注意限定问题范围,将这一远非铁板一块的地区划分为多个分地区的做法是明智的。这些分地区应该结合实际情况实施自己的战略,尽管这些努力的主旨都是要保护原始森林与土著居民生存环境的完整性。

四、黄河断流的制度安排分析

黄河断流既有自然因素，也有人为因素，而以人为因素为主。根据水文资料分析，黄河断流的1990～1997年间，天然径流量减少仅19%左右；而在连续干旱的1922～1933年间，天然流量减少了34%以上。对比这两个暑期的人类活动用水，20世纪90年代引黄耗水量占径流的51.7%，而在1922～1933年间引黄耗水量却因人类活动少，可忽略不计。由此可见，人类活动是断流的主导因素。

(一)引用黄河水超过黄河的负载能力是断流的直接原因

随着沿黄地区工农业生产的不断发展，尤其是农业灌溉面积的扩大，引黄耗水量急剧增加，已从20世纪50年代年均引黄耗水量122亿m^3增加到90年代的300多亿m^3，增长了1.5倍；黄河下游又是全河耗水量增加最为迅速的地区，年平均引黄耗水量从50年代的19亿m^3增加到90年代的108亿m^3，增长了4.6倍。目前，黄河供水地区总引黄能力为6 000m^3/s，其中下游引黄地区引水能力就达4 000m^3/s，远远超过了黄河可能的供水能力。与此同时，黄河下游河床淤高形成“悬河”，黄河下游河道径流不仅失去了稳定的地下水补给，而且损失一部分河道径流补给地下水，减少了黄河下游干流水资源利用的稳定水量，导致干旱年份用水时期的河道水量供不应求。如断流严重的90年代，非汛期下游河道的稳定径流量不足119亿m^3，小于下游豫、鲁两省引黄年分配水量125.4亿m^3，更远小于引水能力。

(二)黄河流域水资源缺乏统管、浪费严重是断流的根本原因

(1)缺乏统一管理，分水失控。长期以来，由于水资源产权不明，没有建立起全流域水资源统一管理的体制与机制，已建的干流骨干工程和大型灌区的运行管理，也都分别隶属于不同部门和地区。20世纪80年代初，随着上下游用水矛盾的突出，国家计委和水利部根据黄河流域水资源供水预测和各省(区)用水要求，按多年平均状况提出了分水方案，并经国务院审定颁布，但因缺乏权威性的流域统一管理机构和相应的法律法规，无法对实际引水量实行有效监督和控制，对个别超额用水地区和部门无法进行制裁，分水方案并未有效落实。进入90年代，由于气候变化和人类活动影响，可供水量减少，而工农业用水却大量增加，上下游用水矛盾日益尖锐，黄河供水区的工程引水能力在6 000m^3/s，是黄河年平均天然流量1 839m^3/s的3.3倍，远远超过了黄河的可能供水能力，一遇枯水年份或用水高峰季节，沿黄引水工程都争先引水，导致分水失控，下游河道断流频繁。

(2)水资源浪费。每年农业灌溉用水占全河城市、工农业总用水量的92%。由于引黄灌溉工程配套程度差，灌区设施严重老化失修，渠道衬砌率低，输水损失严重。加上节水意识淡薄，水价过低，灌溉管理粗放，致使引黄灌溉耗水定额普遍偏大，一般

高出同样气候条件下先进灌溉定额的50%以上；灌溉水利用率偏低，仅为25%。引黄灌区地下水开采率相对较低，使大量浅层地下水白白消耗于蒸发。工业用水也存在同样的浪费问题，如流域内大中城市的工业万元产值（1980年不变价）平均用水量为300～500m³，高于全国工业万元产值平均用水量170m³，比用水先进国家高出7倍以上。工业用水的重复利用率只有40%～60%，小城镇只有20%～30%，个别的接近于零。在全流域工业废水处理率不足21%条件下，用水量增长相应加大了污水排放量，浪费及污染共存，水资源的可利用量相对减少，加剧了水资源短缺程度。黄河水资源的利用率已达50%以上，与国内外大江大河相比水资源利用率属很高水平。尽管如此，增加中游水量调蓄能力、充分利用汛期水量和浅层地下水、大力节水等仍有很大的潜力。

（三）解决黄河断流问题的对策

为缓解黄河断流问题，根据沿黄自然、经济、生态环境现状，水利和环境专家们提出主要对策与建议如下。

1.国家统管，依法治理

(1)建立统一管理的体制与机制。水资源的形成、流动和转化均以流域为单元，这一自然属性决定了水资源的优化配置必须以流域为基础；水资源统一管理必须以流域为单元。水资源统一管理是对全流域水资源实行水量和水质总量控制为目标的统一规划、统一调配，同时加强监测、依法征收水资源费。

统一规划。由流域管理机构会同有关省（区）、部门制定流域综合规划，综合出水量水质的总量控制目标。各专业规划和各省（区）流域内的有关规划应符合黄河流域综合规划中水量水质的总量控制目标。流域综合规划应根据情况变化进行修订，以实现全流域的水资源合理配置。为科学、高效、合理地开发利用黄河水资源，应尽快制定黄河流域节水规划。凡各省（区）涉及水资源开发利用的大中型建设项目的规划及可行性研究报告，需经审查同意批准；规划建设的大型耗水工业项目和大型灌区，必须符合流域节水规划的要求，以提高水资源配置和生产力布局的合理性。

统一调配。建议国务院尽快批准实施水利部和国家计委在1987年国务院批准的分水方案的基础上制定的《黄河可供水量年度分配及干流水量调度方案》和《黄河水量调度管理办法》。流域管理机构在每年汛末将参照新的分水方案，并根据来水量预测和水库蓄水情况制订下一年度的水量分配方案，对各省（区、市）的引黄水量实行预分配，并根据实际来水情况进行实时调度，以兼顾上下游和各部门的用水需求，缓解下游日益严重的断流局面。考虑目前的管理现状和技术水平，实时调度的重点在黄河干流。每年制订干流水量调度方案，并沿河实施省际断面水量水质控制。为保证统一调度的贯彻实施，流域管理机构应对流域内控制性水利枢纽的下泄水量进行统一调度。黄河水资源的统一调配要逐步做到四个统筹,即:水量与水质统筹考虑,干流与支流统筹考虑,黄河地表水与地下水统筹考虑,过境水与当地水资源统筹考虑。为此,加强监测十分必要。管理机构根据国家批准的水资源分配方案,对各省(区)的引黄水量、出境水量和水质进行总量监控;对省界干流和主要支流的水文站、水质站进行统一管理,并对大型灌区的引退水情况进行监测。

为保证黄河水资源统一规划和统一调配任务的完成,在全面实施取水许可制度的基础上,完善取水许可申请审批,依法征收水资源费,建立计划用水和水资源统计制度。流域管理机构要定期发布用水简报和黄河流域水资源公报;对引黄省(区、市)用水计划和调度方案的执行情况进行监督检查;对于慢报、故意漏报引黄水量和超计划用水的省(区、市),有权按照国务院《取水许可制度实施办法》、水利部《取水许可监督管理办法》等国家有关规定,对其实行限制引水量、加价收费直至停止供水或吊销部分取水许可证等处罚措施。

在全河水资源实行统一管理与调度的前提下,各省(区)水行政主管部门应做好本辖区范围内的水量调配工作。

(2)成立"黄河流域水资源管理和保护领导小组"。为实施统一管理,建议由国务院领导同志担任组长,国家有关部委、黄河水利委员会负责人和沿黄省(区)人民政府分管领导参加成立领导小组,其办事机构设在黄河水利委员会。明确黄河流域水管理机构的法律地位,是实行黄河流域水资源统一管理的关键。因此,建议国家授权黄河水利委员会具有统一管理和保护黄河水资源的政府职能,沿黄各省(区)人民政府应支持黄河水利委员会对全流域水资源实施统一管理和保护。

(3)建议制定《黄河法》。实行依法治水必须从法律上确定统一的管理运作机制。由于黄河本身的特殊性和复杂性,目前即面临水患灾害、连年断流、泥沙淤积、水质恶化等严重问题,又存在着条块分割多龙管水,缺乏以法制为保障的统一管理等现象。为适应我国改革、发展、稳定和"依法治国"的需要,保障《中华人民共和国水法》在黄河流域的有效贯彻实施,调整和规范黄河治理、开发、管理与保护中的社会、行政、经济、环境等关系,解决黄河面临的严峻问题,迫切需要制定一部《黄河法》。将实践中行之有效的行政措施和经济措施上升为法律制度,建立在黄河治理、开发、利用、保护与管理过程中错综复杂矛盾的协调处理机制,规范与调整各方面的利益关系,保障黄河"除害兴利"事业的有序进行,促进沿黄地区社会、经济的可持续发展和环境生态的改善。建议在《黄河法》中,要确立流域管理机构的法律地位,明确其对水资源权属管理的政府职能,规定黄河水资源统一管理和保护的具体内容,流域水资源统一管理与地方行政区域水资源管理的相互关系,以及流域水行政主管部门和水资源开发利用相关部门之间的关系。

2.重点实行引黄渠灌区的节水

全面节水是解决水资源紧缺的根本出路。黄河流域农业灌溉耗水量大,用水浪费严重。灌溉方式以渠灌为主,渠灌区控制面积占总灌溉面积的3/4,渠灌耗水量占黄河总耗水量的4/5左右,加之渠灌区的灌溉水利用率很低(仅为25%左右),远低于井灌区的灌溉水利用率(50%左右)。所以,目前节水的突破点应放在用水量大、浪费大和节水潜力大的引黄渠灌区。

根据对沿黄地区考察、座谈和灌区调研,可在短期内广泛推广的节水途径是将渠道衬砌、地埋低压管道等输水工程的节水措施与平整土地、小畦灌溉、地面覆盖的田间节水措施相结合,采用井渠结合的灌溉方式,辅以适宜的水价政策,确保节水落到实处。具体措施为:

(1)井渠结合,加强水量调控。引黄灌区缺乏对地下水的利用,在上游宁蒙灌区和下游引黄灌区都不同程度地存在着重灌轻排和大水漫灌的问题。其结果导致水资源浪费,地下水位升高,土壤次生盐渍化加重,出现了一方面干旱缺水,一方面又没有充分利用水资源的局面。在引黄灌区采用井渠结合灌溉,可做到以河补源,以井保丰,相互调剂,节省水量,缓解干旱;利用井灌还可调控地下水位,防止土壤碱化;井渠结合,在微咸水分布区,还能抽咸补淡、改良水质,提高水资源的可利用量。井渠结合灌溉模式是引黄灌区尤其是地下水丰富、次生盐碱化严重地区的最为有效的水资源合理利用的一种模式。所以,要在引黄灌区大力发展井渠双灌,进行综合调控,增加有效水量,充分利用当地水资源和有限的黄河水资源,提高水资源利用率。

(2)衬砌渠道、平整土地,提高水的利用率。渠道输水是黄河渠灌区的主要输水方式。由于各引黄灌区的渠系配套率、渠道衬砌率较低,且老化失修严重,导致渠道输水损失大,渠系水有效利用系数低,平均系数小于0.45。建议国家将灌区改造作为基础设施建设对待,加大投入,改善水量调控环境。若能根据具体情况进行渠道防渗、适当推广低压管道输水、完善配套工程,可提高渠系水利用率25%~35%。另外,目前黄河渠灌区普遍存在畦大、土地不平的问题,从而导致灌水时间长、用水量大和灌水均匀度差,增加了无效蒸发和深层渗漏,造成浪费。这是引黄渠灌区田间水利用系数一直处于0.5~0.6低水平的主要原因。所以平整土地,培肥地力,改地面大水漫灌为短、窄、小畦灌溉是田间灌溉节水的首要措施。配合平地改畦,结合地面覆盖技术,以减少田间灌溉水的无效蒸发。通过采用田间节水综合措施,将引黄灌区田间水的利用率提高至70%左右是可行的。

农业要彻底改变资源浪费型发展的传统模式,走“两高一优”的道路。与此同时,工业城市节水也要随着工业化和城市化水平的提高而加强,提高工业用水的重复利用率,实行分质利用、污水集中处理等高效节水措施,以缓解工业、城市用水的紧张状况,实现区域经济的可持续发展。

3.加快西线调水前期工作与增加黄河干流水量调蓄能力

尽管在强化全流域水资源统一管理和全面节水后,可在一定程度上缓解黄河供水的紧张局面,但要最终解决黄河水资源先天不足与改善西北生态环境用水及流域内社会经济发展用水的矛盾,还必须要采用工程手段增补黄河的有效水资源量,通过实施南水北调工程为黄河补水。因南水北调东线和中线方案的调水均不直接为黄河补水,只有南水北调西线工程是直接为黄河干流补水的。因此,早日实施西线调水是极为必要的。

(1)西线增补黄河水的可行性研究。西线工程将改善处于干旱、半干旱地区的上游六省(区)与下游沿黄经济发展地区的用水紧张状况;提高干流水电工程的综合效益;充分发挥调蓄工程对下游输沙减淤作用,利于防洪与河道整治;提高黄河干流河段的水质等级;促进河口地区的综合开发。同时,西线补水在国家生态环境建设、加快西部地区开发步伐、促进少数民族地区发展、建设农牧业生产基地等方面的作用十分明显。从长远看,要从根本上缓解黄河水资源供需矛盾,必须加快西线南水北调工程前期工作速度,争取早日为黄河补水。

目前西线补水方案很多,有黄河水利委员会提出的 7 条调水路线及其他一些调水设想。除黄河水利委员会的方案已经做了较多工作外,其他方案还只处于设想阶段,缺乏必要的科学论证和研究工作,可以说,所有方案都存在若干工程技术问题,如低温高海拔地区高坝、长隧洞施工技术,破山堵水、高落差发电可行性等问题。因此,对西线补水诸方案进行优化组合与选择是十分必要的。建议加大西线方案前期工作的力度。

(2)增加黄河干流水量调蓄能力。兴建大型骨干调蓄工程,可在一定程度上缓解黄河水资源供需矛盾,在小浪底、万家寨工程投资高峰期过后兴建西霞院反调节水库工程,并逐步在上游实施大柳树水利枢纽工程,在中游实施碛口、古贤等水资源综合利用枢纽工程,以进一步调节径流、拦水减淤;加大水沙联调能力;减少上游发电给下游供水带来的影响,弥补黄河下游河道的输沙和生态用水之不足。

(3)调整水价,加强经济调控措施。引黄灌溉 40 年来节水进展极为缓慢的一个重要原因是缺乏节水的激励机制。引黄灌溉用水于 1983 年开始收费,虽然收费价格逐年有所调整,但仍远低于供水成本,现在引黄灌溉水价平均不足成本的 25%。而且,引黄各灌区水价很不平衡,从 0.006 元/m^3 到 0.056 元/m^3 不等,引黄 1 000m^3 的水费仅值一瓶饮料的价钱。黄河水价过低,不利于调动节水积极性。水价过低,导致农业灌溉只注重引黄,缺乏对当地地下水和雨水的利用。如宁夏银北灌区,尽管已意识到井渠结合灌溉的重要,在灌区内打了 6 000 眼机井,但引黄水费远低于井灌的电费,使机井闲置无用。水价过低也是造成灌溉供水工程无力配套完善、维护和正常运营的主要原因,导致用水浪费的恶性循环。为确保节水目标的实现,水价必须调整,合理的水价是节水能否顺利实施的关键。

农业灌溉引黄水价应以供水成本(含配套排水成本)为基础,根据农民的经济承受能力、水量丰枯、水质好坏、供水适时度实行水价浮动。引黄灌区应实现在科学、计划用水,分级、限量供水的基础上,实行按量计收水费、超额用水累进加价。

对上述措施执行较好的引黄灌区,可为引黄大型灌区的节水提供参考。例如,陕西泾惠渠灌区采取了综合节水措施;井渠双灌、渠系配套、渠道衬砌、平整土地、长畦改短等工程节水措施,并在用水管理上,实行水权集中、统一管理、三级调配、以斗渠量水为基础,水费按量计算,正逐步按成本核收。若能在引黄渠灌区广泛推广这一模式,可将灌溉水的利用提高近一倍。

总之,面对有限、贫乏的水资源,农业必须在节水中求生存、求发展,必须控制灌溉面积的盲目扩大,必须在节水的基础上适当扩大灌溉面积,应强调在充分利用自然降水的基础上实行补充灌溉。

第五节　重大工程项目建设与流域水资源可持续利用

重大工程项目建设,如在河流上建设水利枢纽,兴建跨流域调水工程,以及在河流附近建设大型工程项目,均会影响流域水资源的可持续利用。重大工程项目建设对流域水资源的影响不仅体现在项目建设阶段,而且体现在项目建设后的运行阶段,进而体现到项目报废阶段等。

一、流域水工程项目建设与流域水资源

(一)流域水工程与流域水资源的关系

根据水工程对流域水资源影响的利弊分为有利影响与不利影响,也可根据影响的方式、程度和发展过程,分为短期影响与长期影响、暂时的影响与积累的影响、一次影响与二次影响、原生影响与次生影响等。

水工程对流域水资源的影响主要包括自然环境和社会环境两方面。自然环境方面包括:工程兴建对水文条件的改变,对水域库底形态冲淤变化,对水质、局地气候、地震、土壤、地下水、动植物、自然景观、上中下游及河口等的影响;社会环境方面包括:工程兴建对人口迁移、土地利用、人群健康与文物古迹的影响,以及因防洪、发电、航运、灌溉、供水及旅游等所产生的环境效益等。

人类在河流上建设的水工程,对流域水资源的有利改善作用是主要的,其不利的

影响只要事先研究，采取对策，一般是可以减少到人类可接受的范围之内的。

水工程建设完成后成为环境的组成部分。水工程是新生的环境组成因素，因而就应注意新、老环境组成因素的协调与配合，重新组成一个新的水资源系统，以减轻水文灾害和更好地利用水资源，提供更有利于人类与自然界生存和发展的环境条件。

环境对水工程也有多方面的影响，特别要注意其不利的影响。例如，地震对水工程的破坏作用，上游的土壤侵蚀形成水库淤积和河床抬高的作用等。因此，对水工程上游和所在地的环境情况，在兴建工程前即应注意，并作为系统的组成部分，统一规划，统一设计，使水工程得以长期发挥效益。

兴建水工程本来是改善人类生存环境的一个手段，现在许多人烟稠密、物产富饶的地方，都是历史上长期兴修水利改造自然的结果。但是，水利工程是环境大系统的组成部分，如只了解一时一地的情况，或只考虑一时一地的利益，也可能带来不利影响。

1.水利建设对环境的改善作用及影响

水利建设通过水文、水力情势的改变和工程的调控作用，可以提高环境质量，主要有以下影响：

(1)减轻水旱灾害，提供较稳定的生产和生活环境。防洪、治涝、灌溉、排水等水利建设可以提高抗御洪、涝、旱、碱等自然灾害的能力，从而降低灾害的发生频率，给人们提供合理的、稳定的生产和生活环境，这是对环境的最大改善。

(2)水电是清洁能源，与火电相比可以不污染空气。电力系统中建设一个装机容量200万kW的水电站，大约每年可节约原煤500万t，减少排放氮氧化物4 400万kg，一氧化碳115万kg，二氧化硫24万t，废渣约140万t。此外，火电除煤矿开采、运输系统建设和营运等所产生的环境问题外，为冷却还要耗费大量水资源，且冷却水排放会导致局部水体的热污染问题。这些有毒、有害物如不加处理，将对生态环境产生极为深远的不利影响。水力发电作为一种清洁能源，在取得相同电能的同时，上述污染均可避免。

(3)提供或改善运输环境。水运是天然运输系统，与建陆运系统相比，运输成本低，可以少占或不占地、少移民或不移民，动力燃料消耗低，污染小，噪音低，航线通过能力所受限制较小，载运量大，适宜于大宗笨重货物长途运输，且乘船旅游也较为舒适。

(4)改善生态环境，使生态系统向有利方向发展。改善局地气候。兴建大型水库一般可使局地气候向有利方向转变，如通过水体的调节作用可使年平均气温、极端最低气温升高和极端最高气温降低，还可提高库区及邻近地区的相对温度。对一些作物栽培有利。

控制与提高内湖水位，可以消灭飞蝗的发生基地。减少洪水泛滥和水库水位的季节变化均有利于消灭血吸虫病。钉螺繁殖地区的生态条件为“夏水冬陆”，而水库的水位变化正好相反，夏季一般维持在较低的防洪限制水位，而冬季水位较高，形成“夏陆冬水”的生态条件，不利于钉螺的生存繁殖。在长江中下游地区，经常因洪水泛滥，出现钉螺繁殖范围扩大的情况。一旦洪涝灾害能够减免，将为那里提供相对稳定和安全的生产、生活环境，可为消灭钉螺和血吸虫病创造十分有利的条件。

沙漠地区扩大绿洲。新疆由于兴修水利，不但扩大了原有绿洲的面积，还增添了新绿洲和新型的城市。可以说，水利建设已在一定程度上改造了一些戈壁沙漠的自然环境，并创造了新的生态系统。

(5)改善水质及供水条件。兴建调节库容的水库，在枯水期下泄流量增加，可以提高水体的稀释自净能力，因此可以提高河道的水质和降低河口段的咸湖倒灌的盐度。

(6)创造或发展旅游环境。大型水库都可以作为旅游区。各地许多水库都已或将辟为旅游区。如桂林漓江枯季缺水，由于利用青狮潭水库在枯季时补水，大大改善了旅游条件。

2.水利建设可能引起的环境问题

主要有以下问题：

(1)水库移民未妥善安置，造成库区的滥垦滥伐及其他环境问题。

(2)因水库淹没、施工以及其他水工程清场对文物古迹、森林及珍稀动植物生态环境的破坏问题。

(3)水传染病，影响健康问题。

(4)有的水库水温分层，泄水形成冷害，影响灌溉，对某些洄游鱼类也不利。

(5)地下水超采，引起水位下降、水质变坏、地面沉降、生态失调问题。

(6)水库诱发地震及其他有关的环境地质问题。

(7)有些水利建设改变了生态环境，产生了不利影响，如：盲目围垦，降低了天然湖泊的调蓄能力，缩小了水产面积；上游大量用水，使流入下游的淡水大量减少，造成海水入侵或沙漠化扩大；兴建拦河节制闸控制了河道径流，使非汛期闸上成为静水，闸下断流，影响了对河道污水的稀释；兴建河道挡潮闸阻挡了潮汐吞吐，使海口发生淤积，各种闸坝隔断了鱼蟹的洄游产卵。

3.正确处理水利发展与环境的关系

水利工程是为了改造水环境，任何工程对环境都有其正影响和负影响。合理的方法是全面考虑正的和负的影响，并努力争取正影响最大而负影响最小。水利建设如果只以经济效益的大小来比选方案就不够恰当，因为水利建设许多重要的社会和环境影响不能够完全用经济效益来衡量。如何正确处理水利发展与环境的关系是一个需要进一步研究的问题。

1)要有生态观点与系统观点

生态环境范围很广,从含有几个藻类细胞的一滴水到宇宙本身都是生态系统。所以河流、湖泊和流域都是生态系统,因此在进行水利建设时就不能把它们单纯地作为资源,从人类的要求出发,进行开发利用;还应该保护珍贵的自然资源、珍稀的物种和维持人类与自然界生存、发展的协调性及和谐性。在规划和兴建水工程之前,必须研究流域或地区内现有生态系统,识别和维护现有生态系统,为进一步合理开发提供有价值的作用。

在规划、研究和管理一个水环境或一个流域时,运用生态系统方法,是管理方法历史演进到最近阶段的发展产物,它是把人类放在系统内部并作为该系统的一个主要组成部分。所以,生态系统的方法是全面的、完整的、符合实际的,也体现了开发建设整体性思想的发展。

运用生态系统的方法必须要:对自然界中诸系统的运行和相互关系有丰富的知识;用一个整体的、正确的观察和分析事物的方法,以计算各系统的影响;运用生态知识和观察事物的方法进行生态预测,事先采取措施,以防止尔后发生不良的后果。

2)接受国内外有关环境影响的经验教训

各项水工程,特别是大型水资源开发工程,对流域水资源产生影响是肯定的,但以往不为人们所重视,今后必须在此类工程的规划设计中提到应有的高度来认识,并对环境保护的效益与投资进行研究,综合选定开发方案。对某些环境问题,如一时搞不清,没有把握,在规划中就要留有余地。

流域地区需要有包括环境问题在内的全面、完整的规划。环境问题大多可以预测,因而可以事先提出防治措施。重要的教训是需要更多、更好的规划指导开发。从调查确定任务,论证开发的可能性,进行可行性研究,直到最终实行开发都需要有环境保护和对不利影响减免措施的规划。

要重视城市化和城市发展所引起的环境问题及对水资源的新要求。从流域看,城市系统增长引起的问题为径流变化,暴雨洪水,地表水质降低,河流、湖泊营养物质增加,发生富营养化,改变地下水系统(水质变坏,地下水位降低或升高),生活用水与供水的缺口加大,耕地面积损失,废物处理位置(固体、液体、气体、热量)选择困难,破坏生活条件及产生社会影响,增加水传染病的危险,城乡矛盾,土壤侵蚀,森林砍伐,不同用水户的矛盾,动、植物特别是鱼类变化等。

发挥水工程改善水质、保护环境、维护生态平衡的作用。利用水库调度改善环境,是水工程大有可为的一个方面。

3)做好流域水与环境协调发展的规划

河流的流域是由多种资源组成的总体,也是流域内生物与其生存环境构成的生态系统。在这个生态系统中,人是主体,是主人。流域开发的战略规划实际是一个大的系统规划问题,因此在研究方案的取舍时,要同时运用整体观和经济观,就是既要考虑经济效益、社会效益,也要考虑生态效益。为此,对资源必须进行综合利用,对流域必须进行综合治理,采用工程措施与生物措施相结合;点(河流上的工程)、线(整个河流的梯级开发)、面(全流域)和上、中、下游统一考虑;全面控制整个流域的水土资源,使水土资源能够高效、长期地维持稳定的生产力,为提供优良的环境质量,达到减免洪、涝、旱、碱灾和防止水土流失,保护环境不受污染,以维持自然过程和人类赖以生存发展的系统(如农业、森林等),保护生物的多样化及保证人类持久地使用生物各种品种和生态系统,特别是鱼类和其他野生动物等。因此,流域水与环境协调发展规划要考虑的主要是以下几点:

(1)首先要查明流域最大的自然灾害,有计划、有步骤地进行防治,以创造稳定的生产、生活环境。

(2)估计流域水土资源的情况和潜力,科学开发,以满足各种需要和提高人民生活质量。

(3)进行环境影响评价,使资源的开发利用能促进生态系统的良性循环。

(4)保护好环境,充分发挥它的多功能作用。

(5)严格控制土地利用方式,保护土地资源,尽最大可能保护它不致退化、沙化、盐碱化。一切建筑尽量少占用地,尽量节约土地,减少淹没损失。

(6)考虑远景发展,做好远近结合。

4)做好工程施工和运行期的环境监测与管理

施工期要注意景观保护,减少森林的砍伐与植被的破坏,从长远观点考虑料场布置,特别要注意废渣的堆放,注意保护水质和减少扬尘噪音污染。

移民工程要按统一的环境规划进行,要使移民与环境建设相互协调,相互促进。

水库蓄水前要做好库底清理,对影响水质、有可能传染疾病以及对水产渔业捕捞有影响的部分,要彻底清除。

对每一项大的水工程都要建立一个环境影响评价的数据库,并不断地补充重要资料,验证环境影响,及时提出对策。

(二)国外水工程建设对流域水资源影响实例

1.埃及阿斯旺大坝

埃及于20世纪70年代建设的阿斯旺大坝,虽然给埃及人民带来了廉价的电力,控制了水旱灾害,灌溉了农田,但也破坏了尼罗河流域的生态平衡。由于尼罗河的泥沙和有机质沉积到水库底部,使尼罗河两岸的绿洲失去了肥源,土壤日趋盐渍化、贫瘠化;由于尼罗河河口供沙不足,河口三角洲平原从向海伸展变化为朝陆地退缩,使工厂、港口和国防工事有沉入地中海的危险;由于缺乏来自陆上的盐分和有机质,致使盛产沙丁鱼的渔场毁于一旦;由于大坝阻隔,使尼罗河下游奔流不息的活水变成了相对静止的“湖泊”,为血吸虫等繁殖提供了生存条件,致使水库一带居民的血吸虫发病率达到 80%~100%。尼罗河三角洲几乎包括了埃及所有的农业生产用地,这些土地正是埃及的食品生命线,由于阿斯旺大坝的影响,海岸几乎不再有什么沉积物,原先的沉积物已被海水侵占,海岸区萎缩。埃及的鱼类供应大部分来自位于沿海内陆的大湖。这些湖泊处于沙丘的保护之下,倘若海平面上升,这些沙丘可能会被破坏。此外,三角洲正在发生沉降,而过度开采地下水会加剧这一过程。有一些估计认为,到 2050 年,当地海平面可能上升的幅度为 13~44cm。表 5-1 反映了海平面上升的这些影响。

表 5-1　　海平面变化估计

影响		2050 年			2100 年		
		最好情景	最坏情景	绝对最坏情景	最好情景	最坏情景	绝对最坏情景
海平面升高水平(cm)	全球	13	79	79	28	217	217
	当地地面沉降	0	22	65	0	40	115
	总计	13	101	144	28	257	332
海岸侵蚀进深(km)		0	1	1	0	2	2
居住地丧失的百分比(%)			15	19		22	26
人口迁徙的百分比(%)			14	16		19	24
受影响区域的国内生产总值的百分比(%)			14	17		19	24

2. 前苏联咸海地区引水灌溉工程

前苏联的一项大的灌溉计划,从流经咸海地区的阿姆汀河和锡尔河引水灌溉乌兹别克斯坦的棉田。这一项目的后果引起争议,在 1960~1989 年间,湖面下降了 13m,咸海地区灌溉面积从 69 000km^2 减少到 39 000km^2。径流量的减少使得咸海的盐度增加,同时,从灌溉网络中回流的水又加剧了咸化进程。咸海地区裸露的河床达 300 00km^2,风力侵蚀将盐分及尘土传送到很远的地方。咸海地区每年有 400 亿~

800 亿 t 盐分以气溶胶的形式输送到咸海周围 20 万 km^2 的面积上。在棉田上施用的逾量的化肥和杀虫剂，又回到了江河和湖泊之中。在卡拉卡尔帕克自治共和国，饮用水不是自来水，而是未加处理的水，结果导致婴儿死亡率增加、肝功能紊乱、伤寒病以及癌症等的发生。商业性渔业在咸海地区不复存在，物种多样性急剧下降，甚至连当地气候也发生改变。此外，计划性配额导致了弄虚作假的行为。有人夸大棉花产量以获取中央投资基金。

二、三峡工程建设对长江流域水资源的影响

三峡工程是开发和治理长江的关键性骨干工程，建成后防洪、发电、航运等综合效益巨大。但是工程的兴建和水库的形成，将对长江流域的生态与环境产生深远的影响。三峡工程对生态环境的影响及其对策研究一直是工程可行性研究及设计工作的重要内容。

开展三峡工程对环境影响及其对策研究的目的，是要在分析流域、特别是库区环境状况基础上，对工程兴建可能对自然环境和社会环境产生的有利与不利影响进行系统的分析与研究，使工程的有利影响得到合理和充分的发挥，不利影响在采取积极措施与对策后得到减免或缓和。

（一）研究的历史过程

尽管我国的环境保护工作起步于 20 世纪 70 年代，而且直到 1986 年由国家计划委员会、国家环境保护局等联合颁布的《建设项目环境保护管理办法》中，才提出建设项目在可行性研究阶段应编制工程环境影响报告书的要求，但有关三峡工程的兴建，可能对生态环境产生影响的研究历史，可追溯到 20 世纪 50 年代。当时，长江流域规划办公室（长江水利委员会前身）在编制长江流域规划要点和三峡水利枢纽初步设计要点阶段中，即对工程的一些环境因素，如回水影响、人类活动对径流的影响、库岸稳定性、地震、水库淹没与移民、泥沙、生物、自然疫源性疾病及地方病等进行了调查与研究。1976 年长江流域水资源保护局成立，1978 年长江水资源保护科学研究所成立，标志着长江流域水资源以及三峡工程对生态环境的影响研究进入了一个新阶段。

自 1979 年起，长江水资源保护科学研究所组织专门力量，与国内 40 多个大专院校和科研单位合作，开展了三峡工程对环境影响的研究与评价工作。1980 年提出了三峡工程正常蓄水位 200m 方案环境影响报告。随后，进行了三峡工程蓄水位 150m 方案可行性研究的环境影响评价工作。1983 年 3 月提出了《三峡建坝对环境的影响》的报告，列入《三峡水利枢纽可行性研究报告》中。随后，长江水资源保护科学研究所与有关单位合作，进一步对有关专题进行深入的研究，取得了大量研究成果，陆续完成了“三峡工程对水质影响的研究”、“三峡工程对土壤环境影响的研究”、“三峡

工程对森林植被、珍稀植物及经济林的影响”、“三峡工程对库区野生动物及珍稀动物的影响”、“长江三峡水利枢纽兴建对人群健康影响的研究”、“长江三峡工程对血吸虫病流行影响的研究”等专题研究报告，并于1985年7月完成了“三峡水利枢纽环境影响报告书”(正常蓄水位150m方案)。

在三峡工程175m方案论证和前期科学研究中，长江水资源保护科学研究所又针对海内外关注的工程引起的生态环境的问题，如库区移民环境容量问题、长江中游涝渍问题、鄱阳湖西伯利亚白鹤栖息地问题以及对河口环境影响问题等进行了重点研究。完成了“三峡水库移民安置区环境容量初步分析”、“姊归县移民环境容量分析”、“三峡工程对中游平原湖区排涝排渍的影响”、“三峡工程对鄱阳湖白鹤及珍稀候鸟栖息地的影响”、“长江三峡建坝库区钉螺孳生及坝下游钉螺向库区扩散问题的研究”、“三峡工程不同蓄水位对河口生态环境的影响”等课题研究工作，有关成果报告已收入正式出版的《长江三峡工程生态与环境影响文集》中。此外，长江水资源保护科学研究所还先后完成了“七五”国家重点科技攻关项目“三峡水库调度对中下游生态环境影响”、“三峡水利枢纽水温预测研究”、“三峡库区姊归县移民环境容量研究”等成果。

为了配合三峡工程论证工作，1984年国家科学技术委员会决定将三峡工程对生态与环境影响及其对策研究列为三峡工程前期重大科研项目之一，中国科学院专门成立了该项目研究领导小组，组织开展了该项目的前期研究，此项工作于1987年7月完成，先后有“长江三峡工程对生态环境影响的论证报告”、“长江三峡工程对生态与环境影响及其对策研究”等研究成果。在同年“长江三峡工程对生态与环境影响及其对策研究”被列为“七五”国家重大科技攻关课题之后，中国科学院又组织开展了8个专题33个子题的研究，有“三峡工程对长江水生生物和珍稀物种的影响及对策研究”、“三峡工程对长江中、下游湖泊环境及洪涝地区的影响及对策研究”、“三峡工程对河口生态与环境影响及对策研究”、“三峡库区移民环境容量研究”、“三峡工程对生态与环境影响的评价研究”等研究成果。

1985年，受国务院委托，国家计划委员会和国家科学技术委员会成立了生态与环境论证专家组，对三峡工程正常蓄水位150～180m方案的环境影响进行了论证。

1986年6月，根据中共中央、国务院《关于长江三峡工程论证工作有关问题的通知》，原水利电力部论证领导小组成立了由55名生态、环境、水利等方面专家组成的生态与环境专家组(其中有52名专家参加了成果的审查与复核工作)，并组织长江流域水资源保护局及中国科学院等有关单位进行了专题论证与补充研究，提出了“长江三峡工程生态与环境影响及对策的论证报告”。生态环境专家组先后对三峡工程对中游平原湖区和河口区的生态环境影响进行了专题讨论，并审查通过了论证报告。

1986～1987年,在长江水资源保护科学研究所的配合下,加拿大扬子江联合企业派环境专家组来华,按照国际通行的惯例与要求,对三峡工程环境影响进行了研究。

1991年3月,国务院三峡工程审查委员会生态与环境专题预审专家组提出了生态与环境专题的预审意见,同年7月审查委员会审定了可行性研究阶段的评价成果。

根据我国建设项目环境管理办法,中国科学院环境评价部和长江水资源保护科学研究所在三峡工程生态环境影响研究基础上,共同编制完成了"长江三峡水利枢纽环境影响报告书",并于1992年1～2月相继通过了主管部门水利部的预审和国家环境保护局的终审。之后,根据建设项目环境保护设计规定,长江水资源保护科学研究所按环境影响报告书和有关审查意见的要求,开展了三峡工程的环境保护设计,包括水质、物种、环境地质、泥沙和河道冲淤、施工区环境保护和生态与环境监测系统等方面,并于1992年编制完成了"长江三峡水利枢纽初步设计报告(枢纽工程)"(第十一篇:环境保护)。为了指导施工区环境保护工作,又于1994年提出了"三峡施工区环境保护规划",提出施工区内生态环境,包括大气、水质、噪声等的污染控制与环境管理措施。为了尽快对因兴建三峡而引起的生态环境问题进行系统监测,了解掌握三峡建坝后长江流域生态系统变化状况,组建三峡生态环境监测系统,长江水资源保护科学研究所在农业部、林业部、水利部、国家环境保护局、中国科学院、中国气象局、国家地震局等部门的协助下,编制完成了"长江三峡工程生态与环境监测系统实施规划",结合三峡工程特点,对监测网络的组成、运行方式、监测技术要求等提出了具体的意见。水库淹没和移民安置涉及的环境问题,是三峡工程环境保护的重点。在移民安置规划的基础上,长江水资源保护科学研究所组织有关单位开展了四川、湖北库区各县(市)移民环境保护规划编制工作,对移民安置中的环境保护工作提出了具体的要求,对受工程影响的文物、景观及物种的恢复与保护进行了设计。

(二)研究方法

三峡工程位于长江流域中心地带,三峡工程对生态环境的影响,主要是由于兴建三峡大坝,形成了三峡水库,这不仅导致水库淹没和移民,并使库区及中下游直至河口的水文情势发生显著变化,由此对有关地区生态与环境产生直接或间接、性质与程度各异的影响。

1.评价研究的指导思想

三峡工程对环境影响涉及面很广,三峡工程环境影响评价研究是一项复杂的系统工程。在进行三峡工程环境影响评价研究工作中,以流域为大系统,根据我国有关环境保护的法规、工程环境影响评价的要求,以及三峡工程的特点,贯彻了以下原则:

(1)突出重点、系统化和整体化的原则。长江流域上、中、下游,干流与支流,自然环境与社会环境等，是相互联系的，整个长江流域的生态环境是由多种因子组成的一个多层次的大系统。评价研究以库区为重点，兼顾中下游。在评价研究中既考虑了三峡工程的兴建对长江流域水资源产生的影响，又考虑了流域自然灾害的防治，生态与环境整治对工程建设的要求。

(2)协调与持续发展的原则。三峡工程建设要与维护长江流域生态平衡和保护环境相协调，并促进长江流域社会经济生态环境的持续发展，合理处理工程环境投资、效益与损失的关系，以达到环境效益、社会效益与经济效益的统一。

(3)综合的方法。首先对单因子进行预测、分析和评价，再按各层次系统进行综合评价，然后从全流域整体上进行综合评价。对各环境因子状况及变化趋势进行有工程与无工程情况的分析比较，并考虑各环境因子受工程影响的时段、范围、历时之差异；对各环境因子的有利影响与不利影响也都分别进行了科学分析和综合评价，对不利影响提出减免措施与对策，并落实相应的环境保护投资，进而得出评价的总结论。

(4)长远与全局。三峡工程环境规划与管理的实施，是关系到长江流域经济发展的重要问题，因此应从全流域水资源保护战略高度来进行环境影响评价研究。

2.研究范围

三峡工程位于长江中游与上游交界处的宜昌三斗坪，根据工程的特点及其对所在地区环境影响的差异，将评价研究范围分为下列三个区段：

(1)三峡水库库区。

(2)中、下游河段及附近地区。

(3)河口区。

3.评价研究方法

评价研究方法随各环境因子、环境组成的特性而定。评价的主要程序包括：环境现状调查，环境影响识别，影响预测，影响评价并拟定保护对策措施，提出监测和管理方案，综合评价等。

4.评价研究的层次系统

根据三峡工程对环境影响的特点和预测评价工作的需要，将上述评价范围的环境分为环境因子、环境组成、环境种类和环境总体4个层次。

在选择评价研究的环境因子时，根据三峡工程特点，除选择重要的组成外，还包括公众普遍关心的问题，例如重庆市水质问题等。经过分析识别，共选择了包括自然环境与社会环境在内的23个环境组成及若干相应的环境因子，并按上述4个层次来进行评价研究。

三、生态环境保护项目建设与流域水资源可持续利用

生态环境保护项目建设是实现流域水资源可持续利用的一项重要工作。中国政府目前十分重视生态环境保护项目建设,如国家在西部大开发中明确提出,生态环境保护项目建设是大开发的一项重点建设项目,这一重大决策给有关流域水资源可持续利用奠定了良好的基础。

以下是我国近年来组织实施的一些保护流域水资源的项目。

(一)沙棘开发

以黄土高原为代表的中国西北、华北和东北大部分地区水土流失严重,是造成这些地区生态环境恶化的重要原因。为了加快治理这些地区的水土流失,在总结经验的基础上,1985 年原水电部部长钱正英提出"以开发沙棘资源作为黄土高原治理的一个突破口"的倡议,经过近 20 年的发展,事实证明开发利用沙棘资源不仅是加速黄土高原治理的一个突破口,也是加速治理中国东北、华北、西北广大水土流失区的重要措施。

(二)长江流域中上游防护林体系建设

1989 年国家计委批准的长江流域中上游防护林体系建设工程是涵养水源、保持水土的重点工程之一,已按批准的林业规划逐步实施,对促进长江流域水资源可持续利用起着极其重要的作用。

(三)跨世纪绿色工程

在 2010 年之前分三期实施的国家绿色工程,第一期工程对 3 000 多个项目筛选后确定重点治理"三河"(淮河、辽河和海河)、"三湖"(滇池、太湖和巢湖)的水污染及酸雨、二氧化硫控制区的大气污染,同时还包括各地区的有关行业确定的污染治理项目。

此外,近年来大量建设的城市污水处理厂、城市固定垃圾处理厂、生态农业等环境保护项目,均会促进流域水资源的可持续利用。

第六章　水利工程建设环境监理

建设项目特别是流域上的水工程项目对流域生态环境的影响巨大。大型水工程项目建成后投产运行会对流域生态环境产生深远的影响，这方面的研究已经很深入。本章主要论述另一个问题：项目建设过程中通过环境监理来减少对流域生态环境的不利影响。

第一节　水利工程建设环境监理的基本理论

一、水利工程建设环境监理的背景

在我国水利工程建设过程中，项目法人委托社会化、专业化的环境监理单位独立地引进环境监理，还处于刚刚开始阶段。这项工作起步的主要背景如下：

(1)我国在基本建设领域中卓有成效地引进建设监理制，特别是在水利工程建设中推行建设监理所取得的显著效果，促进了对水利工程建设环境监理的探索。建设监理制的实施，促进了我国水利工程建设管理水平的提高，改变了过去那种“有了工程项目凑班子，工程竣工后散摊子”、“只有工作教训，难以积累经验”的弊端，取得了“控制投资、保证工期、提高质量”的明显效果。工程建设监理制实施成功，引起了我国水利建设者对过去的水利建设项目环境保护工作是否应当进行改革的思考，即能否借鉴工程建设监理的成功做法，将监理模式独立地用于水利工程建设项目的环境保护工作上，以便更好地做好水利工程建设项目的环境保护工作。

(2)水利工程建设项目环境保护工作的需要。水利工程，特别是大中型水电站及跨流域调水的巨型工程，对环境影响是多方面的。水利工程建设中，如果不做好环境保护工作，会导致严重的环境问题。随着水利作为国民经济基本产业和基础设施地位的确立，一大批跨世纪的大型水利工程相继开工，水利工程建设涉及到的环境保护问题越来越突出，传统的建设项目环境保护的管理模式已很难适应新形势下工作的需要。要在建设项目环境保护的管理体制上有所突破，必须引入强有力的监督管理机制，以便更好地做好环境保护工作，成为促进水利工作中建设环境监理发展的强大动力。

(3)水利工程建设项目法人提高项目管理水平的需要。我国《建设项目环境保护管理办法》规定:“凡从事对环境有影响的建设项目,都必须执行环境影响报告书的审批制度;执行防治污染及其他公害的设施与主体工程同时设计、同时施工、同时投产使用的‘三同时’制度。”水利工程项目的建设自然也不例外。项目法人要想顺利实施水利工程项目建设,控制好项目的投资、进度和质量三大目标,就必须做好与项目建设有关的环境保护工作。随着环境问题的日益突出,水利工程建设的环境保护工作愈来愈复杂,涉及面越来越广,专业性很强,项目法人很难依靠自己的力量做好这一专业性很强的工作。因此,从项目法人自身利益的角度来看,项目法人也有委托环境监理单位帮助其做好环境保护工作的内在利益动机。

(4)我国水利工程建设对外开放的需要。改革开放以来,从20世纪80年代初云南鲁布革水电站利用世界银行贷款建设开始,我国利用外资建设的水利工作越来越多。为了使所提供的贷款能真正“用于可靠的、生产性的项目,能对借款国的经济发展并增加偿还贷款能力有所贡献”,世界银行对利用其贷款项目的建设通常要提出许多要求,如在采购工作中要遵守《国际复兴开发银行贷款和国际开发协会信贷采购指南》,移民安置工作要遵守《开发工程中的非自愿性移民安置——世界银行贷款项目的政策性导则》,环境保护工作要遵守《世界银行环境评价工作指南》等。由于环境问题不单纯是一个国家单独的、局部性的问题,而是所有国家共同的、全球性的问题,世界银行等提供贷款的金融组织一般要对其资助的项目提出环境保护要求,这种要求越来越严格。要满足这些要求,必须改变一定程度上存在的重工程、轻环境保护的思想,使我国水利工作建设项目的环境保护工作在具有中国特色的同时与国际惯例接轨,这也促进了社会化、专业化的环境监理的产生。

正是在以上主要背景下,从1995年开始,水利工程建设环境监理工作逐步在小浪底水利枢纽、万家寨引黄工程等项目上实施,一些理论工作者也开始了理论上的探索。当然,这些工作目前还不成熟,尚处于起步阶段。

二、水利工程建设环境监理的概念

水利工程建设中的环境监理,是指项目法人委托社会化、专业化的环境监理单位,依据国家批准的工程项目建设文件中环境保护的内容、工程建设过程中的环境保护法律法规和工程建设环境监理合同及其他有关的合同,对工程建设实施的环境监理,这一概念可从以下两个方面来理解:

一是环境监理是由社会化、专业化的环境监理单位来实施的,实施环境监理工作的前提是受项目法人的委托。

二是环境监理的对象是承包商的工作。在水利工程建设过程中,项目法人要做的环境保护工作有很多,如编制的项目建议书中要说明项目建成后可能造成的环境影响;在可行性研究阶段要执行环境影响报告书制度;项目初步设计中必须有环境保护的篇章;施工过程中要将初步设计中环境保护篇章的设计内容全面实现,编制施工期环境保护实施规划并组织实施,保护受工程影响的区域的环境,等等。项目法人的这些环境保护工作多数是委托其他单位来完成的:如可行性研究阶段的环境影响评价工作要委托具有相应级别《环境影响评价资格证书》的工作单位来完成,初步设计中的环境保护篇章要委托设计单位来完成,初步设计中施工区环境保护设计的内容要在施工过程中委托土木、电气和机械工程施工承包商来完成,移民工程的环境保护要委托有关的政府移民机构来实施,等等。对于委托的这些环境保护工作,环评单位、设计单位、施工单位承包商和各级移民机构等,是否能按照国家规定及项目法人的要求来完成,需要进行监督管理。这些监督管理工作,项目法人若委托环境监理单位来承担,就是环境监理。

(一)环境监理与环境咨询的区别

在项目法人的环境保护工作中,经常会碰到一些复杂的环境问题,项目法人有时要聘请环境专家提供咨询服务。咨询组成员根据某一环境方面的要求而更迭或重组,直接对工程环境保护领导小组(工程环境管理的最高决策部门)负责,进行定期或不定期的咨询活动。

环境监理与环境咨询的主要区别是:环境咨询不受项目法人的委托和授权直接对承包商的环境保护工作实施监督管理,不同承包商直接打交道。当咨询专家发现承包商的工作有问题时,他应将自己的看法告知项目法人,再由项目法人通过正常的指挥系统责令承包商改正。而环境监理则不同,环境监理单位受项目法人的委托和授权,可以直接对承包商的环境保护工作实施监督管理,通常可以直接指挥承包商。

(二)环境监理与环境保护的区别

环境保护是指以协调人与自然的关系,保障经济、社会和环境的持续发展为目的,实施的防治环境问题、保护和改善与环境有关的行政的、经济的、法律的、科学技术的、工程的、宣传教育的各种措施和活动的总称。环境保护是人类针对环境问题而实施的积极行为。由此可见,水利工程项目建设过程中环境保护的外延比环境监理要广,内涵更丰富。环境监理仅仅是环境监理单位受项目法人委托,承担了项目法人环境保护的一部分工作,这部分工作内容的多少,要由项目法人同监理单位签订的环境监理合同来确定。

在我国,环境保护是现代化建设中的一项战略任务,是一项重大国策。现行的《中华人民共和国环境保护法》明确规定:一切单位和个人都有保护环境的义务;建设污染环境的项目,必须遵守国家有关环境保护管理的规定。

为了使《中华人民共和国环境保护法》在建设项目管理中得以实施,国家制定了

《建设项目环境保护管理办法》等一系列法律法规。按国家法律法规规定,结合目前的形势,我国水利工程建设项目环境保护工作各方面的职责主要是:

(1)政府部门。各级人民政府的环境保护部门对建设项目的环境保护实施统一的监督管理;各级计划、土地管理、基建、技改、银行、物资、工商行政管理部门,应将建设项目的环境保护管理纳入工作计划;水利部门负责水利建设项目的环境影响报告书或环境影响报告表、初步设计中环境保护篇章、环境保护设施竣工验收的预审、监督水利建设项目设计与施工中的环境保护措施的落实及项目竣工后环境保护设施的正常运转。

(2)项目法人。负责提出环境影响报告书或环境影响报告表,组织编写初步设计环境保护篇章,落实初步设计中环境保护措施,负责项目竣工后环境保护设施的正常运转。如某大型水利枢纽工程施工期环境保护实施规划,要求项目法人施工期环境保护工作规划的内容有:环境监理、环境监测、卫生防疫规划、库底清理、移民安置、文物处理、水文泥沙监测、地震遥测台网监测、管理体系、技术交流和人员培训等。项目法人的环境保护工作有些是通过委托其他单位来完成的。

(3)承包商。环境影响评价的承担单位按照国家规定的环境评价规范和项目法人的要求,依据同项目法人签订的经济合同,完成项目环境影响评价工作。承担环境保护篇章的设计单位,应按照环境保护部门批准的环境影响报告书或环境影响报告表,依据同项目法人签订的经济合同,完成初步设计中环境保护篇章的设计工作。土木、电气和机械工程施工承包商应依据同项目法人签订的施工合同中有关环境保护的条款,履行相应的环境保护义务。承担移民安置工作的各级移民机构要处理好移民安置区经济建设、资源开发与环境保护的关系,促进移民安置区环境质量的改善和提高,等等。

(4)监理单位。受项目法人的委托,实施环境监理工作,代表项目法人对承包商所承担的环境保护工作进行监督管理。

(三)环境监理与环境影响评价的区别

环境影响评价是我国在建设项目环境保护工作中推行的一项制度,是指在某地区进行某项工作建设活动之前对该区域的环境质量状况进行调查,对建设活动将给周围环境带来的环境影响进行预测,并提出减轻或防治环境污染和破坏的对策和措施。环境影响评价可分为回顾评价、现状评价和预断评价三种。

为了使环境影响评价制度能在项目建设中得以实施,国家除明确规定了由项目法人负责在可行性研究阶段提出环境影响评价报告(表)之外,还规定了对环境影响评价报告(表)的审批制度以及对受项目法人委托从事环境影响评价的单位实行资格审查制度。

环境影响评价(预断评价)是项目可行性研究阶段的一项重要工作,通常由项目法人委托持有《建设项目环境影响评价资格证书》的单位来完成,环境监理单位可以受项目法人的委托对承担环境影响评价任务的单位的环评工作进行监督管理。而环境监理并不局限于项目可行性研究阶段,可以延伸到设计和施工等阶段。

(四)环境监理与环境监测的区别

环境监测是指运用物理、化学、生物等科学技术手段,对反映环境质量的各种物质、现象进行监视、测定的活动,主要是指对污染物质及其在环境中的性质、变化和影响进行观察、测定、分析的活动。从不同的角度,可以对环境监测做不同的分类。按监测目的,可以分为研究性监测、监视性监测(如目前水利系统内的水环境监测部门开展的水质监视性监测)和事故性监测。

目前我国环境监测机构主要有以下类型:国务院和地方各级人民政府的环境保护行政主管部门设置的环境监测管理机构;全国环境保护系统设置的四级环境监测站,即国家级、省级、市级和县级环境监测机构;各部门的专业环境监测机构,如水利环境监测、环境卫生监测、农业环境监测等机构或站;大中型企事业单位的监测站。

以上各类监测机构,依照有关法律、法规和行政规章各司其责,为环境管理提供有效的技术支持、监督与服务,共同形成全国环境监测网。全国环境监测网分为国家网、省级网和市级网三级。

水利工程建设必须建立相应的环境监测系统,这是工程建设的需要,是区域环境保护的要求,也是工程运用和水资源保护的重要手段。如某水利工作环境监测系统的建设和运用时间,包括工程施工及运用期;系统的空间分布范围,主要包括库区、水库下游河段和主要移民分布区域;系统的主要环境监控对象,根据工程建设的不同时期而各有差异,主要对象包括环境监控区的水体、大气、噪声、固体废弃物、水生生物等。系统的主要任务包括:

(1)建设跨地区、跨学科的相对独立的监测网络,形成多因子、多层次的统一监测及管理体系,对工程兴建前后、库区及影响区的环境质量实施全过程的系统跟踪监测。及时发现问题,提出减免不利影响的措施,预测不良形势并发出警报,为工程的建设和运行,为水资源的统一调度和持续利用提供决策服务和环境保护。

(2)建立健全的适宜于工程本身的环境监测指标体系,对重要的环境影响因子进行定期与动态的监测、观察和调查。

(3)建立工程环境监测信息系统,及时提出减免不利影响的对策和措施,从环境角度优化工程的运用方案。

(4)参与库区污染防治和水资源的保护、监督、管理。

(5)参与实施突发性污染事故的跟踪监测、监督调查和处理。

环境监测是项目建设环境保护管理的重要基础工作,可以为建设期和运行期的环境保护管理工作,包括建设期项目法人委托环境监理单位实施的环境监理工作提供科学的决策信息,以供环境保护管理决策。可以认为,环境监测为环境监理提供了重要的监理信息。环境监理单位一方面要充分利用已有的环境监测网所提供的信息,另一方面也要自己组织必要的监测以获得直接的信息。

三、水利工程建设环境监理的范畴

水利工程建设项目一般分为项目建议书、可行性研究报告、初步设计、施工准备(包括招标设计)、建设实施、生产准备、竣工验收、后评价等八个阶段。其中,项目建议书、可行性研究报告和初步设计(或扩大初步设计)属项目建设前期。按国家对建设项目环境保护工作的管理规定,水利工程建设程序及项目法人在建设各阶段环境保护工作的主要任务见图 6-1。

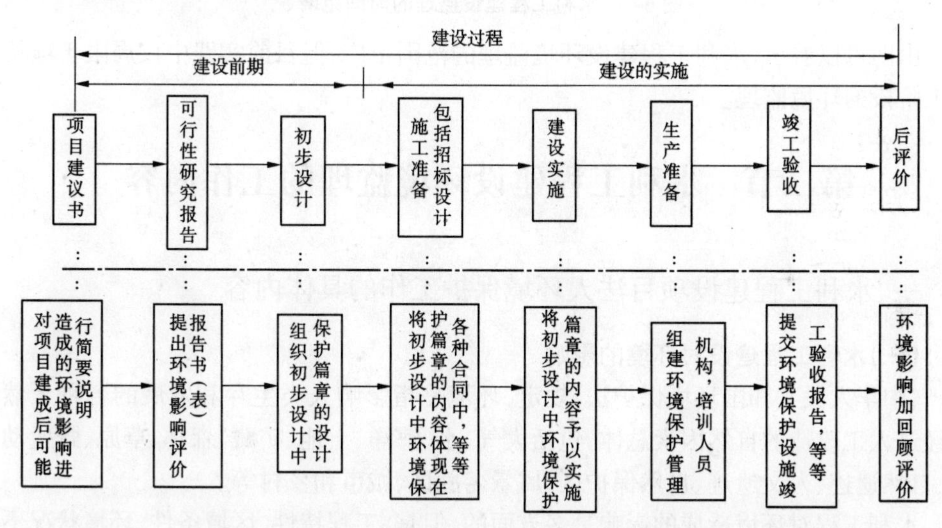

图 6-1 水利工程建设程序及项目法人在建设各阶段环境保护工作的主要任务

图 6-1 中,点划线以上的部分是目前我国水利工程项目的建设程序,点划线以下的部分是项目法人在各建设阶段应做的环境保护工作的主要内容。图 6-1 只包括水利工程项目建设过程,未涉及投产运行后,项目法人要负责项目竣工后防治污染设施的正常运转,有关的水利主管部门要监督项目竣工后环境保护设施的正常运转,政府的环境保护部门负责环境保护设施运转和使用情况的检查和监督。由图 6-1 还可以看出,水利工程建设环境监理的对象是水利建设项目的一部分相对独立的工作内容,不是一个完全独立的环境工程项目。

从时间范畴上看,水利工程建设环境监理可以包括可行性研究报告和初步设计阶段的环境管理,也可以包括项目实施的监理,见图 6-2。

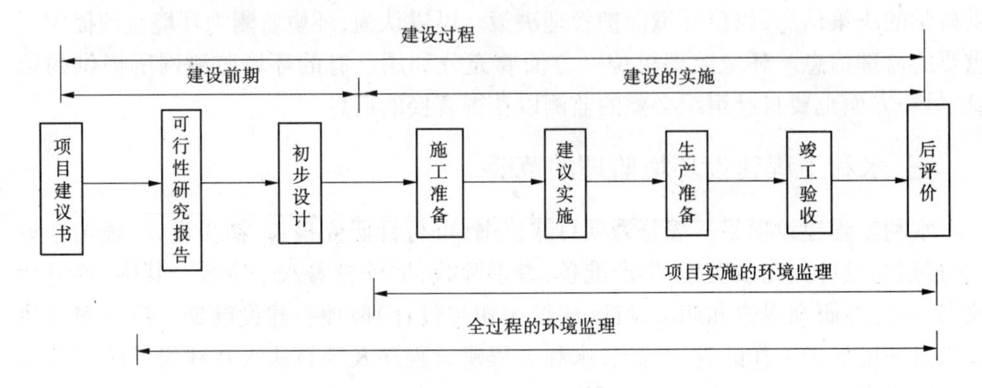

图 6-2 水利工程建设监理的时间范畴

由图可以看出,水利工程建设环境监理的范围很广,但目前实践中仅局限于项目施工阶段的环境监理。

第二节 水利工程建设环境监理的工作内容

一、水利工程建设项目法人环境保护工作的具体内容

(一)水利工程建设对环境的影响

《中华人民共和国环境保护法》规定,环境是指影响人类生存和发展的各种天然和经过人工改造的自然因素总体,包括大气、水、海洋、土地、矿藏、森林、草原、野生动物、自然遗迹、人文遗迹、自然保护区、风景名胜区、城市和乡村等。

水利工程对环境造成的影响是多方面的,但是,工程特性、区域条件、环境状况不同,其影响的面和程度也不同。通常可分为以下两个方面:

(1)对自然环境的影响,包括对物理、化学和生物方面的影响。对物理方面的影响,有水库的淤积、下游河道的冲淤、水库的淹没和处理、水库诱发地震、局部气候的影响、水温的变化、水文状态的变化和水质的变化等;对化学方面的影响,如对水体化学的影响主要是在水体交换过程中,上游入库径流量、水库水体温度、污染物质和微量元素等的变化而产生的;对生物方面的影响,有对浮游植物、浮游动物、鱼类、野生动物等的影响。

(2)对社会环境的影响,包括对社会经济的影响、淹没和移民问题、对人群健康的

影响等。

(二)项目法人在建设期环境保护的内容

由于水利工程建设会对环境造成不利的影响,按照我国环境保护法的一项基本原则,即"开发者养护、污染者治理"的原则,项目法人在项目建设时必须承担相应的环境保护任务,以便在兴"水利"的同时,防止对环境的破坏,保护和改善生态环境,使工程建设在经济效益、社会效益、环境效益三方面得到统一。

具体地讲,水利工程建设项目法人在建设期环境保护的工作内容有以下几个:

(1)项目建议书阶段。应根据拟建水利工程项目的性质、规模、地点、环境现状等有关资料,对水利工程项目建成后可能造成的环境影响进行简要说明。其中,专业性很强的环境问题,项目法人可向环境专家咨询。

(2)可行性研究报告阶段。负责提出环境影响报告书或环境影响报告表。这项工作应按《水利水电工程环境影响评价规范(试行)》(水规[1989]11 号)进行。水利工程环境影响评价的内容应包括环境现状调查、环境影响识别、预测和综合评价等,项目法人一般要将环境影响评价工作委托给持有《建设项目环境影响评价资格证书》的单位。环境影响评价报告书(表)完成后,项目法人应把它上报水行政主管部门预审,再上报环境保护部门审查。对于利用世界银行贷款建设的水利工程,其环境影响评价报告书(表)还要按照贷款协议的规定报世界银行批准。

(3)初步设计阶段。项目法人要具体落实环境影响报告书(表)及其审批意见确定的各项环境保护措施。主要内容包括:组织编写工程环境保护设计大纲,明确工程主要保护任务及措施项目;对工程环境保护设计大纲,明确工程主要保护任务及措施项目;对工程影响地区的环境状况必要时应进行补充调查和测试工作,进行分项环境保护措施设计(包括工程和非工程的);进行工程环境保护投资概算;提出下一设计阶段需要进一步研究的问题及建议;编写工程环境保护设计篇章,等等。

初步设计阶段的环境保护任务很多,项目法人一般将编写初步设计中环境保护篇章的任务发包给设计单位完成。项目法人要对设计承包商的工作依据双方签订的设计合同进行监督管理。

(4)施工准备阶段。工程设计经批准后,项目法人要做好施工前的准备工作。在这一阶段中,项目法人要组织编写《水利工程技施设计阶段环境保护实施规划》。招标是施工准备的一项重要工作。在招标工作中,项目法人要和施工(土建、电气与机械工程)承包商签订各种承发包合同,这些合同是施工阶段承发包双方工作的重要依据。因此,在承发包合同中,必须明确施工阶段承发包双方在环境保护方面的权利和义务。如果项目法人拟委托环境监理单位对承包商的环境保护工作独立实施环境监理,在承发包合同中还必须有承包商应接受的环境监理条款。

(5)施工阶段。项目法人要具体落实初步设计中环境保护篇章及其审批意见确定的各项环境保护工作,落实技施设计阶段环境保护实施规划,组织编写《水利工程施工期环境保护实施规划》;继续对工程影响地区的环境状况作必要的补充调查和测试工作,实施各分项环境保护措施(包括工程的和非工程的),建立初步设计中所设计的环境监测站网;对土建、电气和机械工程承包商的工作进行监督管理,以便在施工过程中能保护施工现场周围的环境,防止对自然环境造成不应有的破坏,防止和减轻粉尘、噪声、震动等对周围生活居住区的污染和危害;对移民机构的与移民安置有关的环境保护工作也要监督管理。

(6)生产准备阶段。项目法人应为项目环境保护设施的运行做好必要的准备,包括组建环境保护机构、落实和培训有关人员等。

(7)竣工验收阶段。项目法人必须向负责审批的环境保护部门提交《环境保护设施竣工验收报告》;说明环境保护设施运行的情况、治理的效果、达到的标准,经验收合格并发给《环境保护设施验收合格证》后,方可正式投入生产或使用。同时,项目法人还应督促施工承包商在竣工后,及时修整和复原在建设过程中受到破坏的环境。

(8)后评价阶段。项目法人要组织好项目环境影响后评价工作,以便了解工程兴建后实际的环境变化情况、环境影响的范围和深度,针对实际中出现的情况,提出改善措施,保护环境质量,并为今后新建工程的环境影响评价提供参考依据。近年来,我国水利部门先后组织过对三门峡水利枢纽、丹江口水利枢纽、新安江水电站、狮子滩水电站等许多水利工程建设环境影响评价工作。

二、水利工程建设环境监理的工作内容

环境监理单位受项目法人的委托在项目建设过程中对承包商的工作实施监理,环境监理在不同阶段的业务内容主要是:

(1)可行性研究阶段。提出环境影响评价的要求,协助项目法人选择环境影响评价单位,商签环境影响评价合同并组织实施。协助项目法人审查环境影响评价报告书(表)。

(2)初步设计阶段。提出初步设计阶段环境保护篇章的设计要求,组织评选设计方案;协助项目法人选择环境保护篇章的设计单位,商签设计合同并组织实施;审查工程建设有关的环境保护投资概算等。对环境保护篇章外的其他设计文件,如移民安置规划等,环境监理单位也应从环境保护的角度予以审查。

(3)施工准备阶段。准备招标文件中有关环境保护的条款,协助项目法人评审土木、电气与机械工程施工投标书中环境保护的内容,提出决标意见;协助项目法人与承包商签订承包合同中的环境保护条款;协助项目法人与有关移民机构签订移民安

置规划实施合同中的环境保护条款,等等。

(4)施工阶段。协助项目法人和承包商编写开工报告中环境保护的内容,审查承包商在施工组织设计、施工技术方案和施工进度计划中环境保护的内容,提出改进意见;督促、检查承包商严格执行工程承包合同中有关环境保护的条款和国家环境保护的法律法规;调解项目法人和承包商有关环境保护工作的争议;检查承包商环境保护工作的质量和进度,在有关的工程验收单上签署环境监理意见;督促承包商整理有关环境保护的合同文件和技术档案资料;组织环境保护设施的试运行;审查环境保护设施工程结算,等等。对移民工程的环境监理,要监督、审查、评估移民规划实施中环境保护措施的落实情况,如居住区域内的公共卫生状况,水源水质及安全状况;生物影响、公共设施、安置区和工业项目环境评价等。

(5)竣工验收阶段。提出环境保护设施的竣工验收报告,督促承包商修复和复原在建设过程中受到破坏的环境。

在某一水利工程建设中环境监理工作的业务在地域上、时间上和内容上具体包括什么,要由项目法人和监理单位根据有关的环境保护规划在环境监理合同中规定。可能包括以上全部内容,也可能只包括一部分内容。

[水利工程建设环境监理实例一]　某大型调水工程环境监理合同中规定的施工阶段环境监理的业务内容是:检查工程弃渣处理是否符合规定要求,防止阻塞河道行洪或造成新的水土流失;监督检查施工区生活引水水质状况、污水处理、大气污染控制、噪声污染控制、固体废弃物处理和卫生防疫等方面;要求承包商对所有材料和设备,必须存放堆置好,及时清除不再需要的临时工程,按时运出施工产生的废料及垃圾,经常保持现场干净、条理,不出现影响施工和工区的障碍物;将项目法人提出的有关监测单位发现的问题及时反馈给承包商进行处理,并进行跟踪监督,责令实施;参与工程区域范围内与环境有关的会议,对有关环境方面的意见进行汇总,并提出措施和解决的办法;参与工程阶段验收和竣工验收,对施工现场达不到环境质量要求的,不能在竣工验收报告上签字;调查了解工程对土地的占用情况,检查土地复耕、植被恢复措施的制定与落实情况;监督、检查、评价移民规划实施中有关环境保护措施的落实情况。监督、检查、评价移民规划实施中有关环境保护措施的落实情况。由上述内容可以看出,该水利工程的环境监理在地域上主要是施工区,在时间上仅是施工阶段,在内容上主要是对土木、电气与机械工程施工承包商的环境保护工作。

[水利工程建设环境监理实例二]　某大型水利枢纽施工期环境保护实施规划中环境监理的内容,包括大坝施工环境监理和移民环境监理。具体业务内容如下:

(1)大坝施工环境监理。必须与工程监理相协调,在工区配置环境工程师或施工环境检查员,其职责是:对承包商进行监理,防止和尽量减轻施工作业所引起的环境污染和破坏。环境监理工程师要对挖除地表覆盖层之前是否需要修筑堤埂进行检查,以防止侵蚀径流的产生,引起河流水体混浊度上升;必须提示承包商不得随意焚烧其他释放有毒或难闻烟气等危害人体或生态平衡的物品,如果确需焚烧和清除垃圾时,必须在指定的处理区按规定的要求进行;避免和尽可能减少在施工过程中对植被及其他环境资源和附近财产的损坏;在工程施工期间,要求承包商存放或堆放好自己的所有设备和剩余材料,及时清除不再需要的临时工程,按时运出施工产生的废料及垃圾,不出现影响施工和工区环境的障碍物。施工环境检查员必须每天作现场记录,定期向工程监理公司提交环境动态报告,并抄送环境监理部;按合同规定,公正地处理索赔问题;参加工程阶段验收和竣工验收。

(2)移民环境监理。分为三个方面。首先是移民监理规划,主要是监督评估移民安置规划中是否有环境保护措施;监督、审查、评估移民规划实施中,环境保护措施的落实情况,如居住区域的公共卫生状况、水源水质及安全状况、生物影响、公共设施、安置区和工业环境评价等。其次是根据库底清理规划要求,监督移民搬迁后对垃圾及有害废弃物的掩埋及清理工作。再次,对库区文物的发掘工作,环境监理工作主要是监督库区文物处理计划的实施,以保证有价值的文物古迹不受损失。

很显然,该水利枢纽建设的环境监理在地域上既包括施工区,也包括移民安置区;在时间上,主要是施工阶段;在内容上,既包括土木、电气和机械工程施工承包商的工作,也包括移民机构的移民安置工作。

第三节　水利工程建设环境监理的准则、程序、手段和依据

一、环境监理准则

环境监理准则主要有以下内容:

(1)从事环境监理,应当遵循守法、诚信、公正、科学的准则。

(2)环境监理单位应按照“公正、独立、自主”的原则,开展环境监理工作,公平地维护项目法人和被监理单位的合法权益。

(3)环境监理工作的开展必须围绕着建设项目环境保护的目标,即确保建设的水利工程符合环境保护法的要求;以适当的环境保护投资充分发挥工程潜在的效益;环境影响报告书(表)中所确认的不利影响要得到缓解或消除;实现工程建设的环境、社会与经济效益的统一。而环境保护的目标又必须围绕着建设项目的总目标——投资、进度、质量开展工作。因此,环境监理是为了环境保护目标,最终是为了建设项目的总目标尽可能好地实现服务,而不是为项目总目标的实现设置障碍。

(4)环境监理实行环境监理总工程师负责制。环境监理总工程师行使合同赋予环境监理单位的权限,全面负责受托的环境监理工作。

(5)环境监理应以预防为主,主动监理为主,实现监督管理与帮促相结合。

二、环境监理程序

环境监理工作一般按以下程序进行:

(1)编制环境监理规划,这项工作一般由环境监理总工程师负责组织。

(2)按照工程建设进度,编制环境监理实施细则。

(3)按照环境监理细则实施环境监理。在实施过程中,要用到动态控制的方法,有时要"旁站"监理等。

(4)参与工程预验收,签署环境监理意见。

(5)环境监理业务完成后,向项目法人提交工程建设环境监理的档案资料。

由环境监理的准则和程序可知,环境监理在准则和程序上具有一般工程建设监理的共性。

三、环境监理手段

由于水利工程建设环境监理工作范围广而且深度要求比较高,环境监理单位如果不具备现代化的监理手段是不行的。举例如下:

(1)计算机运用是环境监理的一个必不可少的手段。在环境监理工作中,有大量的信息数据需要处理;在环境监理规划实施过程中,要进行大量的计划值和实际值的比较,这就需要运用电子计算机进行信息处理,以提高工作效率。

(2)遥感技术是不直接接触有关目标物或现象而能收集信息,并能对其进行分析、解译和分类等的一种技术。水利工程影响范围包括库区、库区周围及水库下游影响河段等,大型调水工程的环境影响可能涉及到相当广阔区域的环境,要迅速收集到大范围内的信息,可采用遥感技术,以揭示环境条件变化、环境污染性质及污染物扩散规律,有效地监测大气污染、地面污染以及各种污染导致的破坏和影响,为监理决策提供可靠的数据。

四、环境监理依据

水利工程建设环境监理的主要依据是:

(1)国家制定的旨在调整因开发、利用、保护、改善环境所发生的社会关系的法律、法规。具体包括:《中华人民共和国宪法》;环境法律,如《中华人民共和国环境保护法》、《中华人民共和国水污染防治法》、《中华人民共和国水法》、《中华人民共和国水土保持法》、《中华人民共和国野生动物保护法》、《中华人民共和国文物保护法》,等等;环境行政法规,如《噪声污染防治条例》、《水产资源繁殖保护条例》、《环境保护行政处罚办法》、《建设项目环境保护管理办法》、《卫生防疫条例》、《建设项目环境保护设计规定》,等等;另外,还有地方环境保护方面的行政规章及其他规范性文件。

(2)水利部等有关部门制定的有关水利工程建设环境保护的规范,如《水利水电工程环境影响评价规范》、《水利水电工程初步设计环境保护设计规范》、《淹没处理设计标准》等。

(3)国家环境保护主管部门批准的《建设项目环境影响评价报告书(表)》、初步设计文件等各种工程建设文件及其审批意见。

(4)项目法人与环境监理单位签订的环境监理合同及各种补充文件,包括双方之间的信函、指令和会议纪要等;项目法人与承包商签订的各种经济合同及补充文件。

(5)国家有关工程建设监理方面的法律法规。

(6)其他,如利用世界银行贷款建设的项目需要依据世界银行有关环境保护方面的政策性导则、世界银行的环境影响评价报告等。

第四节　水利工程建设环境监理的组织

所谓组织,就是为了达到某种特定的目标,经分工与协作以及不同层次的权力和责任制度而构成的人的组合体。这有三层意思:目标是组织存在的前提,没有分工与协作就不是组织,没有不同层次的权力和责任制度就不能实现组织活动和特定目标。

一、建筑市场的三元结构

实行建设监理制后,我国建筑市场主体已由传统的建设单位、施工单位组成的二元结构转变为项目法人、承包商、监理单位组成的三元结构,它们之间的关系如图 6-3 所示。

图 6-3 中,项目法人和承包商之间是平等的经济合同关系;项目法人和监理单位之间是委托与被委托关系,也是一种经济合同关系;监理单位和承包商之间是监理与被监理关系,他们之间无合同关系。监理单位之所以和承包商之间有监理与被监理关系,是由项目法人与承包商之间的经济合同关系、项目法人与监理单位之间的合同关系共同决定的。需要注意的是,为使监理单位顺利工作,项目法人和承包商之间的经济合同中应有明确的监理条款,即明确承包商必须接受项目法人委托的监理单位的监理。

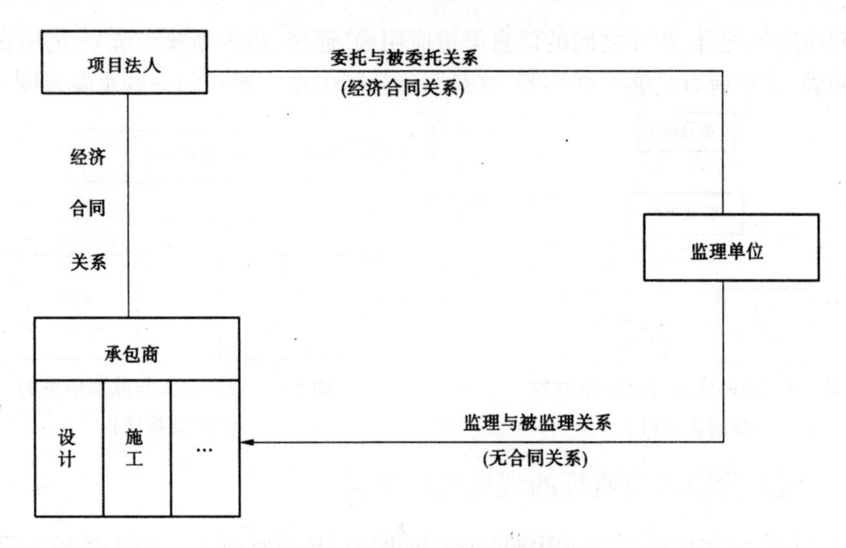

图 6-3　建筑市场三元结构关系

二、项目法人和环境监理单位之间的关系

实行建设监理制后,项目法人的内部组织结构中一般要设置一个职能部门——监理办公室,代表项目法人管理监理工作并和委托的监理单位之间进行联系。若项目法人再委托环境监理单位进行环境监理,其监理办公室可采用图 6-4 的形式。

项目法人和监理单位之间是经济合同关系,项目法人委托环境监理单位实施环境监理后,项目法人与监理单位的合同关系,如图 6-5 或图 6-6 所示。

图 6-5 中,项目法人同一家监理单位签订合同,该监理单位全面负责工程监理及环境监理。图 6-6 中,类似土木工程的平行承发包,项目法人分别和工程建设监理单位与环境监理单位签订合同,工程监理与环境监理单位之间是平等协作的关系,相互之间无合同关系或行政隶属关系。

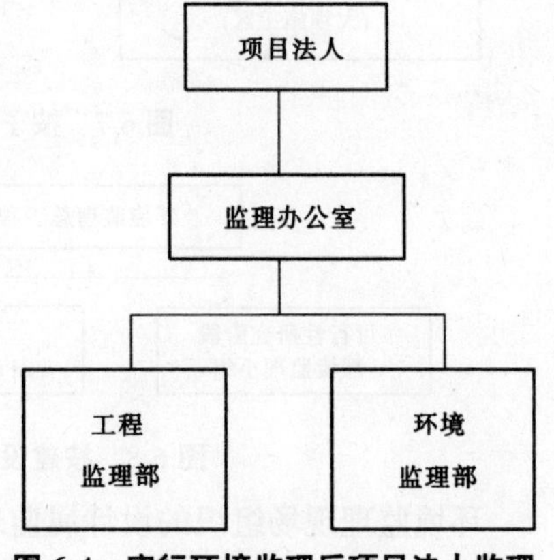

图 6-4　实行环境监理后项目法人监理办公室内部机构

不论是图 6-5 还是图 6-6 的合同关系,实践中一定要注意按组织的基本原则办事。在水利工程建设过程中,项目法人、监理单位(包括工程建设监理和环境监理单位)、承包商等组成了一个复杂的、动态的、开放的系统,从保证项目总目标(投资、进度和质量)出发,各单

位之间应有机配合，相互之间的信息渠道应明确、通畅，指挥系统应统一，各方的责权利应明确，工作应有足够的弹性等，这是明确合同关系应遵守的一些重要原则。

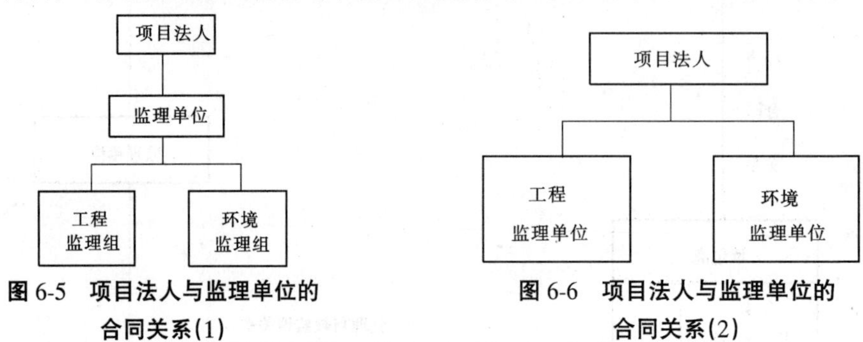

图 6-5　项目法人与监理单位的合同关系(1)

图 6-6　项目法人与监理单位的合同关系(2)

三、施工阶段环境监理的现场组织结构

施工阶段环境监理单位的现场监理组织可以设环境监理总工程师、监理工程师、监理员三类。类似于FIDIC合同条件中的工程师(Engineer)、工程师代表(Engineer's Representative)和助理(Assistant)。施工阶段环境监理的现场组织结构，一般不同于工业企业的组织结构(直线制、直线参谋制、事业部制、矩阵制等)。图6-7～图6-10是几种可供参考的组织结构图。

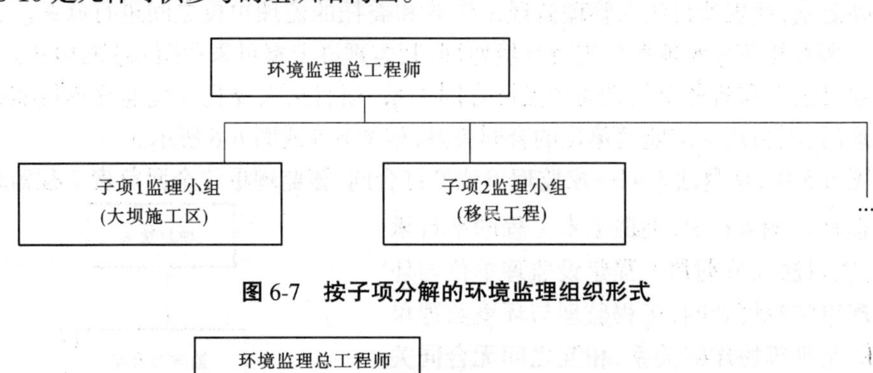

图 6-7　按子项分解的环境监理组织形式

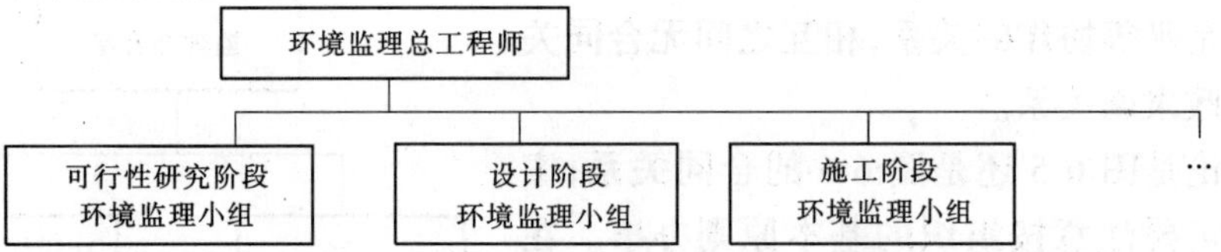

图 6-8　按建设阶段分解的环境监理组织形式

环境监理现场组织的设计属监理单位自己的事。无论采用什么形式，均应从保证环境监理工作顺利实施的角度出发，贯彻传统的组织设计原则(目的性原则、管理

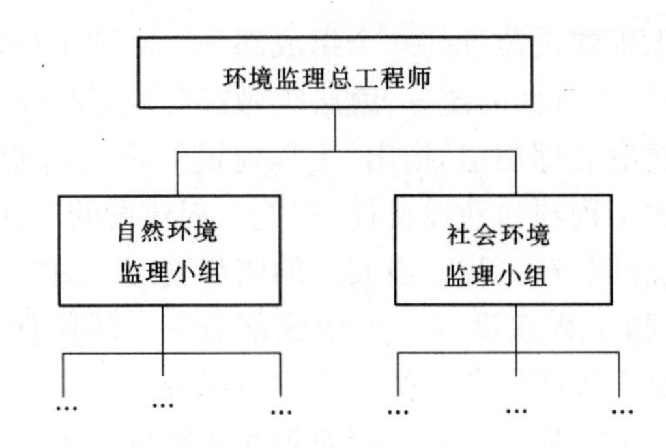

图 6-9　按环境影响内容分解的环境监理组织形式

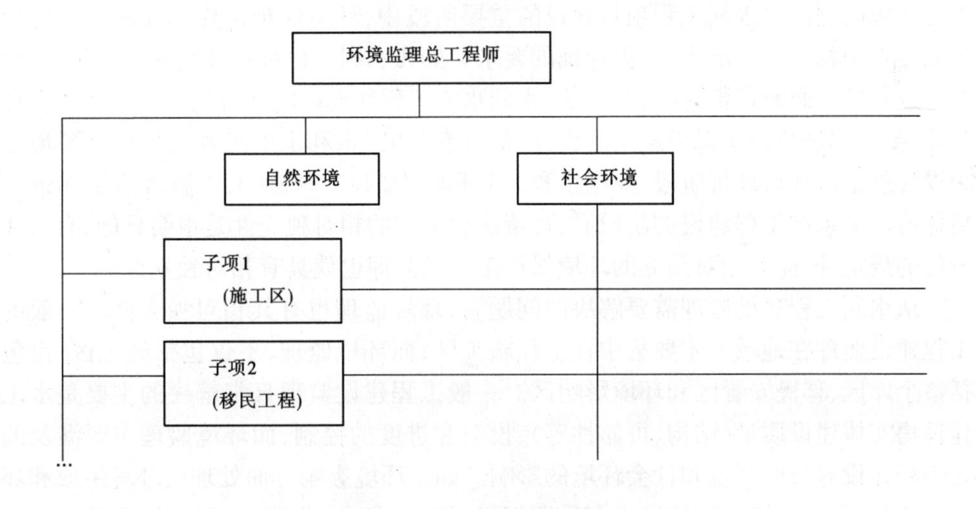

图 6-10　矩阵制监理组织形式

跨度原则、统一指挥原则、责权一致原则、适当授权原则、经济原则、分工协作原则)和动态的组织设计原则(职权和知识相结合的原则、集权与分权相平衡的原则、弹性结构原则)。

第五节　水利工程建设环境监理的特殊性

一、水利工程环境监理与建设监理的关系

按现行法规理解,环境监理是工程建设监理的一个组成部分,但又相对独立。尤其是对环境影响较大的大型水利工程,环境监理的相对独立性更强。

(1)环境监理是工程建设监理的一个组成部分。水利工程建设要获得经济效益、社会效益和环境效益三个方面的统一,就必须做好各项工程建设工作,包括环境保护工作。现行的《工程建设监理规定》指出,工程建设监理是指监理单位受项目法人的委托,依据国家批准的工程项目建设文件、有关工程建设的法律法规和工程建设监理合同及其他工程建设合同,对工程建设实施的监督管理。对"工程建设实施的监督管理",自然也包括对作为工程建设的一个组成部分——环境保护工作实施的监督管理。因此,环境监理是工程建设监理的一个组成部分。

(2)环境监理又是工程建设监理中相对独立的组成部分。这是因为:由于水利工程对环境的影响是多方面的,如果不能妥善做好项目建设环境保护工作,将会导致严重的环境问题。在水利工程项目建设的重要阶段中,环境保护工作都要从工程建设管理工作中相对独立出来,有更详细的要求。如在水利工程可行性研究报告阶段,要专门进行环境影响评价,执行专门的《水利水电工程环境影响评价规范》;在初步设计阶段,要专门进行环境保护篇章的设计,执行专门的《水利水电工程初步设计环境保护设计规范》;在后评价阶段,我国水利行业相继专门对一些水利工程环境影响进行后评价。从水利工程建设的阶段看,环境保护工作的相对独立性是很明显的,有一些专门的规定,因此对相对独立的环境保护工作的监理也就具有相对独立性。

从水利工程建设监理需要解决的问题看,环境监理也有其相对独立性。一般的工程建设监理在地域上主要集中在工程施工区,而环境监理,不仅包括施工区,也包括整个库区、移民安置区和环境影响区。一般工程建设监理日常解决的主要是水工建筑物实体建设质量(结构、可靠性等)、投资和进度的控制,而环境监理主要涉及的是工程建设对自然环境和社会环境的影响。如在环境影响方面处理的环境组成和环境因子是:自然环境的环境组成有局地气候(气温、降水、蒸发、温度、风、雾等)、水文(水位、水深、流量、流速等)、泥沙(淤积、冲刷等)、水温(水温结构、下泄水温等)、水质(有机质、有毒有害物质、营养物质等)、环境地质(诱发地震、库岸稳定、水库泄漏等)、土壤环境(土壤肥力、土壤侵蚀、土壤演化等)、陆生植物(森林、经济林、草场、珍稀植物等)、陆生动物(野生动物、珍稀动物等)、水生生物(鱼类、珍稀水生生物等),社会环境的环境组成有人群健康(自然疫源性疾病、虫媒传染病、地方性疾病等)、景观和文物(风景名胜、文物古迹、自然保护区、疗养区、旅游区等)、重要设施(政治、经济、交通、军事设施等)、移民(人口状况、土地及水域利用、生产条件、生活水平等)、工程施工(大气、水质、噪声、弃渣及景观、工区卫生等)及其他。再如,在水利工程初步设计阶段,环境监理主要面对的是工程对水质、环境地质、土壤环境、陆生生物、水生生物等自然环境保护设计和移民安置区环境保护、人群健康、景观与文物等社会环境保护设计,以及与施工区环境保护设计有关的施工区"三废"处理及噪声污染防治、土石方开挖及弃渣处理、施工基地的景观恢复和绿化、施工对附近城镇和自然保护区等影响的保护、施工期环境监测等问题，还会涉及到工程环境监测站网设计等内容，很显然同一般的工程建设监理所涉及的内容迥异。从施工合同条款上看，一般工程建设监理依据的施工合同(项目法人与施工承包商签订的承发包合同)中对环境保护的内容规定甚少，如FIDIC《土木工程施工合同条款》通过条款中对环境保护的规定主要是要求承包商“采用一切适当的步骤保护现场内外环境，以避免由承包商的各种施工操作所引起的噪声、污染或其他各种原因造成的对人员或公共财产等的损坏和麻烦”，“承包商要保持现场整洁”和“完成后清理现场”等，显然只能解决建设项目环境保护的局部问题，而环境监理依据的合同条款，除上述施工合同条款外，还包括施工区以外的移民安置协议中有关的条款等。

从上面的分析可以看出，环境监理的相对独立性是明显的，一般工程建设监理不能完全胜任环境监理工作的需要。需要注意的是，在工作过程中，环境监理和一般工程建设监理的关系要理顺，二者的关系要协调好。

例如某水利工程建设期，环境监理包括施工区环境监理和移民安置区环境监理，相互之间的关系是：

(1)在施工区环境监理与工程监理的关系上，环境监理工程师在施工区发现了环境问题，提出解决意见，交工程监理工程师处理。

(2)针对施工区出现的环境问题，环境监理工程师的解决意见及工程监理工程师的处理结果上报工程移民局(项目法人的职能部门)，当环境问题没有得到妥善解决时，由移民局强制解决。

(3)把移民安置区存在的环境问题、环境监理工程师的解决意见上报移民局，由移民局负责处理。

二、环境监理单位与环境执法部门的环境监理机构的区别

在我国环境执法机构中，环境监理机构是随着排污收费制度的实施应运而生并迅速发展起来的。由于这支监理队伍是在执法实践中产生的，在过去很长一段时间，国家对此缺少统一管理，因此存在许多问题。一是体制与性质不明确，有的属行政序列，有的是事业编制，有的是混合编制，有的与环保部门是一个机构两块牌子；二是职责范围不明，有的承担执法监督与污染监管，有的只承担排污收费，有的对排污费实施收管用统一监管；三是名称五花八门，如环境监理处(所)、环境保护排污监理站、排污监理处(所)、征收排污费监理处(所)等；四是经费来源不统一，有的来源于行政经费，有的来源于事业经费，更多的主要依靠排污收费；五是工作程序混乱，所从事的环境监理与环保部门本身的环境管理在工作职能上有冲突。为了解决上述问题，1991

年 8 月国家环保局发布了《环境监理工作暂行办法》,对这些机构环境监理的任务、机构建设、机构职责、环境监理员的职责及应具备的条件、享有的权利和应承担的义务等作出了明确的规定。但该暂行办法对环境监理机构的性质未作出明确的规定,造成了实践中对这一问题仍有不同的认识。按国家环保局政策法规司 1991 年所作的行政解释,环境监理机构行使执法权是基于环保部门的委托。

社会化、专业化环境监理单位与环境监理机构是不同的。在性质上,环境监理单位是独立企业法人,不具有受环保部门委托行使的执法权;在工作的范围上,环境监理单位不受地域的限制;在工作的对象上,环境监理单位是针对建设项目而不是针对企业排污;在工作的深度上,环境监理单位不仅仅是阶段性的检查,而是要"到位";等等。

三、水利工程建设环境监理与非水利工程环境监理的区别

据了解,目前在非水利工程建设过程中,项目法人委托社会化、专业化的监理单位实施环境监理在我国还没有出现。可以说,在项目建设中实行环境监理,水利行业是走在前面的。当然,相对于水利工程建设而言,其他行业项目,除少数行业如核电、化工等外,面对的环境问题不如水利工程建设面临的环境问题复杂。因此,即使其他行业项目建设实行环境监理,其监理工作的难度比水利工程建设环境监理的难度相对要小。

水利工程建设环境监理的上述特殊性,决定了其环境监理工作的困难性、复杂性和特殊性,从而也对从事水利工程建设的环境监理的工程师提出了更高的要求。水利工程建设环境监理工程师不仅要懂水利工程,懂建设监理制的基本理论,更需要懂环境法,掌握环境保护的方法和手段。很显然,一般的监理工程师由于没有经过环境保护方面知识的系统培训,是不能胜任环境监理这一具有特殊性的工作的。在上岗前,必须进行专门培训。

参 考 文 献

[1] 张文合.流域开发论.北京:水利电力出版社,1994
[2] (美)莱斯特·R·布朗.生态经济.北京:东方出版社,2002
[3] 张道军,等.流域生态环境可持续发展论.郑州:黄河水利出版社,2001
[4] (美)P·麦卡利.大坝经济学.北京:中国发展出版社,2001
[5] 钱正英,等.中国水利.北京:水利电力出版社,1991
[6] 水利部水政水资源司.黄河断流及其对策.北京:中国水利水电出版社,1997
[7] 谭徐明,等编译.美国防洪减灾总报告及研究规划.北京:中国科学技术出版社,1997
[8] 陈家琦,王浩.水资源概论.北京:中国水利水电出版社,1996
[9] (美)汤姆·泰坦伯格.环境与自然资源经济学(第5版).北京:经济科学出版社,2003
[10] (美)P·维西林,等.工程、伦理与环境.北京:清华大学出版社,2003
[11] 陈守煜.工程水文水资源系统模糊集分析理论与实践.大连:大连理工大学出版社,1998
[12] 李振基.生态学.厦门:厦门大学出版社,2000
[13] 皮尔斯.世界无末日——经济学、环境与可持续发展.北京:中国财政经济出版社,1996
[14] 张帆.环境与自然资源经济学.上海:上海人民出版社,1998
[15] 刘培哲.可持续发展概念与《中国21世纪议程》,来自科学技术前沿的报告.北京:清华大学出版社,1996
[16] 王军.可持续发展.北京:中国发展出版社,1997
[17] 成思危.软科学与改革.北京:民主与建设出版社,1997
[18] 陈守煜,张道军,伏广涛.基于数字化技术和模糊模式识别理论的一般评价理论与方法.辽宁工程技术大学学报,2002(1)
[19] 陈守煜.工程模糊集理论与应用.北京:国防工业出版社,1998
[20] 富曾慈.呼之欲出的国家防汛指挥系统.中国水利,1999(7)
[21] 费奇,余明辉.信息系统集成的现状与未来.系统工程理论与实践,2001,21(3)
[22] 李国英.论可持续发展战略与水务一体化.中国水利,2000(6)
[23] (美)亚德里安·J·斯莱沃斯基,大卫·J·莫里森,黄素燕,等.数字化企业.北京:中信出版社,2001
[24] 陈守煜,张道军,陈福堂.调水工程发展综合经营模式的研究.水利水电技术,2002(3)
[25] 陈守煜,张道军.中国水资源管理中水权制度的研究.水利发展研究,2001(1)